Dos dramas de Buero Vallejo

Foto Alfonso

Antonio Buero Vallejo

EDITED WITH AN INTRODUCTION, NOTES, AND EXERCISES BY

Isabel Magaña Schevill

STANFORD UNIVERSITY

Dos dramas de Buero Vallejo

AVENTURA EN LO GRIS

DOS ACTOS Y UN SUEÑO

LAS PALABRAS EN LA ARENA

TRAGEDIA EN UN ACTO

NEW YORK

Appleton-Century-Crofts

DIVISION OF MEREDITH PUBLISHING COMPANY

25181
PQ
6603
.U4
A9
1967

Dedico esta edición a Raoul y Elsa

PREFACE

The inclusion in a single volume of two outstanding plays
—a full length drama and a one-act tragedy—by the distinguished dramatist, Antonio Buero Vallejo, constitutes a distinc-
tive feature of this text. *Aventura en lo gris* is one of the most
modern, daring, transcendental, and structurally interesting
dramas in Buero's entire theater. But because its controversial
theme deals with the thinking man's moral responsibility to
help prevent the conditions of war brought on by selfishness and
lust for power, the play, both in its original and final versions,
has had difficulty breaking through the barriers of Spanish political and social prejudice. An intensive study of this drama is
necessary for the full appreciation of not only its literary merits
but also the complicated symbolism of its broad, human message—a message as timely in this recently revised version as it
was when Buero wrote the original drama in 1948. The one-act
play, *Las palabras en la arena,* is a tragedy of unusual dramatic
impact for so short a work. Buero Vallejo has created a powerful,
literary counterpart of the biblical episode in which an adulteress is brought before Jesus. Keeping the episode of the Gospel
as background for the dramatic action, the author contrasts
Christ's ethic of compassion and love with man's bigotry, hypoc-
risy, and ethic of vengeance.

The present editor has deliberately directed the Spanish
"Introducción" to student interest. An analysis of Buero's
"estética dramática" through some of his major dramas, including a brief comparison with several works by Unamuno—the
Spanish poet-philosopher whose "agonic protagonist" has much
in common with some of Buero's main characters—should pro-

vide basic insights into the aesthetic and conceptual meaning of *Aventura en lo gris* and *Las palabras en la arena*. In order to encourage the student's initiative and spontaneity, these two plays are discussed only sufficiently to arouse the student's interest and give direction to his analysis. The bibliography is limited to general works, but additional data may be found in the "Notas" at the end of the "Introducción." A list of Buero's plays completes the study of his theater.

In addition to the "Introducción," the conceptual, nonfactual questions in Part Two of the Exercise Section are designed to stimulate a more concentrated analysis of the two plays. Part Two contains ninety-four inductive-type questions for ten "assignment units," twenty-five general questions for review, discussion or compositions, and a list of ten possible topics which the more advanced students may use for essays.

Part One of the Exercise Section contains extensive language exercises based on the constructions and vocabulary of *Aventura en lo gris*. Exercises are divided into eight "assignment units" which correspond to the divisions in the play, each "unit" covering from two to five days' assignments, depending on the class level. The exercises may be used either as daily drills graded in difficulty, or as a general review of any or all of the language construction categories involved. Preceded by a brief summary of usage, these categories include *ser* and *estar*, pronouns, the imperfect and preterite, idioms, and the subjunctive. Because of its difficulty, the subjunctive is developed in all eight units through graded exercises and pattern drills based on a verb index table of fifty subjunctive phrases. A compact assignment unit table with exact page references enables the instructor to choose according to his aims and assign at a glance specific exercises and questions from Parts One and Two.

Without invalidating the plays' primary literary aim, the exercise section makes this edition complete and flexible enough to use as a regular language text for a second or third year college semester, or for a year of advanced high school Spanish. The one-act play lends itself admirably to outside reading, composition, and dramatization. In addition, the student's speech patterns, pronunciation, and comprehension of Spanish should be improved by the prepared tapes based on *Las palabras en la arena*. These tapes are described, with directions, at the end of the exercise section. The vocabulary includes both plays and the "Introducción." Translation of footnotes is free and contextual.

The editor wishes to express her gratitude to Antonio Buero Vallejo for his gracious permission to edit his plays and for his many helpful explanations. She is especially indebted to the Spanish literary critic, Professor Ricardo Gullón, and to Professor John W. Kronik, Advisory Editor of Appleton-Century-Crofts, for their invaluable guidance and critical appraisal in the preparation of this text. A sincere vote of thanks is also extended to Dr. Grace Knopp who prepared the vocabulary, and to Luis Sierra Ponce de León for his generous help in recording the tapes.

I. M. S.

CONTENTS

INTRODUCCIÓN

> Y lo que determina a un hom-
> bre, lo que le hace *un* hombre, uno
> y no otro, el que es y no el que no
> es, es un principio de unidad y un
> principio de continuidad... Se le
> puede cambiar mucho, hasta por
> completo casi; pero dentro de con-
> tinuidad.[1] —MIGUEL DE UNAMUNO

ESTÉTICA DRAMÁTICA DE ANTONIO BUERO VALLEJO

Autenticidad en unidad dentro de continuidad. Autenticidad en ética y estética parece ser la clave de la obra dramática
de Antonio Buero Vallejo, uno de los grandes dramaturgos del
teatro español contemporáneo. Su obra, genuino reflejo del
hombre y su circunstancia, muestra extraordinaria unidad dentro de su amplio y variado desarrollo dramático.

De acuerdo con su idea "que en nuestra época caben todas
las escuelas y tendencias y que eso no es signo de decadencia
sino de vitalidad,"[2] hay gran variedad en cuanto a fondo y
forma, ideas y técnicas dramáticas en las obras de teatro que
viene escribiendo desde 1945, al ritmo de una por año.[3] Ni la
censura, ni la crítica, ni el gusto del público han determinado
o influido la calidad dramática o el fondo ideológico de su
teatro. Buero no sabe hacer concesiones más que al dinamismo
de su propia estética. Cada obra suya, por lo tanto, registra la
imprenta de un sello bueriano inconfundible que enlaza las
primeras cuatro, escritas antes de 1949, con las más recientes,

1

y permite que un drama como *Aventura en lo gris* resulte tan
significativo en su primera versión, escrita en el verano y otoño
de 1949 y publicada sin estrenarse en 1955, como en la versión
definitiva—la de este texto—redactada en 1963 y puesta en
escena el mismo año. *Las palabras en la arena,* obra escrita en
1948 y estrenada en 1949, es un drama actual y universal tanto
por su tema como por su técnica. Las otras dos obras que forman parte de su importante estética inicial son: *En la ardiente
oscuridad,* drama de ciegos que redactó Buero en una semana
de agosto de 1946 estrenándose en 1950, y la obra que le dio a
conocer al público español, *Historia de una escalera,* terminada
a fines de agosto de 1947 y estrenada en 1949.

El arte como reflejo de la doble realidad concreto-simbólica.
La unidad estética depende, desde luego, del punto de vista del
artista sobre la realidad, y de la relación entre el arte y la realidad que acepta. Para Buero Vallejo, la realidad primaria, que
es la vida, lo engloba todo. El arte debe reflejar la vida en todas
sus manifestaciones—tanto lo concreto como lo imaginativo y
simbólico. Esta doble realidad es la expresada admirablemente
en la relación entre el mundo concreto de Sancho Panza y el
mundo idealizado de Don Quijote. Buero proclama la fusión de
esta doble realidad como base de su estética: "A través de sus
obras, el autor de teatro intenta, implícita o explícitamente, una
visión total del mundo. Esta es compleja: rara vez puede atenerse
al simple reflejo de la realidad aparencial porque ésta es, a su
vez, significativa." [4]

La tragedia como expresión auténtica de la realidad total.
Para expresar esta realidad total del hombre, el género dramático
más auténtico, el más moral y positivo es, para Buero, la tragedia
—no como pesimismo negativo y fatalista, sino en el sentido más
amplio, humano y universal. La esencia de lo humano se halla
en lo trágico. Lo que conduce al pesimismo, según Buero, es lo
cómico y lo superficial. Por eso, aunque no todas sus obras sean
tragedias en el sentido tradicional—frecuentemente combina la
sonrisa con el llanto—la raíz de su obra es fundamentalmente
trágica.

El doble conflicto trágico como fórmula dramática. Un aspecto importante de su concepción trágica del teatro se puede advertir en la técnica que emplea, creando en la doble realidad concreto-simbólica dos tensiones dramáticas distintas aunque difíciles de separar porque, como en la vida, están también íntimamente fundidas. En casi todas sus obras hay dos conflictos y dos soluciones posibles sin que tal dualidad destruya la unidad estética: el conflicto de la realidad concreta suele resolverse a favor de la circunstancia—o el destino—si el ambiente resulta más fuerte que el hombre. Pero el conflicto de la realidad simbólica—de mayor importancia por cuanto en él se trata de un principio ético—se resuelve, por lo general, a favor del libre albedrío, de la dignidad del hombre y de su libertad para seguir luchando por sus ideales; lo que es, en realidad, lo opuesto del pesimismo a secas. En esta lucha por la libertad y por el ideal de un futuro mejor, posible y hasta irrealizable, está también la esperanza trágica, pero positiva, del hombre.

La interrogante sin solución. Al caer el telón, Buero suele terminar con una pregunta inquietante que deja sin resolver, porque según dice, "las respuestas a esa interrogante pertenecen a la vida; no necesariamente al arte."[5] Como la pregunta se refiere a algún problema ético o metafísico de nuestra vida, se transfiere al espectador, conmoviéndole e interesándole por el dolor humano. Es lo que quiere el autor, y en consecuencia, el espectador que va al teatro en busca de diversión suele clasificar a Buero de pesimista y amargo.

El teatro de Buero como proceso judicial. El teatro de Buero es, como lo indica un ilustre crítico, un realismo procesal o proceso judicial necesario del acontecer nacional: "Nuestro dramaturgo no ha hecho otra cosa, a lo largo de su brillante carrera escénica, que abrir un proceso a gran parte de la existencia de nuestro país. Este procedimiento judicial se pedía a gritos...."[6] Mas este proceso, esta tribuna escénica erigida en España, trasciende los límites nacionales para exponer problemas universales: el egoísmo del hombre, la crueldad hacia el prójimo, la injusticia, la tiranía, la hipocresía, la ceguera espiritual, la falsa ética de códigos y leyes, y también la trágica soledad, la angustia, la necesidad de libertad, de verdad íntima y personal, comprensión, comunicación con el prójimo, caridad, amor y compasión. Buero hace constar, en fin, la necesidad de una verdad y una moral evangélicas.

La estética de Buero se ha ampliado con los años, pero manteniendo siempre dentro la misma unidad y continuidad: tragedia con esperanza, simbolismo trascendental de la realidad concreta, dinamismo positivo y angustia existencial—angustia sobria e intelectual que se explica mejor conociendo al hombre y su circunstancia en su obra dramática.

LA TRAGEDIA DEL HOMBRE Y SU CIRCUNSTANCIA

Antecedentes trágicos en la vida de Buero Vallejo. Tenemos relativamente pocos datos sobre la vida de este dramaturgo reservado y dedicado a su arte y a su familia. Antonio Buero Vallejo nació en Guadalajara, España, el 29 de septiembre de 1916. En 1959 se casó con Victoria Rodríguez, joven actriz. Residen en Madrid con sus dos hijos, Carlos y Enrique. Algo conocemos de sus primeros veinte años: el ambiente familiar, la influencia de los padres—el padre, ingeniero militar, era también muy aficionado al teatro—la afición a la pintura, su traslado a Madrid en 1934 para estudiar en la Escuela de Bellas Artes hasta 1936. En esta fecha ocurre una interrupción de nueve años que cambia el rumbo de su vida y constituye posiblemente la base esencial de su metafísica y de su estética.

Buero se niega a hablar de estos años traumáticos y difíciles de su vida. Sólo sabemos que al estallar la Guerra Civil española, en 1936, antes de cumplir veinte años se alistó como ayudante en el Cuerpo de Sanidad de la República. Al terminar la guerra, en 1939, estuvo preso. Permaneció en la cárcel seis años, hasta 1945, fecha en que le pusieron en libertad los mismos que le habían encarcelado, absolviéndole de toda culpa. Al salir de la cárcel, Buero siguió pintando por necesidad económica, pero ni sus manos le respondían, ni podía la pintura satisfacer su urgente anhelo de expresar la angustia individual y universal del hombre en conflicto consigo mismo y con el medio. En el drama encontró el instrumento ideal para expresar la totalidad de su personalidad como hombre, como artista, y como intelectual comprometido.

Las cuatro obras dramáticas escritas entre 1945 y 1949, entre las cuales se encuentran las dos incluidas en este volumen, no son experimentos de aficionado sino productos de un dramaturgo cuya maestría técnica y fondo trascendental se revelaban ya con sello inconfundible. Son productos ya, en cierto sentido, de las ideas estéticas que informarán la brillante carrera de Buero Vallejo.

La tragedia del hombre corriente (**Historia de una escalera**). La repentina aparición de un dramaturgo de indiscutible talento en un ambiente de depresión y durante una larga crisis del teatro español de postguerra debió de ser algo dramático y emocionante. El teatro extranjero contaba en aquel momento con dramaturgos de la categoría de Pirandello, Sartre, Camus, Anouilh, y Eugene O'Neill. En España escribían comediógrafos de talento como Joaquín Calvo Sotelo, Víctor Ruiz Iriarte y José María Pemán. Alejandro Casona representaba sus obras, pero en el extranjero, y el teatro de Benavente ya no se amoldaba al momento histórico.

En 1949, el Jurado que otorgaba el "Premio Lope de Vega" a la mejor obra dramática entre los manuscritos presentados a concurso, asegurando así su estreno en uno de los dos teatros subvencionados por el gobierno, escogió *Historia de una escalera,* drama de vecindad. Hay que imaginar la sorpresa y hasta la consternación del Consejo Superior de Teatro al descubrir los antecedentes políticos de este joven autor desconocido. No faltó quien se opusiera al estreno de la obra premiada, pero la calidad de ella triunfó y su drama de vecindad se estrenó el 14 de octubre de 1949, apareciendo como "legítimo y rotundo triunfo...de un autor auténticamente nuevo, con una preparación cultural y un sentido de teatro engarzados exactamente al momento en que vivimos." [7] *Historia de una escalera* [8] presenta un tema hondo y noble, tan español como universal. Su técnica es excelente: diálogo sencillo, directo, claro; acción rápida, sin digresiones; caracterización realista, profundamente humana; escenografía artística; arquitectura sobria. Es el drama del hombre corriente condenado por la sociedad a permanecer en una esfera social vulgar, monótona, sofocante. En el conflicto entre la esperanza de la juventud y la circunstancia opresora, vence ésta. La escalera, símbolo de la inmovilidad social, no conduce a ninguna parte. El hombre se hace ilusiones y sueña, pero al fin cede a la circunstancia implacable. "Sólo quiero subir, ¿comprendes? ¡Subir! Y dejar toda esta sordidez en que vivimos," [9] dice Fernando, uno de los jóvenes que viven de esperanzas. Y deja Fernando la interrogante sobre su futuro y el de la juventud en manos del espectador.

Uno de los rasgos permanentes de la obra de Buero sigue siendo la preocupación por el pobre, el indefenso, el desamparado, el hombre vulgar acosado. Se manifiesta en dramas posteriores con diferentes técnicas, combinando con frecuencia el problema económico del pueblo con el de su destino político, pues los piensa inseparables, y expresando siempre su fe sincera en el principio de la libertad y de la justicia para todos los hombres.

*La tragedia del protagonista agónico y el problema de la doble realidad (**En la ardiente oscuridad**).* Si el drama de vecindad de Buero es la tragedia del hombre corriente no sólo español sino universal, la tragedia subjetiva y personal se manifiesta con mayor fuerza dramática en su primera obra, *En la ardiente oscuridad*,[10] escrita, según el mismo autor ha declarado, en una semana, en agosto de 1946. En esta primera obra sobre la ceguera física y espiritual aparece el problema de la doble realidad y el protagonista es ya agónico; ambas características seguirán advirtiéndose en obras posteriores. Buero Vallejo expone de manera clarísima en esta tragedia la esencia de lo que, como ya hemos indicado, distinguirá a toda la obra bueriana: el doble conflicto trágico—el dramático de la realidad concreta, y el simbólico-trascendental, con sus dos posibles soluciones. A pesar de ser una de sus primeras obras, muchos críticos consideran este drama como uno de los mejores de Buero. El doble conflicto, en síntesis, es el siguiente: En un asilo de ciegos de nacimiento, donde reina un ambiente artificial de paz y felicidad, se introduce Ignacio, ciego rebelde, trágico, que trae la guerra y no la paz. Ignacio sufre una sed insaciable. Quiere penetrar las tinieblas para ver las estrellas, pero sabe bien que "si gozara de la vista, moriría de pena por no poder alcanzarlas." Con fuerza superior de hombre rebelde, envenena aquel ambiente optimista, dominado por la personalidad de Carlos—su rival ideológico—convirtiendo la ceguera tranquila y pasiva en conciencia dolorosa y activa. El conflicto dramático se resuelve cuando Ignacio es asesinado por Carlos. Mas Carlos hereda la preocupación de su víctima y termina el drama con la interrogante inquietante: ¿Es preferible la tranquilidad ficticia al anhelo de lo irrealizable?

Lejos de tratar el problema sociológico de la ceguera, Buero expresa en esta tragedia, cuyos personajes son ciegos, la lucha del hombre contra las limitaciones de su naturaleza y las de su situación. El anhelo del ciego por la luz se convierte en el símbolo de su anhelo por otra: la luz espiritual, la verdad. Su rebeldía es la de quien vive en las tinieblas del alma y busca su razón de ser, la de su destino como hombre, su auténtica realidad ontológica.

Tanto el problema de la doble realidad como el concepto del protagonista agónico se vinculan fuertemente con el pensamiento de Miguel de Unamuno.[11] Dos obras en particular del poeta-filósofo ofrecen interesantes analogías con esta obra de ciegos del dramaturgo: *La venda* y *Abel Sánchez*. *La venda*[12] de Unamuno, drama de la doble ceguera física y espiritual, trata también otra dualidad: la realidad concreta de nuestra vida y la realidad imaginada. La recuperación de la vista es aquí símbolo de la ceguera espiritual porque para Unamuno, la realidad imaginada, la fe vital, es la realidad auténtica. Esta misma idea la desarrolla Unamuno en otras obras como *Vida de Don Quijote y Sancho*, *Niebla*, *El hermano Juan*, y *El otro*. Para Unamuno, Don Quijote es más auténtico que Cervantes y el mundo imaginario e idealizado del caballero andante más operativo que el mundo concreto y prosaico de Sancho. Para Buero Vallejo, la realidad idealizada o "soñada" puede ser superior pero, para ser auténtica, deberá fundirse con la realidad concreta. La preocupación del dramaturgo es esencialmente social y no escatológica como la del poeta-filósofo. En *Aventura en lo gris,* el problema de la doble realidad aparece con rasgos muy enérgicos que no se diluyen en obras posteriores donde Buero explora diferentes aspectos y niveles del problema ontológico. En *Hoy es fiesta* (1956), por ejemplo, los inquilinos escapan de su medio pobre y prosaico—como en el caso de *Historia de una escalera*— mediante la esperanza de tener un premio en la lotería, con un billete comprado entre todos; pero el billete al final resulta falso, y así se frustra el anhelo común. Claro está que la esperanza que uno cifra en la lotería es una falacia, una disculpa cobarde para no tomar la responsabilidad que a cada cual le cabe en su propio destino. Pero se espera siempre porque "la esperanza es infinita."

Otras obras de Buero se apartan del realismo para explorar el mundo de la fantasía poética y aún del mito: *La tejedora de sueños* (1952), adaptación original del mito de Ulises y Penélope; *La señal que se espera* (1952), tema poético, sobrenatural, de magia; *Casi un cuento de hadas* (1953), sobre el poder mágico del amor verdadero que logra transformar la fealdad en belleza y la torpeza en inteligencia; *Irene o el tesoro* (1954), drama en el que la fantasía esconde una realidad trágica. Quizá por alejarse demasiado del realismo, su intención poética se entendió mal y no todas estas obras lograron el éxito merecido. Lo cierto es que, para él como para Unamuno, el hombre busca la felicidad en una realidad imaginada, aunque imposible de realizar, porque necesita averiguar la realidad ontológica de su personalidad. Al preguntarse "Quién soy yo?" se puede contestar con Unamuno o con Buero Vallejo: "Soy no el que soy, no el que parezco sino *el que quiero ser.*"

En el problema de la personalidad agónica, hay también una clara analogía entre el protagonista de *Abel Sánchez*[13] de Unamuno y los personajes ciegos de Buero, según actúan en su drama, *En la ardiente oscuridad. Abel Sánchez* es esencialmente el análisis de la estructura ontológica como desdoblamiento de la personalidad desde el punto de vista del mito "Caín y Abel." Unamuno personifica una pasión abstracta—la envidia—para analizarla como aspecto positivo del anhelo por la inmortalidad. Joaquín Monegro (Caín) es, como el Ignacio de Buero, un hombre rebelde y trágico, en lucha consigo mismo, que convierte la lucha interior en pasión absorbente: la envidia a Abel—su amigo o "hermano"—que es "el otro yo" necesario de su personalidad agónica.[14] El poeta filósofo y el dramaturgo difieren, desde luego, en su intención: escatológica-estética en Unamuno, estética-humanista en Buero. Difieren asimismo en la caracterización: conceptual-simbólica en Unamuno, realista-simbólica en Buero. Sin embargo, ambos autores dan al protagonista agónico un valor positivo en contraste con el personaje abúlico, satisfecho.

Los protagonistas típicos de las obras buerianas suelen ser, sin perder su vigorosa caracterización individual, personajes agónicos en constante lucha interior. Lo son, por ejemplo, Silvano (*Aventura en lo gris*), Adela (*Las cartas boca abajo*), Amalia (*Madrugada*), Velázquez y su amigo Pedro (*Las Meninas*), y David, protagonista de la segunda obra de ciegos (*El concierto de San Ovidio*). Tanto Unamuno como Buero Vallejo rechazan la indiferencia, la falta de vitalidad espiritual. El falso optimismo convierte al hombre an "caracol humano." Para ambos autores, es preferible la tragedia del hombre, implícita en el conocimiento y en el ejercicio del libre albedrío, a la ignorancia y la complacencia de la ceguera espiritual.

LAS PALABRAS EN LA ARENA y AVENTURA EN LO GRIS

Ética evangélica de compasión y perdón (**Las palabras en la arena**). El drama en un acto sobre el tema de la adúltera, inspirado en el episodio bíblico (San Juan, VIII: 1–11), fue escrito en 1948 para un concurso celebrado entre amigos íntimos en el café Lisboa de Madrid. La obra de Buero ganó el premio, y al año siguiente otro, el concedido por los "Amigos de los Quintero" al mejor drama en un acto. Se estrenó el 19 de diciembre de 1949, dos meses después del estreno de *Historia de una escalera*.

Buero Vallejo dice de la obrita breve: "*Las palabras en la arena* plantea demasiadas cosas importantes para obra tan pequeña...." [15] Trata, en efecto, de problemas como el de la posible interpretación fatalista del homicida y el del adulterio;

mas el fin moral que da unidad estética a la obra lo expresa
Buero al final de su "Comentario": "no es una pedrada contra
nadie, sino el humilde intento que su autor hace de comprender
y ayudar a comprender algunos de los laberintos donde se
pierde la moral de los hombres." [16] En esta pequeña obra de
inspiración bíblica contrasta la ética antigua de venganza basada
en códigos tradicionales, con la ética evangélica de compasión y
amor. "Porque el espíritu, que es la palabra, que es verbo, que
es tradición oral, vivifica; pero la letra, que es el libro, mata," [17]
dice Unamuno contrastando la verdad evangélica, la verdad
dinámica del Verbo, con la rigidez del dogma que es la Letra o
verdad escrita. Refiriéndose al episodio bíblico de la mujer
adúltera, añade que Cristo escribió "con el dedo desnudo, sin
caña ni tinta, y en el polvo de la tierra, letras que el viento se
llevaría." [18] ¿No es éste el significado de "palabras en la arena"?
¿No es ésta la misma ética de verdad íntima y personal del
corazón con su moral de piedad y perdón—ética que se es-
tablece definitivamente en las obras de Antonio Buero Vallejo?
Con diferente caracterización y situación vemos el mismo concepto ético en la moderna protagonista de *Madrugada* (1953),
Amalia, quien lo arriesga todo por descubrir esa verdad cordial
que es, en este caso, fe en el amor sincero de Mauricio, su amante
y marido que acaba de fallecer. Buero contrasta en este "episodio dramático" el egoísmo, la hipocresía, la moral falsa de la
familia del marido con los sentimientos nobles de la mujer
pecadora, humillada y despreciada por ellos.

Es tan fuerte el sentimiento de compasión en la obra de
Buero, que a veces se identifica y confunde con el amor, como en
el caso de Juana, la novia de Carlos (*En la ardiente oscuridad*).
Juana cree amar al rebelde y agónico Ignacio, mas lo que en
realidad siente es infinita compasión por el joven. La de Ana por
Silvano (*Aventura en lo gris*) se convierte en amor intelectual,
basado en la comprensión e identificación con un principio
moral que está por encima de los intereses personales de ambos.
En Adriana, "moza de mala fama," la compasión que siente
por el ciego David (*El concierto de San Ovidio*) se convierte
en verdadero amor. Para Buero Vallejo, el principio de moralidad parece resolverse en el sencillo contraste entre el egoísmo
del hombre y su bondad.

Incomprensión y crisis política (***Aventura en lo gris***). El trágico problema de la falta de comprensión y comunicación entre los hombres como resultado de su egoísmo y de su falta de sentido moral debió preocupar a Buero intensamente durante los años de guerra y de prisión. ¿No es la ceguera moral lo que produce las guerras? ¿Tiene el hombre inteligente e idealista derecho a rehuir su responsabilidad moral en tiempos de crisis? La guerra, destructiva siempre, ¿no convierte al hombre en víctima o en verdugo de acuerdo con su naturaleza y no según su filiación política? La verdad ética debe trascender toda parcialidad política, por sincera que ésta sea. *Aventura en lo gris*— tanto la primera versión escrita en 1949 como la versión definitiva de 1963—es un drama trascendental de gran fuerza trágica que presenta sobriamente y sin sentimentalismo melodramático la responsabilidad moral del hombre al suscitar, por egoísmo o indiferencia, las condiciones de que han de derivarse conflictos políticos. Buero funde la doble realidad del conflicto concreto y el simbólico-intelectual con tal destreza—especialmente en la versión definitiva—que no es de extrañar la dificultad del público para advertir el significado simbólico dentro del conflicto puramente dramático. El sórdido y triste albergue fronterizo de Surelia—país imaginario derrotado—donde se reúnen fugitivos de distintos niveles de cultura y moralidad, no es más que un microcosmos que encierra la tragedia de toda una sociedad en tiempos de crisis: el hombre acosado por la circunstancia implacable; el tirano, hombre de acción sin escrúpulos; el soñador intelectual, abúlico; el egoísta cuyo único fin es el placer; el niño como esperanza del incierto futuro; el joven idealista que prefiere luchar a pensar; la víctima inocente; el campesino fatalista, embrutecido por el trabajo y la ignorancia; el soldado mediocre, pero ambicioso....

En dos actos de intenso realismo y "un sueño" de tipo expresionista, que contrasta con la realidad prosaica de cada día y a la vez enlaza con la realidad anhelada, revelando el fondo de cada personaje, logra Buero la unidad y armonía entre la estructura, la forma artística, el diálogo sobrio, y fondo intelectual. *Aventura en lo gris* es, como indica un crítico, "máscara y teatro puro" [19] y no obra de tesis.

Dos temas simbólicos, íntimamente ligados, forman la base

trascendental de esta tragedia. El símbolo más perfecto desde el
punto de vista estético aparece en el "sueño," cuando las manos
de Ana y Silvano se buscan sin poder alcanzarse. El segundo se
relaciona más bien con el conflicto dramático entre Goldmann
(Alejandro), el tirano, y Silvano, el soñador intelectual. Este conflicto conceptual explica en parte las dificultades y sinsabores
que ha sufrido el autor con ambas versiones de este singular
drama fronterizo.[20] La esencia del conflicto como tema principal
se encuentra en las palabras de Silvano dirigidas al tirano Goldmann: "No se puede soñar; no se debe soñar dejando las manos
libres a quienes no lo hacen. Aunque, al final, sea el soñador
quien desenmascare al hombre de acción." [21]

El primero de octubre de 1963 se estrenó en el Teatro Club
Recoletos de Madrid la versión definitiva de *Aventura en lo gris*.
Aunque el crítico Domingo Pérez Minik había considerado esta
tragedia una obra maestra aún en su primera versión—"la obra
más moderna de Buero Vallejo, la más atrevida, la más fascinante en su estructura formal" [22]—la crítica no se declaró
unánime en su favor. ¿Sigue siendo su tema demasiado polémico y ambiguo para el momento español actual? Su mensaje
humano y trascendental—sin límites de espacio y tiempo—nos
parece, por lo contrario, extraordinariamente oportuno.

VÍNCULOS ÉTICO-ESTÉTICO-FILOSÓFICOS CON DOS OBRAS POSTERIORES

Entre las obras escritas entre 1949 y 1963, dos obras se en-
lazan de manera especial con la ética y estética dramática de
Aventura en lo gris: Las cartas boca abajo (1957) y *El concierto
de San Ovidio* (1962).

Incomunicación e incomprensión (**Las cartas boca abajo**).
En *Las cartas boca abajo* la protagonista Adela—que tiene algunas semejanzas con la heroína ibseniana, Hedda Gabler, y
con Bernarda Alba de García Lorca—es el prototipo de la mujer
egoísta y dominante que, incapaz de enfrentarse con la verdad
propia o con la ajena, se destruye a sí misma y casi logra destruir

a su familia. El tema de la falta de comunicación entre los hombres se analiza aquí al microscopio, relacionándolo con el problema de una personalidad con ciertos matices freudianos. En esta familia de clase media, todos, dominados por el egoísmo y falso orgullo de Adela, que vive buscando su libertad malograda—el pasado que "pudo ser"—mantienen boca abajo las cartas de su ser auténtico. Todos se tocan y se miran en una atmósfera sofocante, sin lograr—con excepción de la hermana muda Anita—comunión espiritual, la comprensión necesaria para descubrir el fondo verdadero de su ser. Aquí, como en las dos obras de ciegos y en un episodio secundario del matrimonio Silverio y Pilar en *Hoy es fiesta,* Buero contrasta las limitaciones físicas—la ceguera, la mudez y la sordera—con las limitaciones espirituales y morales del hombre.

Tiranía y libertad (**El concierto de San Ovidio**). Buero había tratado ya en *Un soñador para un pueblo* (1958), y de modo más explícito, la relación entre gobernante y pueblo. El drama suscitó grandes controversias por el tema político, considerándosele ya una apología de la dictadura, ya la expresión de una ideología política excesivamente liberal. En esta versión libre de un episodio histórico de España, el pueblo, ignorante e incapaz de organizarse eficazmente, sirve como instrumento destructivo de los políticos intrigantes, rebelándose contra su bienhechor, el Marqués de Esquilache.[23] Por otra parte, ninguno de los dramas de Buero presenta el tema de la libertad individual con tanta fuerza como *Las Meninas* (1960) [24] que el autor llama "fantasía velazqueña." Buero imagina al gran pintor Velázquez como defensor de la libertad de expresión artística y como crítico severo de la opresión de su época.

En *El concierto de San Ovidio* (1962), la segunda obra de ciegos, cuya acción tiene lugar en París durante el reinado de Luis XV, desarrolla Buero el tema de la tiranía contra el pueblo en una vigorosa parábola: Seis ciegos indefensos del Hospicio de los Quince Veintes son las víctimas inocentes de la intriga de un negociante-empresario (el tirano). Este se aprovecha de las limitaciones físicas y morales de los ciegos (el pueblo) para explotarlos en provecho propio. El empresario los contrata para formar una orquesta de ciegos, sin descubrirles que en realidad servirán de payasos ridículos para hacer reir al público. El protagonista agónico de este drama, David—ciego también, y una de las creaciones más perfectas del teatro de Buero—al darse cuenta de la injusticia y humillación a la que se les ha sometido a él y a sus compañeros, trata de guiarlos, de educarlos, de enseñarles a tocar bien, de crear cohesión y comprensión entre sí para poder defenderse. Mas sus esfuerzos resultan inútiles. Los ciegos, como el pueblo, cambian su libertad y dignidad de hombres por la "protección" económica del tirano. Al final, David destruye al empresario, sacrificando su propia vida por el futuro de los ciegos. La esperanza queda en manos de Valentín Haüy, personaje histórico.[25] Es la esperanza de los ciegos y, por analogía, del pueblo. En su sentido más amplio, la esperanza de la humanidad.

Antonio Buero Vallejo: dramaturgo comprometido. El proceso político-filosófico del porvenir del hombre que expone Buero en estos dramas forma parte de su sueño personal—difícil sin duda, pero posible. La lucha por el porvenir humano se reduce, al fin y al cabo, al combate individual del hombre que logra vencerse a sí mismo. Por eso, el protagonista—situado en el punto de vista del autor—es el hombre capaz de sufrir, de pensar y de luchar por la verdad de su propia personalidad y de su mundo concreto e ideal. Este protagonista busca la libertad para librarse de la esclavitud circunstancial—ya sea política, económica o moral—mas en su lucha por la libertad padece la angustia de la soledad absoluta. Entre la falta de libertad y la soledad angustiosa está la tragedia del hombre, y también su grandeza y posible redención, pues sólo en la inquietud y en la angustia logra el hombre sentir compasión y amor desinteresado. Sólo la angustia y el dolor llevan a la comprensión de uno mismo y a la del prójimo, cuya verdad íntima se vincula con la nuestra. Entre lo que es—realidad concreta—y lo que puede o quiere ser —realidad deseada—se produce la esperanza como rasgo permanente, indestructible del hombre.

Podríamos resumir la ética de Buero Vallejo, implícita en su estética: *autenticidad* como fin moral de la personalidad, *tragedia* como esencia de la realidad primaria, y *esperanza* como clave de la fe vital en el porvenir del hombre, porque se espera siempre: "Se espera incluso sin creer en la realidad de lo que esperamos."[26]

El teatro de Buero Vallejo no es, como en el caso de Unamuno, medio para expresar una ética o una metafísica; ni tampoco, como en Valle Inclán, una expresión puramente estética. "Máscara y teatro puro," sí, pero también teatro trascendental del humanista, del artista sensible, del intelectual comprometido.

Notas

[1] Miguel de Unamuno, "Del sentimiento trágico de la vida," *Obras Completas*, Tomo XVI (Barcelona: Vergara, S.A., 1958), págs. 134, 136.

[2] Miguel Luis Rodríguez, "Diálogo con Antonio Buero Vallejo," *Indice*, octubre de 1958, pág. 23.

[3] Véase la lista de sus obras al final de la Introducción.

[4] Carta del autor a I.M.S. del 15 de abril de 1958.

[5] Buero Vallejo, "Comentario" en *Hoy es fiesta* (Madrid: Ediciones ALFIL, 1957), pág. 105. Este "Comentario" se elimina en ediciones posteriores de "Colección Teatro."

[6] Domingo Pérez Minik, *Teatro europeo contemporáneo* (Madrid: Ediciones Guadarrama, 1961), pág. 385.

[7] Alfredo Marqueríe, en "Críticas," *Teatro español 1949–1950* (Madrid: Aguilar, 1955), pág. 94.

[8] Véase la introducción de José Sánchez a Buero Vallejo, *Historia de una escalera*, José Sánchez, ed. (New York: Scribner, 1955).

[9] *Historia de una escalera*, pág. 25.

[10] Véase la introducción de J. Rodríguez-Castellano a la edición de *En la ardiente oscuridad*, Samuel A. Wofsy, ed. (New York: Scribner, 1954).

[11] Miguel de Unamuno y Jugo (1864–1936). Poeta-filósofo cuya obra principal es *El sentimiento trágico de la vida*. Unamuno explora, en unas veinte mil páginas de ensayos, "nivolas," dramas y poesía el problema de la personalidad (la naturaleza ontológica del hombre), y el de la inmortalidad de la conciencia individual (aspecto escatológico). Su obsesión es la angustia existencial, el vivir agónico en el sentido de lucha; su método, la paradoja; su fin, la fe vital.

[12] Unamuno, "La venda" en *Teatro completo* (Madrid: Aguilar, 1959), págs. 297–324 (drama), y págs. 1029–1033 (relato novelesco).

[13] Unamuno, *Abel Sánchez*, Angel and Amelia de del Río, eds. (New York: Holt, Rinehart and Winston, 1947).

[14] Ricardo Gullón, en su libro *Autobiografías de Unamuno* (Madrid: Editorial Gredos, 1964), analiza en el capítulo "Descenso a los infiernos" la creación del personaje Joaquín en *Abel Sánchez* como la tragedia personal de Unamuno.

[15] Buero Vallejo, "Comentario" en *Historia de una escalera y Las palabras en la arena* (Madrid: Ediciones ALFIL, 1952), pág. 102. Este "Comentario" se elimina en ediciones posteriores de "Colección Teatro."

[16] *Idem.*, pág. 104.

[17] Unamuno, "La agonía del Cristianismo," *Obras completas,* XVI, pág. 480.

[18] *Idem.*, págs. 482–483.

[19] Pérez Minik, *Teatro europeo contemporáneo*, pág. 388.

[20] Consúltese el artículo "Dos dramas fronterizos" de Guillermo de Torre, en *Indice*, febrero de 1957, págs. 21–22.

[21] Buero Vallejo, *Aventura en lo gris* (Madrid: Ediciones ALFIL, 1964), pág. 94.

[22] Pérez Minik, *Teatro europeo contemporáneo*, pág. 387.

[23] Leopoldo de Gregorio, marqués de Esquilache, primer ministro de Carlos III, uno de los "ilustrados" que aspirasen a reformar España en el siglo XVIII.

[24] Véase la introducción de J. Rodríguez-Castellano a *Las Meninas*, J. Rodríguez-Castellano, ed. (New York: Scribner, 1963).

[25] Valentin Haüy (1745–1822). Haüy abrió la primera escuela de ciegos en París.

[26] "Comentario" en *Hoy es fiesta*, pág. 100.

OBRAS DE ANTONIO BUERO VALLEJO

Historia de una escalera. Drama en tres actos. Premio Lope de Vega de 1949. Estreno: 14 de octubre de 1949. "Colección Teatro," No. 10. *Teatro Español 1949-50* (Ambas ediciones publicadas en Madrid).

Las palabras en la arena. Tragedia en un acto. Premio Amigos de los Quintero en 1949. Estreno: 19 de diciembre de 1949. "Colección Teatro," No. 10.

En la ardiente oscuridad. Drama en tres actos. Estreno: 1º de diciembre de 1950. "Colección Teatro," No. 3. *Teatro Español 1950-51.*

La tejedora de sueños. Drama en tres actos. Estreno: 11 de enero de 1952. "Colección Teatro," No. 16. *Teatro Español 1951-52.*

La señal que se espera. Comedia dramática en tres actos. Estreno: 21 de mayo de 1952. "Colección Teatro," No. 21.

Casi un cuento de hadas. Una glosa de Perrault, en tres actos. Estreno: 10 de enero de 1953. "Colección Teatro," No. 57.

Madrugada. Episodio dramático en dos actos. Estreno: 9 de diciembre de 1953. "Colección Teatro," No. 96. *Teatro Español 1953-54.*

Irene o el tesoro. Fábula en tres actos. Estreno: 14 de diciembre de 1954. "Colección Teatro," No. 121. *Teatro Español 1954-55.*

Hoy es fiesta. Tragicomedia en tres actos. Premio María Rolland de 1956; Premio Nacional de Teatro de 1957; Premio fundación March de Teatro de 1959. Estreno: 20 de septiembre de 1956. "Colección Teatro," No. 176. *Teatro Español 1956–57.*

Las cartas boca abajo. Tragedia española en dos partes y cuatro cuadros. Estreno: 5 de noviembre de 1957. "Colección Teatro," No. 191. *Teatro Español 1957–58.*

Un soñador para un pueblo. Versión libre de un episodio histórico, en dos partes. Premio María Rolland de 1958. Estreno: 18 de diciembre de 1958. "Colección Teatro," No. 235. *Teatro Español 1958–59.*

Las Meninas. Fantasía velazqueña en dos partes. Premio María Rolland. Estreno: 9 de diciembre de 1960. "Colección Teatro," No. 285. *Teatro Español 1960–61.*

Hamlet, Príncipe de Dinamarca. Versión de *Hamlet* de Shakespeare. Estreno: 14 de diciembre de 1961. "Colección Teatro," No. 345.

El concierto de San Ovidio. Parábola en tres actos. Estreno: 16 de noviembre de 1962. "Colección Teatro," No. 370.

Aventura en lo gris (versión original). Drama en dos actos unidos por un sueño increíble. Nunca se estrenó. "Puerta del Sol" (Madrid, 1955).

Aventura en lo gris (versión definitiva). Dos actos y un sueño. Estreno: 1° de octubre de 1963. "Colección Teatro," No. 408.

La doble historia del doctor Volmy. Obra sin estrenar. Escrita en 1964.

OBRAS DE CRÍTICA GENERAL*

BOREL, Jean Paul. *Théâtre de l'impossible*. Neuchâtel: Editions de la Baconnière, 1959. Véase el capítulo V: "Buero Vallejo ou l'impossible concret et historique," págs. 153–191.

GULLÓN, Ricardo. *Autobiografías de Unamuno*. Madrid: Editorial Gredos, 1964. Libro de crítica de suma importancia para la comprensión de Unamuno como protagonista de su obra.

MARQUERÍE, Alfredo. *Veinte años de teatro en España*. Madrid: Editora Nacional, 1959. Véanse las págs. 177–187 sobre Buero Vallejo.

PÉREZ MINIK, Domingo. *Debates sobre el teatro español contemporáneo*. Santa Cruz de Tenerife: Goya Ediciones, 1953.

PÉREZ MINIK, Domingo. *Teatro europeo contemporáneo*. Madrid: Ediciones Guadarrama, 1961. Véase el capítulo sobre "Buero Vallejo o la restauración de la máscara," págs. 382–395.

TORRENTE BALLESTER, Gonzalo. *Teatro español contemporáneo*. Madrid: Ediciones Guadarrama, 1957. Véanse las págs. 325–332 sobre Buero Vallejo.

VALBUENA PRAT, Angel. *Historia del teatro español*. Barcelona: Editorial Noguer, S.A., 1956.

* Consúltense también las fuentes citadas en las Notas a la *Introducción*.

Aventura en lo gris

DOS ACTOS Y UN SUEÑO

NOTA DEL AUTOR

La primera versión de *Aventura en lo gris* fue escrita entre el verano y el otoño de 1949, en los meses anteriores a mi primer estreno teatral. Durante los años iniciales de mi vida profesional ofrecí el drama a varias compañías, sin que ninguna se decidiese a estrenarlo. Aceptado al fin por una de ellas, no fue autorizado. Una versión en francés anduvo también, por aquel tiempo, en manos de cierta agencia literaria parisiense, sin resultado. Estrenada después en el extranjero una obra de tema semejante, resolví no intentar ya el estreno de este drama y me limité a publicarlo; la posterior representación en Madrid de la citada obra extranjera me reafirmó en mi decisión de no estrenar la mía. Pero, muchos años más tarde, empezó a inquietarme de nuevo la idea de ofrecer al público mi drama, que tal vez podía mejorarse mediante nueva redacción y cuyos contenidos seguían preocupándome. Así las cosas, en 1963 se me brinda la inesperada oportunidad de su estreno en Madrid, me resuelvo a aprovecharla y reescribo totalmente la obra, cuya versión presente, para bien o para mal, será la última. Para mejorar la anterior en todos sus aspectos es por lo que se ha escrito esta versión nueva; no para lograr la autorización del estreno, pues el anterior texto podría haber sido autorizado ya con la misma o mayor facilidad que el finalmente estrenado.

En la vida de todo escritor hay obras que, por insalvables, se olvidan para siempre en el cajón; pero junto a ellas puede haber alguna que el autor no se resigne a dar por perdida. En mi opinión, *Aventura en lo gris* debía ser salvada: tiene aspectos que, incluso en su redacción definitiva, no me gustan, pero posee otros, a mi juicio, de cierta validez y claramente conectados, sobre todo, con mis preocupaciones dramáticas más permanentes. El lector juzgará.

A.B.V.

PERSONAJES

ANA
ALEJANDRO
SILVANO
CARLOS
ISABEL
GEORGINA

SARGENTO
CAMPESINO
SOLDADO PRIMERO
SOLDADO SEGUNDO
SOLDADO TERCERO
SARGENTO ENEMIGO

La acción en Surelia, pequeña nación europea. En nuestra época.

Derecha e izquierda, las del espectador.

Este drama se estrenó en el Teatro Club Recoletos de Madrid, el día 1º de octubre de 1963.

De izquierda a derecha: A. Buero Vallejo, Alejandro, Ana, Silvano, Georgina, Isabel (Sra. de Buero Vallejo).

Acto primero

  Interior de un albergue de paso en la línea principal de evacuación de Surelia, país derrotado. Es una destartalada habitación con una tosca y sucia mesa alargada en el centro y algunas desvencijadas sillas y taburetes por únicos muebles. En el extremo izquierdo de la mesa hay una caldereta con agua, por cuya boca asoma el rabo de un cazo de 5 aluminio. Junto a ella, botes de conservas, a los que han puesto asas y que sirven de vasos. Más al centro, tres botellas con velas apagadas en los golletes. Por las paredes, colgados y a veces en grupos de dos o tres, metálicos platos del ejército y alguna cantimplora. Una escoba en un rincón. En el alféizar de una de las ventanas, una tetera de metal de 10 buen tamaño, con asa y pitorro. A la izquierda del foro está la puerta del albergue, entornada. Luce un gran cerrojo de hierro y está provista de barra. A la derecha del foro, puerta que da al dormitorio de hombres; en el segundo término de la derecha, la que da al de mujeres. Ambas están cerradas. En el centro del foro y en el primer término izquierdo, ventanas por las que se ve el campo silencioso y nublado, que comienzan a invadir las sombras del anochecer.[1] Hay un gran cartel tipográfico en el foro, entre la puerta del albergue y la ventana. Sobre el encendido bermellón de su fondo muéstrase la masa,[2] vigorosamente dibujada en azul y blanco, de un hombre de poderosa cabeza, recio bigote, abundante cabellera y brazos en actitud de arenga,[3] que viste condecorada guerrera. Sobre el rojo de la parte alta del cartel se lee en letras blancas: GOLDMANN NOS DICE: Y sobre el azul de la parte baja, también en letras blancas: COMBATIENTES DE SURE-LIA: NI UN PASO ATRÁS![4] El cartel es la única nota viva en el conjunto de pardas y deslucidas maderas, enseres de grises destellos metálicos y deterioradas paredes también grises. Gris es, asimismo, el atuendo del hombre sentado que dormita, con la cara oculta entre los brazos y de bruces sobre el extremo derecho de la mesa. Sus flacas piernas, estiradas, calzan unas viejas botas de elástico. El arrugado traje que lleva fue en sus buenos tiempos decente. Un sólido reloj de níquel, con su cadena, pende, fuera del bolsillo superior, desde la solapa.

(*Durante unos segundos, no ocurre nada. Después se oyen pasos que se acercan a la puerta y se detienen.*)

LA VOZ DE ANA.—¿Será éste el albergue?[5]

LA VOZ DE ALEJANDRO.—Sí.

LA VOZ DE ANA.—No hay ningún rótulo...

LA VOZ DE ALEJANDRO.—Porque los arrancan ya todos.[6] Pero es éste. Mira los clavos sobre la puerta.

[1] **que comienzan . . . anochecer** which the shadows of nightfall begin to invade
[2] **muéstrase la masa** may be seen the shape
[3] **brazos en actitud de arenga** arms extended as if making a speech
[4] **¡NI UN PASO ATRÁS!** Fight on! (Not a single step backwards!)
[5] **¿Será . . . albergue?** Could this be the inn?
[6] **Porque . . . todos** That's because they pull them all down nowadays

La voz de Ana.—Mala señal.

La voz de Alejandro.—Al contrario. Es mejor así.

(*La puerta rechina y se abre bajo la presión de Alejandro, que asoma y mira al interior con pre-* 45 *caución. Es un hombre fornido, de cerca de sesenta años, escrupulosamente rasurado y con el pelo cortado en cepilla. Su fisonomía es enérgica; bajo las gafas oscuras que lleva, la mirada es firme y sagaz. Viste pantalón oscuro y una cazadora gris. Tras una* 50 *ojeada circular,[7] recoge del suelo una maleta que había dejado y entra, volviéndose con un dedo en los labios hacia Ana, que aparece tras él con otra maleta más pequeña. Ana es mujer de unos cuarenta años, vigorosa y aún atractiva, que viste un traje* 55 *de aire deportivo y tonos neutros.[8] La pareja mira fijamente al dormido por un instante. Después Alejandro deja su maleta en el suelo y ella lo imita. Alejandro se acerca al hombre para examinarlo en silencio.)* 60

Alejandro. (*En voz queda.*)—Está dormido.

Ana. (*Lo mismo.*)—¿Será el encargado?

Alejandro.—Puede ser.

Ana.—¿Habrá alguien más?

(*Alejandro se acerca sin ruido a las puertas de los* 65 *dormitorios y las abre para mirar, cerrándolas después.*)

Alejandro. (*Susurra.*)—Nadie. (*Ana se encoge de hombros. Alejandro se acerca a la mesa.*) Menos mal que sólo estaremos unas horas. Esto no parece muy cómodo. 70

Ana.—Desde luego, menos que tu palacio de la capital.

---

[7] **Tras una ojeada circular**   After glancing around
[8] **que viste . . . neutros**   who is wearing a neutral-colored sports suit

ALEJANDRO.—¿Quieres callarte ya, con mi palacio? Me parece
que era tan tuyo como mío.

ANA.—Yo nunca he tenido nada mío.

75 ALEJANDRO.—No digas tonterías.

> (*Se acerca a la caldereta enjugándose el sudor con
> un pañuelo y remueve el agua con el cazo sin disi-
> mular su repugnancia.*)

ANA.—¿El señor desea agua hervida con hielo? [9] ¡Cuánto siento
80   no poder servírsela ya! En los albergues del Gobierno no
hay de eso.[10]

ALEJANDRO. (*Frío*).—Dame la cantimplora.

> (*Va a su lado. Ella la descuelga de su hombro y
> se la tiende. Alejandro bebe.*)

85 ANA. (*Señala.*)—Mira.

ALEJANDRO. (*Deja de beber.*)—¿Qué?

ANA. (*Por el cartel.*) [11]—Ese no lo han arrancado.

ALEJANDRO. (*Lo mira un segundo.*)—No.

> (*Sigue bebiendo.*)

90 ANA. (*Lee.*)—"¡Ni un paso atrás!" (*Ríe levemente.*) Todavía
estás a tiempo; piénsalo. Un solo paso atrás y cruzas la
frontera.

> (*Alejandro termina de beber y le devuelve la can-
> timplora.*)

95 ALEJANDRO. (*Suave.*)—¿Por qué no te callas?

[9] **agua hervida con hielo** *Water must be boiled for drinking purposes in out-
of-the-way places.*
[10] **no hay de eso** there is none (*i.e., purified ice water*)
[11] **Por el cartel** Referring to the poster

(*Le señala al dormido.*)

ANA.—¡Qué importa ya!

(*Bebe un trago.*)

ALEJANDRO.—Todavía importa, Ana... Nos queda la emigración.

ANA.—¿Te refieres a los campos de concentración?   100

ALEJANDRO. (*Calmoso.*)—Baja la voz...

(*Se acerca al dormido.*)

ANA. (*Fuerte.*)—¡No puedo! Tú no tienes nervios, pero ólvidas
que yo sí los tengo.

ALEJANDRO.—Porque no lo olvido, te prohibo hablar de nuestras   105
cosas hasta que pasemos la frontera. (*Señala con la cabeza
al dormido.*) Bastante imprudente has sido ya. (*Ella suspira, irritada. El zarandea al dormido.*) ¡Eh, amigo! ¿No
durmió anoche? (*Lo vuelve a zarandear. El hombre se
despierta de pronto y casi salta al levantarse y retroceder,*   110
ahogando un grito.) No se asuste, hombre. ¿Qué le pasa?

> (*El hombre mira con estupor a Alejandro. Tiene
> unos cuarenta años y su fisonomía es abierta e inte-
> ligente cuando está despejado. Ostenta la palidez y
> las ojeras del hambre.*)   115

SILVANO.—Nada.

> (*Ana se acerca a Alejandro. Muy intrigada por la
> apariencia más bien cómica del sujeto, saca un ci-
> garillo y lo enciende sin dejar de observarlo.*)

ALEJANDRO. (*Sonríe.*)—¿Pensó que eran los invasores? Tran-   120
quilícese. Aún están lejos.

SILVANO. (*Sonríe.*)—El miedo es libre, señor. (*Ahoga un bostezo;
se despereza con disimulo.*) Perdón. (*Se restriega los ojos,*

se alisa los alborotados cabellos y vuelve a mirar a la
125 *pareja.*) ¿Qué hay?

ALEJANDRO. (*Ríe.*)—Despiértese y hablaremos.

SILVANO.—Estoy despierto.

ALEJANDRO.—Todavía no, amigo.

130 (*Silvano se abalanza a la caldereta y llena con el
cazo un bote, que bebe con ansia. Cierra los ojos,
cansado, pero cuando los abre ya es dueño de sí y
mira su reloj.*)

SILVANO.—Las ocho y media de la tarde. Es una lástima.

ANA. (*Divertida.*)—¿Cuál es la lástima?

135 SILVANO.—El sueño interrumpido. Era muy hermoso. En fin...
Han tomado ustedes posesión de su casa.[12]

(*Se mete el reloj en el bolsillo.*)

ALEJANDRO.—Pues vamos a lo práctico.[13] ¿Hay alguien más en
el albergue?

140 SILVANO.—Un sargento de Infantería. Ha ido a la estación a
enterarse de si mañana habrá tren.

ANA. (*Se sobresalta.*)—¿Es que [14] ya no hay tren diario?

SILVANO. (*Deniega.*)—Parece que hay dificultades. El último lo
formaron hace cuatro días. Lo perdí por un minuto.[15]

145 (*Ana y Alejandro se miran. Un silencio. Alejandro
pasea. Ana fuma nerviosamente y se recuesta sobre
la mesa.*)

ALEJANDRO. (*Se detiene.*)—¿Cómo pensó en tomar el tren tan
pronto?

150 SILVANO.—¿Tan pronto?

[12] **Han tomado . . . casa.** Consider yourselves at home.
[13] **Pues vamos a lo práctico.** Well, let's get down to business.
[14] **Es que** Do you mean that
[15] **Lo perdí por un minuto.** I missed it by a minute.

ALEJANDRO.—¿No es usted el encargado del albergue?

SILVANO.—¡No, no! Yo soy otro...fugitivo. El encargado se marchó antes aún.

ANA.—¿Dista mucho la estación de aquí?

SILVANO.—Poco más de un kilómetro. El sargento no tardará en volver. 155

ANA. (*Suspira y se incorpora.*)—¿Hay aquí lavabo?

SILVANO.—No. Pero el manantial está muy cerca.

ALEJANDRO.—¿Y provisiones?

SILVANO.—El encargado se debió de llevar las últimas. Si no traen nada, no comerán. Yo consumí hace dos días mi última reserva. 160

ANA.—¿Y cómo se las arregla desde entonces?

SILVANO. (*Señala la caldereta.*)—Bebo...

ANA. (*Musita.*)—Qué horror... 165

SILVANO.—Y duermo. Siempre es una compensación.

ANA.—¿Aquí?

SILVANO.—Donde me pille el sueño.

ANA.—¿Es que tampoco hay camas?

SILVANO. (*Se acerca a la derecha.*)—Hay...dormitorios. Este es el de mujeres. (*Abre la puerta. Ante el gesto de repulsión de Ana, sonríe.*) Petates...bastante sucios. Más vale eso que nada.[16] 170

(*Cierra.*)

ALEJANDRO. (*Que no ha dejado de mirarlo fijamente.*)—¿No le conozco yo a usted de algo?[17] 175

SILVANO. (*Baja los ojos.*)—Supongo que no.

ALEJANDRO.—Sin embargo, su cara me es familiar.

ANA.—Y a mí...

SILVANO.—Quizá nos hayamos visto alguna vez. (*Ríe sin convic-* 180

---

[16] **Más vale eso que nada.** That's better than nothing.
[17] **¿No le conozco . . . algo?** Don't I know you from somewhere?

*ción y cruza para mirar por la ventana del fondo. Luego
va a la puerta y se asoma al exterior. Ana y Alejandro se
miran, inquietos.*) Parece que el sargento tarda...

ALEJANDRO.—¿Quién es usted?

185   SILVANO.—¿Eh? ¡Ah, nadie! Un profesor... Un catedrático...sin
relieve.

ANA. (*Que recuerda.*)—¿Cómo se llama usted?

SILVANO. (*Los mira un instante.*)—Silvano.

ANA.—¡Claro! ¡El historiador!

190   SILVANO. (*Seco.*) —Sí, señora. Catedrático por oposición,[18] desde
hace diez años,[19] en la Universidad del Estado. Y expulsado de ella, por orden del Gobierno, desde hace seis
meses. (*Avanza para servirse otro bote de agua.*) Todos
los periódicos publicaron entonces mi fotografía. Por eso
195   conocen mi cara.

(*Bebe.*)

ALEJANDRO. (*Lento, como quien recuerda.*)—El derrotista...

SILVANO.—Sí, señor. Así rezaban todos los titulares.[20] El mayor
derrotista del país. (*Suspira y va hacia la ventana de la
200   izquierda.*) El Gobierno ya organizaba por entonces estos
albergues, previendo la derrota. Era un secreto a voces.[21]
Albergues para el personal movilizado solamente, claro;
la población civil ya se las apañaría por su cuenta.[22] El
país es pobre y, ante una guerra tan dura, no puede
205   atender a todo... Pero necesitaban una víctima propiciatoria, y me tocó a mí.[23] ¡Había que enardecer la moral
combativa...de los demás!

---

[18] **por oposición**   by competitive examination (*This is the system used in Spain
to attain a full professorship.*)

[19] **Catedrático . . . años**   A Professor for the past ten years

[20] **Así rezaban . . . titulares.**   That's what all those with academic titles
claimed.

[21] **Era un secreto a voces.**   It was a secret shared by everyone (*lit.*, a secret that
was shouted).

[22] **la población . . . cuenta**   the civilians would have to make whatever adjust-
ments they could (regarding lodging)

[23] **Pero necesitaban . . . a mí.**   But they needed a scapegoat and they chose *me*.

ALEJANDRO. (*Acercándose a él.*)—No es usted justo hablando así del Gobierno. Si no recuerdo mal,[24] no le encarcelaron. Se limitaron a expulsarle, en atención a que era usted un profesor prestigioso. 210

SILVANO. (*Se vuelve, airado.*)—Muy astuto el Gobierno, ¿eh? Así mataba dos pájaros de un tiro. Los sectores del país que simpatizaban conmigo no podían quejarse, ni menos crear conflictos: ni siquiera se me encarcelaba. ¡Pero al dejarme 215 en la calle se estaba invitando a los más fanáticos a que me lincharan! [25] Mis propios alumnos apedrearon mi casa. He tenido que esconderme aquí y allá... En fin, la culpa la tuve yo, por imbécil.[26] Estos no son tiempos de explicar Historia..., sino de hacerla. 220

ALEJANDRO. (*Vuelve hacia el lateral derecho.*)—Usted también la hacía. Usted se aprovechó de su prestigio para publicar sin censura un folleto que...

SILVANO. (*Fastidiado.*)—Que era derrotista, ya lo sé. No me lo repita. 225

ANA.—Quizá sea preferible dejar esas viejas cuestiones, ¿no les parece? Ya todo ha quedado atrás.[27]

SILVANO.—En efecto. Ahora ya todos somos derro...derrotados. (*Por sus ropas.*) Por dentro y por fuera...

ALEJANDRO.—Dejaremos nuestras cosas en el dormitorio de mu- 230 jeres. Parece más recogido. (*Lo abre.*) Trae la cantimplora y las maletas, Ana. Tú las custodiarás.

(*Entra.*)

ANA.—Bueno.

ALEJANDRO.—A esta puerta le han roto el cerrojo. 235

SILVANO.—Y a la del otro dormitorio. Cualquiera sabe las cosas que habrán pasado aquí.[28]

[24] **Si no recuerdo mal** If I remember correctly
[25] **¡Pero al dejarme . . . lincharan!** But by releasing me, the most violent fanatics were being invited to lynch me!
[26] **la culpa . . . imbécil** I was to blame for being such a fool
[27] **Ya todo ha quedado atrás.** It's all in the past now.
[28] **Cualquiera sabe . . . aquí.** What must have happened here is anyone's guess.

240

(*Ana va a coger las maletas. Silvano se adelanta instintivamente a coger la mayor. No puede con ella y desfallece.*[29])

ANA.—No se moleste.

SILVANO.—No es...molestia.

(*Pero tiene que abandonarla en la mano de ella, que la levanta con facilidad.*)

245 ANA.—Está usted desfallecido. Siéntese.

SILVANO.—No, no... Ya se pasa.[30]

(*Se apoya en la mesa, jadeando. Sin dejar de mirarlo, ella va a la derecha con las maletas. Se detiene.*)

250 ANA.—No comprendo cómo puede permanecer aquí, sin comer... En sus condiciones, yo habría intentado pasar a pie la frontera.

SILVANO.—¿Qué quiere que le diga?[31] Un profesor de Historia es sedentario. El conocimiento de tantos siglos agitados le
255 vuelve indolente. Y la frontera está a quince kilómetros...,[32] y yo estoy débil.

ANA. (*Casi afirmando.*)—¿Pero confía usted en que haya tren?

SILVANO. (*Sin mirarla.*)—No. (*Ella lo mira estupefacta. Va a entrar, pero se detiene de nuevo, cada vez más intrigada. El
260 se incorpora y se sobrepone con una profunda inspiración.*[33]) Si me necesitan, estoy fuera.

---

[29] **No puede . . . desfallece.** He hasn't the strength to carry it and almost faints.

[30] **Ya se pasa.** I'm getting over it now.

[31] **¿Qué quiere que le diga?** *i.e.*, I don't know about that!

[32] **la frontera . . . kilómetros** the border is fifteen kilometers away (*about nine and a half miles; 10 kilometers = 6.2137 miles*)

[33] **se sobrepone . . . inspiración** (he) gains control of himself with a supreme effort

(*Se encamina a la puerta. Ella deja las maletas en el suelo.*)

ANA.—¿Se va?

SILVANO.—Ahí al lado.[34]   265

ANA.—¡Alejandro!

SILVANO.—¿Qué le pasa?

ANA.—¡Alejandro! (*Alejandro entra de nuevo.*) El profesor se va.

ALEJANDRO. (*Duro.*)—¿Adónde?

SILVANO.—Pero, ¿qué les sucede? Voy a buscar un poco de leña   270
para encender el fuego, aquí atrás... Lo hago todos los
días. Los taburetes podrían servir, pero no sé cómo partir-
los.

ANA.—¿No dijo que ya no le quedaba comida?

SILVANO.—Caliento agua y la bebo para entonar el cuerpo. A   275
ustedes también les vendrá bien,[35] créanme... Hoy calentaré más.

(*Va a salir.*)

ALEJANDRO.—Gracias. No es necesario.

SILVANO. (*Los considera.*)—No, claro. Ya se ve que ustedes traen   280
comida.

(*Sale. Alejandro se precipita a la puerta para verle
partir.*)

ANA.—¿Será verdad eso de la leña?

ALEJANDRO. (*Sin dejar de mirar para fuera.*)—Mete las maletas   285
de una vez, Ana. (*Ana las coge y entra en el dormitorio. A
poco sale y cierra. Alejandro viene al primer término.*)
Te he dicho, y te repito, que moderes tus nervios. A ese
hombre no hay por qué temerle; no puede ir muy lejos.

---

[34] **Ahí al lado.** Just near by.
[35] **A ustedes . . . bien** It will be good for you, too

290 ANA.—Perdona.

ALEJANDRO.—¿Tienes hambre?

ANA.—No.

ALEJANDRO.—De todos modos, tomaremos otro bocadillo. Es mejor irse comiendo aprisa lo que nos queda, no sea que
295 nos lo intenten quitar.[36] (*Pasea. Ana se sienta junto al extremo derecho de la mesa.*) ¿Estás cansada?

ANA.—Un poco.

ALEJANDRO.—Aguanta. Ya no queda nada.[37] Pero sé prudente; las últimas horas pueden ser las más peligrosas. (*Se detiene
300 a sus espaldas y le pone una mano en el hombro.*) ¿En qué piensas?

ANA.—De modo que el profesor Silvano...

ALEJANDRO.—Nunca hubiera pensado que nos íbamos a encontrar aquí a ese traidorzuelo. Pero no importa: él no sabe
305 quiénes somos. Ya ves lo acertados que hemos estado al cambiar nuestros nombres para el viaje.

ANA.—Sí.

ALEJANDRO. (*Ríe.*)—Lo que no comprendo es por qué se va. El enemigo le trataría con todos los honores...

310 ANA.—Eso es lo que me estoy preguntando.

ALEJANDRO.—Sin embargo, hay que tener cuidado. Mientras no salgamos de Surelia, cualquier granuja que me entregase al enemigo sería bien recompensado. (*Se acerca al cartel.*) Lo malo es que no puedo romper este cartel: sería una
315 torpeza. Pero estoy muy cambiado,[38] ¿no crees? (*Ella saca otro cigarrillo y fuma, nerviosa. El mira por la ventana.*) ¡Qué días más grises! Esta región es húmeda. (*Se vuelve.*) En el extranjero volveremos a edificar nuestra vida, no lo dudes. Tenemos medios para ello. (*Se acerca. Baja la voz.*)
320 He logrado colocar mucho dinero fuera, Ana. ¡Mucho! Y las joyas de la maleta pequeña representan casi otro tanto.[39]

[36] **no sea que . . . quitar** or they may try to take it away from us
[37] **Ya no queda nada.** It's almost over now.
[38] **Pero estoy muy cambiado** But I look very different
[39] **casi otro tanto** almost again as much

ANA. (*Seca.*)—Tu previsión es admirable.

ALEJANDRO.—Estás nerviosa, Ana.

ANA.—¡No me llames Ana!   325

(*Se levanta y se aleja.*)

ALEJANDRO.—Solos o acompañados, Ana. Y yo, Alejandro. Méte-telo bien en la cabeza.[40]

ANA. (*Exaltada.*)—"Goldmann nos dice: ni un paso atrás."

ALEJANDRO.—¡No vuelvas a pronunciar ese nombre!   330

ANA. (*Se revuelve.*)—¿Por qué no?

ALEJANDRO.—¿Crees que no te entiendo? Quieres decir que ya no soy...ése (*Señala el cartel.*); que ya no soy nada. Pues te equivocas, y no tardaré en demostrártelo. Sólo que, entre-tanto, ¡olvida nuestros apellidos! Ni en sueños has de pro-   335 nunciarlos, ¿entiendes? ¡Ni en sueños!

(*Pasea.*)

ANA.—Si nos derrotaban, prometiste al Consejo ponerte al frente de las guerrillas.

ALEJANDRO.—¡Baja la voz! (*Mira a la puerta.*) Sabes bien que   340 estaba dispuesto a hacerlo si hubiera sido lo más conve-niente. ¡Pero no lo era! Hay que organizar muchas cosas desde fuera y soy yo quien tiene que hacerlo. De todos modos, nadie dirá que no fui el último en marcharme.

(*Vuelve a sentarse.*)   345

ANA.—¡Porque se estropeó tu avión!

ALEJANDRO.—Un sabotaje.

ANA. (*Baja la voz.*)—Eso. Un sabotaje de los que no querían de ningún modo que tú te fueses. Y así hemos venido: sin escolta, por caminos secundarios...   350

ALEJANDRO.—¡Bah! Ahí atrás ya no quedaban más que fanáticos,

[40] **Métetelo . . . cabeza.**   Get this straight in your head.

y había que engañarlos. Pero yo saldré, porque es mi
deber. Y trabajaré. Trabajaremos, Ana...

ANA.—Y nos divertiremos, ¿no?

355 ALEJANDRO. (*Frío.*)—No te comprendo.

ANA.—¡Sabes muy bien a qué me refiero! ¡Sabes que tu propio
partido te lo ha reprochado!

ALEJANDRO.—No seas estúpida...

ANA. (*Le corta.*)—¡No repitas la excusa porque me la sé de me-
360   moria! Minucias necesarias para un hombre que trabaja
en medio de la tensión de estos tiempos... Y más, ¡un
dirigente! Ese tiene derecho a todo, ¿eh? Jovencitas encon-
tradas por la calle, mujeres de los amigos, prostitutas...
y una secretaria de confianza como yo, eso sí; porque, en
365   el fondo, el gran hombre es monógamo...

(*Tira con rabia el pitillo y lo aplasta con el pie.*)

ALEJANDRO.—Nunca he pretendido serlo, y tú no lo ignorabas.[41]
¡Sabes de sobra que necesito esas expansiones! ¡Y que no
tienen la menor importancia!

370 ANA.—Para ti, no, claro.

ALEJANDRO.—¡Sin ellas no trabajaría bien!

ANA.—¡No! Esa farsa no me la creo. Tus...expansiones te han cos-
tado más de una advertencia del partido por retrasos y
descuidos en tu trabajo. ¡Si no las tuvieras, trabajarías
375   mejor!

ALEJANDRO. (*Con desprecio.*)—Los compañeros son a veces muy
torpes. Y no suelen tener mi vigor.

(*Se aleja hacia el foro.*)

ANA.—¿No será que tienen más moral?[42]

380 ALEJANDRO.—Cuando nos unimos, eras una mujer por encima de

---

[41] **Nunca he pretendido . . . ignorabas.** I never pretended to be monogamous
and you were not unaware of it.
[42] **¿No será que . . . moral?** Perhaps they are more moral (than you)?

la histeria. Hablaremos de todo eso dentro de unos días,
¡Ahora, no!

ANA.—Tienes miedo, ¿eh?

ALEJANDRO.—El suficiente para no cometer locuras.[43] (*Se acerca
al dormitorio de la derecha y pone la mano en el pomo.*)   385
Vamos a comer algo antes de que vuelva ese hombre.

(*Abre la puerta.*)

ANA.—No tengo ganas.

ALEJANDRO. (*Fuerte.*)—¡Entra! (*Ana se levanta temblorosa y se
acerca despacio. El la toma de los hombros.*) Llevamos   390
quince años juntos, mujer [44]...

ANA.—Esa es la causa de todo.

ALEJANDRO.—¿Por qué?

ANA. (*Musita.*)—Ya no soy joven.

ALEJANDRO.—¡Qué tontería! Tú siempre me gustas.[45]   395

(*Va a salir. Ella lo retiene por un brazo.*)

ANA.—Oye... Ese hombre está muy débil...

ALEJANDRO.—¿Y qué?

ANA.—¿No deberíamos darle algo de comer?

ALEJANDRO.—¿A ése? Vamos, pequeña; sensiblerías, no. Ni a ése   400
ni a nadie. Si alguien tiene que salir del país con vida,
soy yo, ¿comprendes?

ANA.—Entonces, ¡cómetelo tú todo!

(*Va a apartarse. El la retiene y ríe.*)

ALEJANDRO.—Y tú también, tonta. Sabes de sobra que te necesito.   405
Anda, entra.

[43] **El suficiente . . . locuras.**   Afraid enough not to do anything rash.
[44] **Llevamos . . . mujer**   We've been together for fifteen years, my dear
[45] **Tú siempre me gustas.**   I always find you attractive.

(La empuja suavemente y sale tras ella. La puerta se cierra. Una pausa. La puerta del albergue se abre de un puntapié. En el umbral se encuentran Isabel y Carlos. Ella es una adolescente espigada. Casi andrajosa, no lleva medias y calza unas destrozadas alpargatas. Trae en brazos un niño de pecho. Carlos es un joven de unos veinte años o poco más, de mirada profunda y enfática dicción. Viste pantalón gris y cazadora de cuero; lleva al hombro un pequeño morral.)

CARLOS.—Pasa.

(Entra, y ella tras él, intimidada.)

ISABEL.—No parece que haya nadie... ¿Verdad?

CARLOS.—Así podrás dormir tranquila.

ISABEL. *(Dolida.)*—Perdóname.

CARLOS.—Perdona tú. Pero debes reaccionar, Isabel. Lo pasado hay que olvidarlo. Todos los hombres no son iguales. Y ahora me tienes a mí... Siéntate. *(Isabel se sienta delante de la mesa y mece al niño.)* ¿Sigue durmiendo?

(Se sirve un bote de agua.)

ISABEL.—Sí. Pero no tiene buen color.

CARLOS.—Exageraciones tuyas. Lo está aguantando todo muy bien.

ISABEL.—Preferiría que llorase.

CARLOS.—Ya lo hace de vez en cuando.

ISABEL.—Cada vez menos.

CARLOS.—Ya encontraremos algo para él.

ISABEL.—Sí. Agua. Siempre agua...

CARLOS. *(La prueba.)*—Está buena. Toma.

(Le da de beber a Isabel. Llena el bote de nuevo y bebe él.)

Isabel.—Si encontráramos algo para mí... El agua fría no le conviene al niño. Mira: allí hay una tetera.

(*Carlos va a la ventana y la coge, moviéndola.*)   440

Carlos.—Está vacía. (*La deja.*) Bueno, no hay que apurarse. Ahora intentaré encender fuego y le volveremos a dar agua caliente con azúcar. Aún tengo unos terrones.

Isabel.—¿No quedará por aquí alguna cosa?

Carlos. (*Con una triste mirada circular.*)—No creo.   445

Isabel. (*Se tienta los pechos.*)—Ya no tengo leche, Carlos... Ya no me queda ni una gota.

Carlos.—No lo pienses.

(*Se sienta a su lado, agotado.*)

Isabel.—También tú estás cansado...   450

Carlos.—No tiene importancia.

Isabel.—No sé qué hubiera sido de mí [46] sin ti. Si yo pudiera ayudarte en algo...

Carlos. (*La mira un segundo.*)—No te preocupes.

Isabel. (*Después de un momento, con temor.*)—Quizá venga   455
alguien esta noche.

Carlos. (*Deniega.*)—Ya es muy tarde. (*La mira.*) Probablemente...estaremos solos.

Isabel. (*Con ansiedad.*)—Dormirás cerca de mí, ¿verdad? A mi lado, ¿eh?   460

Carlos. (*Traga saliva.*)—Sí... Si tú lo quieres.

Isabel. (*Le pone una mano sobre su brazo.*)—¡Qué bueno eres!

Carlos. (*Tiembla.*)—No, Isabel. Yo soy...un hombre como los demás.

Isabel.—¿Qué dices? ¡Tú eres distinto, distinto a todos!   465

Carlos. (*Desvía la mirada.*)—¡No, no lo soy!

[46] **qué hubiera sido de mí**   what would have become of me

ISABEL.—Sí que lo eres. Sin ti, yo me habría muerto.

CARLOS. (*Turbado.*)—Isabel...

470
(*La mira muy fijo. Ella se inquieta, retira su mano
y esconde su cabeza en el cuerpecito del hijo.*)

ISABEL.—Y el niño también se habría muerto. (*El esconde la
cabeza entre las manos. Ella lo mira.*) ¿Te vuelven los
mareos? [47]

CARLOS.—No.

475 ISABEL. (*Le toca de nuevo en el brazo.*)—¿De verdad te sientes
bien?

CARLOS.—Sí.

ISABEL.—Si logramos salir, diremos en seguida que estás enfermo
y que necesitas un buen sanatorio.

480 CARLOS. (*Baja las manos.*)—¡No diremos nada! ¡No me pasa
nada! [48]

ISABEL.—Pero, Carlos, ¡Vas a empeorar! Cuando volviste del
frente estabas...como loco,[49] ¡acuérdate! Y ahora estás
pasándolo muy mal de nuevo...por mi culpa.

485 CARLOS. (*Después de un momento.*)—¿Es que has notado algo?

ISABEL. (*Baja los ojos.*)—Sí.

CARLOS. (*Con ansiedad.*)—¿El qué?

ISABEL.—Hace dos noches...

CARLOS.—¿Qué?

490 ISABEL.—Yo estaba despierta. Y tú te levantaste...y empezaste a
hablar solo.

CARLOS.—¿Me levanté y empecé a hablar solo?

ISABEL.—Sí. (*El la mira, demudado.*)—Pero tú no te apures; todo
eso pasará. Ya nos queda muy poco, ya verás...[50]

495 CARLOS.—¡Me estás mintiendo! ¡Me estás torturando otra vez!

[47] **¿Te vuelven los mareos?** Are you having dizzy spells again?
[48] **¡No me pasa nada!** There's nothing the matter with me!
[49] **como loco** almost out of your mind
[50] **Ya nos queda . . . verás...** We don't have much more to go, you'll see . . .

(Se levanta y se aleja.)

ISABEL. *(Llorosa.)*—¡Carlos!

CARLOS.—¡No necesito sanatorios! ¡Es otra cosa lo que me hace falta!

ISABEL.—¡Carlos, perdóname! 500

CARLOS. *(Exaltado.)*—¡Otra cosa!

ISABEL.—¡Si yo pudiera ayudarte en algo! ¡Dime tú qué puedo hacer!...

CARLOS. *(Temblando visiblemente, la mira.)*—¿Es que no lo comprendes? 505

ISABEL. *(Con expresión de absoluta inocencia, después de un momento.)*—¿El qué?

(Un silencio.)

CARLOS.—Nada.

ISABEL.—Pero, ¿qué es? 510

CARLOS.—Olvídalo. Voy a ver si puedo encontrar leña. Si no, uno de estos banquillos servirá.

(Se acerca a uno que hay en el primer término izquierdo y lo mira.)

ISABEL. *(Se levanta.)*—Si hubiese alguna cama para dejar al 515 niño... Me cansa los brazos. *(Se acerca a la puerta de la derecha, la abre y se asoma con timidez. De pronto retrocede, muy asustada. ¡Un hombre!*

(Carlos, que iba a la salida, se detuvo para verla entrar, corre a tomarla por el talle.) 520

CARLOS.—¡No te asustes!

ISABEL.—¡Un hombre!...

CARLOS.—Será otro fugitivo; no te hará nada.[51] Voy a ver.

[51] **no te hará nada**   he won't hurt you

ISABEL. (*Lo retiene.*)—¡No vayas!

525 CARLOS.—¡Suelta!

(*Alejandro entra por la izquierda y entorna la
puerta. Ella ahoga un grito.*)

ALEJANDRO.—¿Por qué grita, muchacha?

CARLOS.—Discúlpenos. Está muy cansada y se ha asustado.·

530 ALEJANDRO.—¿Van también para la frontera?

CARLOS.—Eso pretendemos.[52]

(*Silvano entra por el foro y entorna la puerta.
Isabel se vuelve al oirlo con nuevo sobresalto.*)

SILVANO.—Bien venidos, hijos. Les vi llegar. Acomódense a su
535   gusto; [53] están en su casa. No hay comida, ni baño, ni
cama, pero sobra ventilación.

(*Va hacia la ventana de la izquierda para coger la
tetera.*)

CARLOS.—Y trenes, ¿hay?

540 SILVANO.—Me temo que ya no.

ISABEL.—¡Dios mío!

(*Alejandro se les acerca.*)

ALEJANDRO.—Los habrá. También yo vengo a tomarlo. Estamos
dentro del plazo y el servicio no puede dejar de funcionar.

545 SILVANO. (*Se dirige a la mesa para llenar la tetera de agua.*) Diga
más bien que no debe...[54]

ALEJANDRO.—Está usted asustando a esta niña.

---

[52] **Eso pretendemos.**   That's what we intend to do.
[53] **Acomódense a su gusto**   Make yourselves at home
[54] **Diga . . . debe...**   You mean, that it shouldn't . . . (*i.e.*, stop functioning)

Silvano. (*Se vuelve a mirarla.*)—Perdone. (*Se aproxima, y ella se aprieta contra Carlos.*) ¡Un niño! Mala cosa aquí [55]...

Carlos.—Está muy cansada. ¿No podría echarse con el niño en algún sitio?　　　　550

Alejandro. (*Se acerca al dormitorio femenino.*)—Pase aquí, muchacha. Mi mujer la atenderá.

Isabel.—¿Hay una mujer?

Alejandro. (*Abre la puerta.*)—Ana, aquí tienes compañía.　　555
Vamos, niña. No me mire así. Nadie piensa en hacerle daño. Pase y descansará.

> (*Isabel mira a Carlos, que asiente para darle con-
> fianza, y pasa al dormitorio. Alejandro cierra tras
> ella. Silvano vuelve a la mesa y empieza a llenar la*　　560
> *tetera. Una pausa. Carlos se descuelga el morral y
> lo deja en un rincón.*)

Silvano.—¿Es su mujer?

Carlos. (*Inicia evasivos paseos.*[56])—No.

Silvano.—Dispense.　　565

Carlos.—¡No se figure nada! Es sólo una buena amiga. Nos conocemos desde niños.

Silvano.—El niño, ¿es de usted?

Carlos. (*Se detiene.*)—¿Cómo dice? [57]

Silvano.—¡Perdón! Ya ni sé lo que digo. Es la debilidad...　　570
Perdóneme.

> (*Carlos se aleja, mirándolo de reojo.*)

Alejandro.—¿Ella...es casada?

Carlos.—No.

Alejandro. (*Se sienta y enciende un cigarrillo.*)—Ahora me toca　　575
a mí pedirle perdón.

---

[55] **Mala cosa aquí** It's bad luck here
[56] **Inicia evasivos paseos.** He starts to walk around aimlessly.
[57] **¿Cómo dice?** What did you say?

CARLOS.—Mejor será que lo sepan. El niño...es de un soldado invasor. *(Silvano, que terminó de llenar la tetera, la deja a un lado y escucha, apoyado en la mesa.)* Ella y yo somos
580 de Valderol. Ya saben que estuvo cuatro meses en poder del enemigo.[58] A Isabel la violaron, como a otras muchas... No sabe de quién es su hijo.

SILVANO.—Espantoso.

(Se sienta, reprimiendo una náusea.)

585 CARLOS.—Yo estaba en las líneas. Cuando reconquistamos la ciudad, fui a verla. La encontré medio enloquecida... No podía ver un hombre sin desatarse en ataques y desmayos... ¡Esos canallas nos han destrozado así muchas mujeres!

SILVANO.—Sí. Ellos decían lo mismo el siglo pasado, cuando les
590 invadimos nosotros...

CARLOS. *(Hostil.)*—¿Qué tiene que ver eso ahora? [59]

ALEJANDRO.—No le haga caso. Continúe, por favor.

CARLOS.—Ella no tiene a nadie. Una bomba nuestra la dejó huérfana. *(Amargo.)* Y, a causa de nuestra amistad infantil,
595 parece que yo no le doy miedo.[60] Por eso la acompaño.

SILVANO. *(Trivial.)*—Como un hermano.

CARLOS.—¿Qué insinúa usted? ¡Claro que como un hermano! Es lo menos que debe hacer quien ha prestado su juramento de abnegación.[61]

600 *(Alejandro lo mira con fijeza.)*

SILVANO.—¿El juramento de abnegación?

CARLOS. *(Con orgullo.)*—Eso mismo. El que se presta en el partido del Gobierno, a cuyas milicias pertenezco.

[58] **estuvo . . . enemigo** It (the city) was occupied by the enemy for four months
[59] **¿Qué tiene que ver eso ahora?** What does that have to do with our present discussion?
[60] **parece . . . miedo** she is apparently not afraid of me
[61] **Es lo menos . . . abnegación.** It's the least that one can do when one has sworn an oath of self-denial.

SILVANO. (*Señala al cartel.*)—¿El partido...de Goldmann?

CARLOS.—El partido de Goldmann.   605

ALEJANDRO.—Pero... Perdóneme usted; no sé si puedo preguntarle.

CARLOS.—Diga.

ALEJANDRO.—Creo que a esas milicias se les ha ordenado concentrarse íntegramente en los montes del Oeste.   610

CARLOS.—Hace meses que me han rebajado de todo servicio.[62] Padezco...trastornos oculares. (*Un silencio.*) ¡No tolero que no me crean! Yo no miento. (*Saca una cartera, de la que extrae un papel.*) Este es el comprobante.

(*Lo pone ante Alejandro, que lo lee.*)   615

ALEJANDRO.—"Por graves motivos de salud..."

CARLOS.—Ahí lo tiene.[63] (*Recoge el papel y se lo guarda.*) Pero cuando haya dejado a Isabel en seguridad, volveré a cruzar la frontera y me incorporaré a las guerrillas de los montes. ¡Ya lo creo! Allí no se andarán ya con escrúpulos   620 de salud.[64]

(*Va hacia el fondo.*)

ALEJANDRO.—Verdaderamente, su conducta es admirable, joven. Yo no he pertenecido al partido de Goldmann, pero, en estos momentos de tristeza, consuela comprobar que ustedes eran lo más sano [65] del país. ¿Qué le parece, profesor?   625 Aquí tiene a un héroe; nada menos. El no da la guerra por perdida; él no capitula. Y volverá para luchar.

SILVANO. (*Molesto, sin mirarlo.*)—Usted también se va.

ALEJANDRO.—Puedo tener mis razones y eso no significa que yo   630

[62] **Hace meses . . . servicio.** I was dismissed from any kind of service some months ago.
[63] **Ahí lo tiene.** There's your proof.
[64] **¡Ya lo creo! Allí . . . salud.** Indeed I will! *They* won't insist on any of those foolish health scruples.
[65] **lo más sano** the most healthy aspect

dé la guerra por perdida. Pero no se hablaba de mí, sino
de él. De él...y de usted.

(*Silvano baja la cabeza.*)

CARLOS.—¿Por qué de él y de mí? No les comprendo a ustedes.

635 ALEJANDRO.—No haga caso, joven. Es que nuestro amigo el profesor peca...de pacifista.[66] Si no me engaño, cree que debimos rendirnos hace seis meses.

SILVANO.—¡Yo nunca dije eso!

ALEJANDRO.—¿No? Entonces el país entero interpretó mal sus
640 palabras...

SILVANO.—El país admitió la interpretación del Gobierno, entre
otras razones porque la censura impedía rebatirlas.[67]

(*Acercándose a la mesa, Carlos se apoya en su borde
y mira fijamente a Silvano.*)

645 CARLOS.—Pero si yo le conozco a usted...

SILVANO. (*Suspira, disgustado.*)—Seguro. El Gobierno se cuidó
bien de ello.[68]

CARLOS.—¡Espere! Usted se llamaba... (*Golpea la mesa, molesto
por el fallo de su memoria.*) ¿Cómo se llamaba?

650 SILVANO. (*A Alejandro.*)—Dígalo usted, ya que parece desear
que él lo sepa.

ALEJANDRO. (*A Carlos.*)—Bueno, no debe usted tomarlo tan a
pecho. Son ya historias viejas. Este señor es el profesor
Silvano.

655 CARLOS. (*Con un enérgico golpe sobre la mesa.*)—¡Silvano!

(*Un silencio. A Carlos se le crispan las manos [69]
sobre el borde de la mesa.*)

[66] **el profesor peca...de pacifista** the professor is . . . too much of a pacifist
[67] **porque . . . rebatirlas** because the censorship made it impossible to refute them
[68] **se cuidó bien de ello** made very certain of it
[69] **A Carlos . . . las manos** Carlos clenches his fists

Silvano. (*Sin mirarlo.*)—Un nombre odioso, ¿verdad? Según
usted, el de un enemigo mortal. ¿A qué espera? Usted es
un joven miliciano del partido de Goldmann y es seguro   660
que habrá conservado su pistola. (*Lo mira y se va levan-
tando lentamente, apoyado en la mesa, para enfrentarse
con él.*) ¡Cúbrase de gloria! ¡Consiga lo que otros no han
logrado! ¡Túmbeme de un tiro ahora mismo! (*Alejandro
se levanta despacio.*) ¿No se decide? ¡Si [70] el hambre me   665
va a matar de todos modos muy pronto, si ya soy un
muerto! ¿A qué espera para barrer a este capitulador, a
esta alimaña despreciable?

Alejandro.—¡Cuidado, muchacho!

Silvano.—¡Dispare!   670

Alejandro. (*A Silvano.*)—¿Está usted loco? ¡Se diría que lo
desea!

Silvano.—¡Quién sabe!

Alejandro.—Olvídelo, muchacho. Está medio trastornado por
la debilidad.   675

Carlos.—Puede que por el remordimiento. Pero ya le llegará
su castigo.[71] ¡Cuando lo ordene quien lo tiene que ordenar!
Entretanto me limitaré a decirle, en nombre de la patria,
¡que es usted un perro!

> (*Silvano se sienta, desfallecido. Un silencio. Carlos   680
> va a recostarse en la pared del fondo, bajo el cartel
> de Goldmann.*)

Alejandro.—¿Será posible...que se encuentre usted realmente
pesaroso de la posición que tomó hace seis meses?

Silvano.—La política es un arte difícil. Y yo soy un hombre de   685
dudas, no de seguridades. ¿Cree que no me he preguntado
muchas veces si hice bien o hice mal? Yo no recomendé la
capitulación, aunque se haya dicho que sí. Me limité a
desenmascarar la hipocresía del Gobierno, que ya la [72]

---

[70] **Si**   After all
[71] **Pero ya . . . castigo**   But he will eventually get his punishment
[72] **la**   *this refers to* **capitulación**

690   preparaba, y a denunciar las verdaderas causas de esta
guerra. Pero quizá eran verdades inoportunas, peligrosas...
Los pueblos necesitan a menudo de la mentira para seguir
luchando. ¿Hice mal? ¿Hice bien? Eso lo aclararán acaso
los historiadores: mis compañeros del futuro. Ahora nadie
695   podría decirlo; ni Goldmann, que me echó a las fieras,[73]
pero que tal vez mañana sea juzgado más duramente que
yo.

CARLOS.—¡Canalla!

SILVANO. (*Se levanta de pronto.*)—Puede que yo sea un canalla,
700   pero usted es un iluso. ¿Por qué ha luchado usted?

CARLOS.—¡Por la patria!

(*Alejandro se le acerca.*)

SILVANO.—¡No! Usted ha luchado porque no puede vivir sin un
jefe, y su jefe le mandó luchar. Porque no sabe vivir sin
705   bellas palabras, y Goldmann le proporcionaba esa retórica
a grandes dosis.

CARLOS. (*Se abalanza hacia él.*)—¡Miserable!

ALEJANDRO. (*Lo contiene.*)—¡Déjele hablar!

SILVANO.—Pero Goldmann no les ha mandado luchar por la
710   patria, ni por las bellas palabras en que no cree. El ha
metido a Surelia en la guerra para contentar a nuestros
poderosos y amenazadores vecinos... A esos que ahora nos
reciben en sus campos de concentración. A ésos era a
quienes estorbaba la floreciente industria de nuestros
715   enemigos,[74] y les invadimos para quitársela. De poco nos
ha servido...[75] Son ellos, al fin, quienes nos arrasan. Y con
bastante brutalidad, por cierto.

CARLOS.—¡Porque son brutales! ¡Porque odian nuestra cultura
superior!

---

[73] **que me echó a las fieras**   who threw me to the wolves (*lit.,* beasts)
[74] **A esos era . . . enemigos**   They were the ones who were disturbed by our enemies' flourishing industry
[75] **De poco nos ha servido...**   It availed us nothing . . .

SILVANO.—No me haga reir.   720

CARLOS.—¡Además, esas regiones industriales eran nuestras!
¡Ellos nos las arrebataron en el siglo pasado!

SILVANO. (*Se le acerca.*)—Cuando todavía no eran industriales,
mocito. Y nosotros se las habíamos quitado en el siglo
anterior. No: usted ha luchado por Goldmann; para que   725
él y su camarilla siguiesen tiranizando al país a costa de
los insensatos como usted..., que prefieren luchar a pensar.

> (*Carlos se abalanza y lo aferra por el cuello. Ale-
> jandro se interpone y logra separarlo.*)

ALEJANDRO.—¡Ea, basta! ¡Basta ya! ¡Le digo que le deje!   730

> (*Separados, jadean.*)

CARLOS. (*Sujeto por Alejandro.*)—¡Derrotista asqueroso!...

SILVANO.—Perdóneme, muchacho. No quise molestarle. (*Toma
la tetera y se encamina a la puerta. Se detiene.*) ¿Usted
trae comida?   735

CARLOS.—¡No le importa!

SILVANO.—Lo digo porque voy a calentar agua... Cuando no hay
comida, conviene tomar algo caliente... Las noches aún
son frías.

CARLOS.—Espere... (*Se pasa la mano por la frente.*) Yo... Yo iba   740
a hacer eso... (*A Alejandro.*) Al niño le damos agua con
un poco de azúcar. No tenemos otra cosa.

SILVANO.—No se preocupe. Calentaré también para ustedes.
¿Cómo se la dan? Es muy pequeño.

CARLOS. (*Seco.*)—Traemos un vaso y una cucharilla.   745

> (*Toma el morral, lo lleva a la mesa y los saca.*)

SILVANO.—Habrá que hervirlos. Traiga.[76]

---

[76] **Traiga.** Give them to me.

(*Va a su lado.*)

CARLOS.—No, no. Yo lo haré.

750 SILVANO. (*Se los quita.*)—Traiga, hombre. (*Se palpa un bolsillo.*)
Cerillas aún me quedan... (*Va a salir.*) Y perdone. Perdóneme. De verdad...

CARLOS. (*Avanza.*)—¡Oiga, no tomaré nada de usted! No quiero
que...

755 SILVANO.—Si no es para usted. Es para esa pobre criatura.

(*Sale.*)

CARLOS. (*Va hacia la puerta.*)—¡Le digo que no acepto...! [77]

ALEJANDRO. (*Le toma de un brazo.*)—Déjele que sirva para algo.
(*Carlos se desprende con brusquedad y pasea, irritado.*)
760 Y cálmese... Tome un cigarrillo.

CARLOS. (*Tomándolo automáticamente.*)—¿Es que nos vamos a
encontrar en todos lados con traidores?

ALEJANDRO.—Ya le ha dicho usted bastante.

(*Le ofrece fuego.*)

765 CARLOS. (*Enciende.*)—Gracias. (*Se sienta en el borde de la mesa
y fuma, colérico. Alejandro pasea.*) ¡No tiene razón! ¡No
la tiene! Goldmann habría salvado a Surelia si le hubiesen
dejado las manos libres.[78] Y es el único, ¡el único! que ha
sabido morir en su puesto, en lugar de huir..., como el
770 resto de los ministros.

ALEJANDRO.—¿Cómo lo sabe?

CARLOS.—Me han asegurado que cayó en el asalto de la Presidencia. El era demasiado puro, y no quiso escapar. ¡Pero
él debió hacerlo! ¡El, sí! ¡Ah, si hubiera podido marcharse!
775 ¡Habríamos vuelto un día tras él, todos, a reconquistar la
patria!

---

[77] **¡Le digo que no acepto...!** I've told you that I won't accept . . . ! (*The
present tense in Spanish may replace a past or future for emphasis.*)
[78] **si le hubiesen . . . libres** if they had given him a free rein

ALEJANDRO.—Quizá lo haya comprendido a tiempo. ¿Quién sabe? Esos rumores de última hora suelen ser muy dudosos.[79]

CARLOS. (*Deniega.*)—Sería demasiado hermoso para ser cierto.   780

(*Alejandro lo considera un instante.*)

ALEJANDRO.—Óigame, señor...

CARLOS.—Albín. Carlos Albín.

ALEJANDRO.—Señor Albín; supongamos que yo haya mentido antes...   785

CARLOS.—¿Antes?

ALEJANDRO.—Cuando le dije que yo nunca había pertenecido al partido del Gobierno.

CARLOS. (*Lo mira con asombro.*)—¿Es usted de los nuestros?

ALEJANDRO. (*Sonríe y declama con gravedad.*)—*Vita et mors*   790
semper immolatae et fideles.[80]

CARLOS.—¡Ah!... Eso es otra cosa. (*Va a estrecharle la mano.*) Ahora ya no estamos solos. Pero usted, probablemente, es un jefe...

ALEJANDRO.—Algo hay de eso.[81]   795

CARLOS.—¡Seguro! Yo no soy más que un chicuelo... Y usted ha sabido mantener la calma frente a ese bribón.

ALEJANDRO.—Los años le enseñarán a usted también.

CARLOS. (*Entusiasmado.*)—¿Puedo preguntarle algo?

ALEJANDRO. Usted dirá.[82]   800

CARLOS.—¿Quizá era usted...colaborador directo de Goldmann? (*Alejandro se separa unos pasos y reflexiona.*) Perdone.

---

[79] **Esos rumores . . . dudosos** Those last-minute rumors are not usually very dependable.

[80] *Vita . . . fideles.* **Vida y muerte siempre sacrificadas y fieles.** Life and death must always be sacrificed and faithful (*i.e.*, to the cause or political party). *This is a Latin motto invented by the author.*

[81] **Algo hay de eso.** Something like that.

[82] **Usted dirá.** Go ahead.

ALEJANDRO. *(Se vuelve.)*—¿Vio usted a Goldmann alguna vez, señor Albín?

805 CARLOS.—Varias veces... Aunque siempre de lejos. Pero guardaba sus fotografías. Me sé su cara de memoria: podría dibujarla arruga por arruga.[83]

ALEJANDRO.—¿Y no encuentra que yo...me parezco algo a él?

CARLOS. *(Se sobresalta.)*—¿Qué?

810 ALEJANDRO.—Observe bien. Añada mentalmente el bigote afeitado... El cabello más abundante... *(Se quita las gafas oscuras. Carlos se estremece y mira al cartel.)* ¿Tampoco recuerda mi voz?

CARLOS. *(Temblando.)*—No...es posible.

815 ALEJANDRO. *(Suave.)*—¿Por qué no?

CARLOS. *(Se cuadra. Apenas logra hablar.)*—Este es el momento más importante de mi vida.

ALEJANDRO.—Ya ve que...no he muerto aún.

CARLOS.—¡Dios sea loado!

820 ALEJANDRO.—Por supuesto, guardará silencio. Con Isabel y con todos.

CARLOS.—Por supuesto, jefe. *(Se separa la cazadora y enseña una pistolera.)* El profesor Silvano acertó. He conservado mi pistola.

825 ALEJANDRO. *(Ríe).*—Tiene usted más suerte que yo. Yo llevaba la mía en la cartera del coche, y nos lo han requisado hace dos horas los de la división del Este.[84] No me pareció prudente darme a conocer...

CARLOS.—Pues mi pistola y mi vida están a sus órdenes.

830 ALEJANDRO.—Gracias. Usted será mi escolta desde ahora. Le voy a necesitar. Mi secretaria y yo vamos a intentar cruzar la frontera.

CARLOS.—¡Claro! ¡Usted habló de su mujer! Entonces...ella es...

---

[83] **podría dibujarla . . . arruga** I could draw every line of it
[84] **nos lo han requisado . . . Este** those from the East division took it away from us two hours ago

ALEJANDRO.—¡Silencio! Nunca pronuncie aquí nuestros nombres. Ahora ella se llama Ana, y yo, Alejandro. ¿Entendido? 835

CARLOS.—Sí, jefe.

(*Alejandro vuelve a ponerse las gafas y se acerca para tomarle por los hombros.*)

ALEJANDRO.—Gracias por su moral y por su lealtad. Con hombres como usted se salvará la patria. Pero..., séquese los 840 ojos, Albín...

CARLOS.—Perdone.

(*Alejandro lo manda callar con un dedo en los labios. La puerta de la derecha se abre. Entran Ana e Isabel, que sale a desgana, sin dejar de mirar* 845 *al interior de la habitación.*)

ANA.—Siéntate, Isabel. Estás entre amigos.

ISABEL.—No se mueve nada.

ANA.—Porque duerme. Vamos. Descansa tú también. (*La conduce a una silla.*) Alejandro, esta niña... Tú sabes... 850

ALEJANDRO.—No es preciso que expliques nada. Este es el señor Albín, que la acompaña.

CARLOS.—Carlos Albín, para servirla, señora.

ANA. (*Le da la mano.*)—Yo sé cuánto le debe ella a usted. Alejandro, ella ha intentado darle el pecho al niño [85]... Pero 855 la criatura apenas saca nada, y ese poco será como agua.[86] Si se pudiese encontrar para ella algo de comer...

ALEJANDRO.—Sí. Ese es el problema para todos. Veremos qué se puede hacer.

ANA.—Pues... 860

ALEJANDRO.—Veremos qué se puede hacer, Ana.

(*Se aleja.*)

[85] **darle . . . niño** to breast-feed the child
[86] **y ese . . . agua** that very little (milk) is probably as thin as water

CARLOS.—Al niño le daremos ahora agua caliente azucarada.

865

(*Coge el morral y va a dejarlo en el alféisar de la ventana de la izquierda, donde se recuesta.*)

ALEJANDRO.—¿Cómo está su niño, Isabel?

ANA. (*Meloncólica.*)—Duerme.

ISABEL.—Pero despertará, ¿verdad?

ANA. (*Le acaricia el pelo.*)—Claro que sí.

870

875

(*Un silencio. Se abre la puerta y entra el Sargento. Es un tipo cetrino, tostado por las campañas, que viste un destrozado uniforme donde se percibe la huella que dejaron los galones arrancados. A su presencia todos se vuelven. Isabel se levanta con un suspiro de susto* [87] *y se aprieta contra Ana.*)

SARGENTO.—¡Vaya! Tenemos gente nueva. Buenas noches. ¿Dónde está el profesor?

ALEJANDRO.—Ha ido a calentar agua. Usted viene de la estación, ¿no?

880

SARGENTO.—Sí, señor. Con permiso.

(*Se sirve agua y bebe.*)

ANA.—¿Qué noticias nos trae de allí, sargento?

SARGENTO.—Malas. El tren fronterizo está detenido [88] en el otro lado. Parece que nuestros vecinos ya no quieren más re-

885

fugiados.

ANA.—¿Será posible que nos hagan eso ahora?

SARGENTO.—Eso dice el jefe de estación.

ANA.—Pero aquí podrán formar alguno... ¿Verdad, Alejandro? [89]

---

[87] **con un suspiro de susto**   with a frightened start
[88] **está detenido**   is being held
[89] **Pero aquí . . . Alejandro?**   But they could arrange for one (a train) here, couldn't they, Alejandro?

(Alejandro se aleja.)

SARGENTO. *(Va a sentarse al taburete del primer término izquierdo*   890
y se quita una bota, que vuelca.)—¡Quiá! [90] El servicio interior está interrumpido desde hace una semana y aquí
sólo les queda una locomotora inservible. Además, en la
estación queda ya poca gente... Casi todos se han ido a pie.
(Silvano reaparece en la puerta, con la tetera humeante en   895
una mano y el vaso con la cucharilla en la otra.) El jefe ha
dicho que no aguanta más: [91] que si no vienen las nuevas
unidades que espera, se larga él también. *(Consternación*
general. Silvano avanza.) Hola, profesor.

SILVANO.—No me diga nada. Ya le he oído. *(A Carlos.)* Eche el   900
azúcar en el vaso, muchacho.

CARLOS. *(Abstraído.)*—Sí.

(Saca del pantalón un cartucho, que abre, y echa en
el vaso dos terrones. Silvano va a la mesa, deja el
vaso y se dispone a llenarlo.)   905

ISABEL.—¿Son los últimos?

(Al oírla, Silvano se detiene con la tetera en el
aire.[92])

CARLOS. *(Titubea.)*—Ya encontraremos más.

SARGENTO.—¿Azúcar? Eso ya no se encuentra ni con candil.   910

(Isabel se sienta tras la mesa y se echa a llorar.
Carlos va a su lado.)

ANA.—Isabel, hija, cálmate... Todo se arreglará,[93] ya lo verás.

ISABEL.—Son los últimos, Ana, los últimos. Y mi nene se muere.

ANA.—¡No, no! ¡Vivirá!   915

[90] **¡Quiá!**   *i.e.,* Don't you believe it!
[91] **que no aguanta más**   that he can't hold out any longer
[92] **con la tetera en el aire**   with the teapot held in midair
[93] **Todo se arreglará**   Everything will turn out all right

SARGENTO.—¿Un niño?

SILVANO.—Está ahí dentro. (*Echa agua en el vaso con cuidado. A Carlos.*) Habrá que esperar. Está ardiendo.[94]

ISABEL.—¡Se muere!

920   (*Carlos pasea, nervioso.*)

SILVANO.—¿No había ningún aviso para mañana?

SARGENTO.—Nada. Ya se sabe: la retaguardia falla siempre.

(*Ruido de un coche que se acerca y para.*)

CARLOS.—¿Oyen ustedes?

925   SARGENTO.—¡Un coche!

(*Se levanta. Silvano mira por la ventana de la izquierda.*)

ANA.—¡Un coche, Alejandro!

ALEJANDRO.—¡Calma! Por este lado aún están lejos.[95]

930   (*Va a su lado.*)

SARGENTO. (*Se precipita a mirar por la ventana.*)—No hay que fiarse de ellos... Es un turismo. Se está apeando una mujer.

ANA. (*Lo piensa.*)—Eso...podría ser una gran suerte. Quizá, apretados, cupiésemos todos.[96]

935   ALEJANDRO.—¿Es grande el coche, sargento?

SARGENTO.—Sí que es grande... Ya está aquí.

(*Se vuelve. En la puerta aparece Georgina, una mujer de edad incierta que viste un elegante traje gris oscuro y trae un maletín pequeño.*)

[94] **Está ardiendo.** It's boiling hot.
[95] **¡Calma! . . . lejos.** Be calm! They (the enemy) are still quite far from this spot.
[96] **Quizá . . . todos.** Perhaps by squeezing, we might all fit (into the car).

GEORGINA.—Buenas noches. 940

TODOS.—Buenas noches.

GEORGINA.—Creo que he tenido suerte. Este debe de ser uno de esos albergues del Gobierno, ¿verdad?

SILVANO.—Sí, señora.

GEORGINA. (*Con su mejor sonrisa.*)—Yo no traigo volante, pero a 945 estas alturas supongo que no tendrán inconveniente en admitirme.[97]

SILVANO.—Claro, señora. Siéntese, por favor.

GEORGINA. (*Avanza y lo hace.*)—Muchas gracias. ¡He pasado un miedo! ¡Uf! Iba a venir con un amigo, pero a última hora 950 no aparecía. Y una mujer sola por esas carreteras... Pero ustedes son personas decentes, gracias a Dios. ¿Podría traerme alguien mi maleta? Está en el coche. No llevo gran cosa,[98] pero...

(*Un silencio embarazoso.*) 955

CARLOS.—Yo iré, señora.

GEORGINA.—Es usted muy amable, señor...

CARLOS.—Albín.

GEORGINA.—Pues muchas gracias, señor Albín. (*Carlos sale.*) Creí que estos albergues serían más limpios. ¡Se habla tanto de 960 ellos! Algo así como un parador de turismo. De todas formas, servirán la cena pronto, ¿no? Hace quince horas que no tomo nada. Pero, ¡qué tonta soy! Discúlpenme, debo presentarme. Me llamo Georgina Moray. ¿Se podrán tomar unos huevos, por lo menos?[99] Yo sin ellos estoy 965 perdida. (*Ríe.*) Menos mal que mi dinero está en el extranjero; en eso he sido más previsora.[100] (*A Ana.*) Calcule usted, señora, hasta mi guardarropa y mis joyas están fuera ya. ¡Tengo unas ganas de verme allí! ¡Uf! Lo que

[97] **Yo no traigo . . . admitirme.** I have no government permit, but I assume you won't mind admitting me since I've come this far.
[98] **No llevo gran cosa** I'm not carrying much with me
[99] **¿Se podrán . . . menos?** May one at least have some eggs?
[100] **en eso . . . previsora** I've had more foresight in that respect

970 sí es una lástima es tener que abandonar el coche. Pero me quedé sin gasolina y el motor se ha quemado. Gracias a que pude llegar hasta aquí.[101] De todas maneras creo que la estación está cerca, ¿no? Tomaré el tren.

ANA.—¿Ha dicho que...se le ha terminado la gasolina? [102]

975 GEORGINA.—¡Bueno, no es tan grave! La frontera está a un paso. (*Ana se sienta. Carlos volvió con la maleta y escuchó sus palabras.*) ¡Ah! Mil gracias de nuevo, señor Albín. Déjela ahí mismo, por favor.

CARLOS. (*Lo hace.*)—De nada. La frontera, señora, está a quince
980 kilómetros por la montaña.

(*Todos están cabizbajos. Carlos va a la ventana del fondo.*)

GEORGINA. (*Desconcertada por la expresión de todos.*)—¿A qué hora sale el tren mañana?

985 ALEJANDRO.—Tal vez a ninguna, señora.

GEORGINA.—¡No me diga! El Gobierno habrá tomado sus medidas.[103] No nos va a dejar aquí.

SILVANO.—Es que tampoco hay Gobierno, señora. (*Ella lo mira, estupefacta.*) Ni comida.

990 GEORGINA.—¿Ni siquiera unos huevos cocidos?

SARGENTO. (*Harto.*)—¡Ni siquiera un triste plato de patatas!

(*Vuelve al taburete. Georgina se queda anonadada. Una pausa.*)

ALEJANDRO. (*Se quita las gafas y se las guarda.*)—Está oscure-
995 ciendo.

SILVANO.—Hoy tampoco vimos el sol. Quizá mañana despeje. (*Se acerca al vaso y lo toca.*) Aún está muy caliente.

---

[101] **Gracias a que . . . aquí.** Fortunately I was able to get this far.
[102] **se le ha . . . gasolina?** you have no gasoline left?
[103] **El Gobierno . . . medidas.** The Government must have taken appropriate measures (to help us).

(*Se sienta delante de la mesa.*)

GEORGINA. (*Intimidada*)—¿Ninguno de ustedes tiene algo de comer?   1000

ALEJANDRO. (*Después de un momento.*)—Esa es una razón más para buscar cuanto antes el medio de pasar la frontera, si no hay tren a primera hora.

> (*Silvano toma su bote y lo llena con el agua de la tetera.*)   1005

SARGENTO.—Yo volveré mañana temprano a la estación.

ALEJANDRO.—De acuerdo. ¡No hay que amilanarse! Puede que haya tren. Y una vez en el extranjero, creo que podré ayudar a todos ustedes. Tengo algún amigo en el Comité de Refugiados. (*Se acerca a Isabel y le da un golpecito en* 1010 *el hombro, que ella elude instintivamente.*) A su hijo se le atenderá en seguida, puede estar segura. Y usted también... Tranquilícese. Ha sufrido usted mucho, hija mía; pero todas las personas no son tan torpes y tan bestiales. La vida será todavía dulce para usted, ya lo verá.   1015

> (*Carlos le envía una resplandeciente mirada de gratitud.*)

ISABEL.—Gracias.

ALEJANDRO.—Habrá que encender las velas. Esto está muy oscuro.   1020

> (*Las enciende con su mechero y se sienta tras la mesa.*)

GEORGINA.—¿Hay un niño aquí?

ANA.—En aquel dormitorio.

GEORGINA. (*Agria.*)—¡Vaya! ¡Por lo menos hay dormitorios!   1025

ANA.—Sí. Aquel es el nuestro. El de mujeres.

SILVANO. (*Sonríe.*)—Pero sin camas, señora. Con petates...bastante bien provistos de bichitos.

GEORGINA. (*Ofendida.*)—¡Oh!

1030 SILVANO. (*Bebe de su bote.*)—Olvidaba decir a todos que, el que quiera, puede beber agua caliente.

GEORGINA. (*Con desprecio y asco.*)—¿Logra pasarla? [104]

SILVANO.—Ya lo ve.[105] (*Sonríe.*) ¿Se anima a probar un poquito?

GEORGINA. (*Sin contestarle.*)—¿De verdad no tiene ninguno algo 1035 de comida que le sobre? [106]

SARGENTO. (*Con una risotada.*)—¡Que le sobre! [107] (*Va a echarse agua caliente en otro bote, del que bebe.*) Y lo peor es que no queda un alma en todo el contorno que pueda darnos nada. Cuando yo pasé por Frenal ya no había nadie. Sólo 1040 un perro esquelético en la plaza, al que no pude echar mano. Y es que todos se han marchado por esta línea, aprovechando el tren. No sólo los peces gordos,[108] sino los chicos. (*Ríe.*) Al enemigo le hubiera gustado avanzar por aquí para atrapar a algunos de los más gordos... Porque 1045 por aquí tiene que haber pasado más de uno. (*A Georgina.*) A lo mejor es usted el último, ¿eh?

GEORGINA.—¿Qué está diciendo? Yo me voy, pero no soy ningún personaje. ¿Qué mal les hago?

SILVANO.—Colocar sus bienes en el extranjero, señora. Eso no se 1050 lo perdonaría el enemigo, si lo supiese. ¡Es tan ávido! [109]

ANA. (*Estalla.*)—¡Se diría que tiene usted el talento de molestar a los demás!

ALEJANDRO.—¡Ana!

SILVANO.—Déjela. Es mía la culpa. Todos estamos nerviosos.

1055 ISABEL.—¿No llora el niño?

---

[104] **¿Logra pasarla?**   Can you swallow it down?
[105] **Ya lo ve.**   You can see for yourself.
[106] **algo . . . sobre?**   a little extra food?
[107] **¡Que le sobre!**   *Extra* you said!
[108] **No sólo los peces gordos**   Not only the big fish (*i.e.,* the very important people)
[109] **¡Es tan ávido!**   He (the enemy) is so greedy!

(*Todos escuchan.*)

Carlos.—No.

(*Ana se levanta y abre la puerta del dormitorio.*)

Ana.—No. ¿Se le podrá dar ya eso?

(*Va a tocar el vaso al tiempo que Silvano.*)   1060

Silvano.—Perdón... No.

Ana.—No. Aún debe templar algo. (*Se acerca a la ventana de la izquierda.*) Ya es de noche.

Sargento. (*Deja su bote.*)—Será cosa de acostarse.[110]

Silvano. (*Abstraído.*)—Para tener un buen sueño, al menos...   1065

> (*Isabel, se desploma sollozando sobre la mesa. To-dos la miran. Carlos corre a su lado y la toma por los brazos. Alejandro se levanta y le pone la mano en el hombro.*)

Carlos.—¡Isabel, por Dios!   1070

Georgina.—¿Qué le sucede?

Carlos.—La pobre sólo sueña pesadillas. ¡Isabel...!

Isabel.—Déjame.

> (*Carlos se aparta, contrariado. Ella queda en silencio, de bruces sobre la mesa. Alejandro pasea.*)   1075

Sargento.—Estos días son malos para soñar. Pero yo, a veces, tengo suerte y sueño que me como un pollo entero.

> (*Se sienta junto a Silvano.*)

Ana. (*Amarga.*)—No se debiera soñar nunca.

[110] **Será cosa de acostarse.** It's probably bed time.

1080 ALEJANDRO. (*Sonríe.*)—Eso es muy cierto. Los sueños deforman la vida. Y a la vida hay que mirarla cara a cara. Soñar es faena de mujeres...o de contemplativos.[111]

GEORGINA.—¿Usted no sueña nunca?

ALEJANDRO.—Muy rara vez. Usted sí soñará a menudo, ¿eh, profesor? Usted es un contemplativo inconfundible.

1085

(*Se sienta en el extremo derecho de la mesa.*)

SILVANO.—¿Eh?... Ah, sí. Yo sueño mucho. Y estos días, con la debilidad, casi a todas horas...[112] Incluso con los ojos abiertos, me traspongo a veces y empiezo a ver cosas... Es curioso. Entonces se pregunta uno dónde termina exactamente la realidad. Los locos deben de sentir las mismas cosas.

1090

CARLOS.—¿Los locos?

SILVANO.—Ellos nunca saben si lo que ven es real o no. Con el hambre pasa lo mismo. Y es que un cerebro débil es un cerebro enfermo. (*Ríe desmayadamente.*) Sin embargo, yo antes también soñaba mucho. Cosas que les harían a ustedes reír.

1095

ANA.—¡Pues no las diga!

(*Va a sentarse al taburete del primer término.*)

1100 ALEJANDRO.—¡Al contrario! Siga usted.

SILVANO. (*Después de un momento.*)—Hay un sueño que se repite con frecuencia... Me encuentro en un campo inmenso y verde inundado de agua tranquila. A mi lado pasan seres muy bellos que sonríen. Matronas arrogantes, muchachas y muchachos llenos de majestad, ancianos de melena plateada y niños de cabellera de ámbar. Son todos como ángeles sin alas.

1105

---

[111] **Soñar . . . contemplativos**. Dreaming is only for women or dreamers.
[112] **Y estos días . . . horas...** And nowadays, in my weak state, almost constantly . . .

(*Ana atiende a su pesar. Isabel levantó poco a poco la cabeza y le escucha, absorta.*)

ALEJANDRO. (*Burlón.*)—Soñador.   1110

SILVANO. (*Grave.*)—¿Y por qué no? ¿Es que quizá no debiéramos todos aprender a soñar?

ANA.—¿Aprender a soñar?

SILVANO.—Aprender a soñar sería aprender a vivir. Todos soñamos con nuestros inconfesables apetitos y soltamos durante la noche a la fiera que nos posee. Pero, si aprendiésemos...   1115

(*El Sargento meneaba la cabeza con pesar y se la toca con un dedo para indicar que Silvano no está en sus cabales.*[113])   1120

SARGENTO.—Profesor.

SILVANO. (*Se detiene y mira a todos.*)—No; no crean que desvarío. Piensen un momento conmigo: ¿soñamos mal porque nos portamos mal [114] durante el día, o procedemos mal en la vida porque no sabemos soñar bien? [115] No es fácil contestar, ¿eh?   1125

(*Un silencio. La voz extrañamente dulce de Isabel les hace volver a todos la cabeza.*)

ISABEL.—Siga, por favor.

SILVANO.—Quizá son ciertas las dos cosas. Pero entonces, también hay que aprender a soñar... Sólo que...no aprendemos. Por eso pienso a veces una cosa...muy extraña. ¿Y si las personas que se tratan entre sí [116] empezaran a soñar con frecuencia un mismo sueño?   1130

ANA.—¿El mismo sueño?   1135

[113] **no está en sus cabales**   is out of his mind
[114] **soñamos mal . . . mal**   do we have bad dreams because we misbehave
[115] **soñar bien**   *This refers to the imaginative way of life which expresses Silvano's philosophy.* (*See the* Introducción.)
[116] **que se tratan entre sí**   who know each other well

SILVANO.—No es imposible. Bastaría que nuestra mente se volviese algo más flexible para enviar o captar pensamientos...

ALEJANDRO. (*Burlón.*)—Telepatía.

SILVANO.—Algo así. Los sueños serían entonces como una prolon-
1140 gación de la vida, pero más desnuda,[117] más impresionante: soñaríamos lo mismo, y el choque de nuestros egoísmos los haría irrealizables.[118] Nos veríamos tal como somos
por dentro y quizá al despertar no podríamos seguir fingiendo. Tendríamos que mejorar a la fuerza... Porque en
1145 el sueño es donde tocamos nuestro fondo más verdadero.[119]
¡En el sueño, y no en la vida!

GEORGINA. (*No comprende nada.*)—Pero, ¿qué dice?

SILVANO.—Ya sé que son tonterías. Fantasías provocadas por este
mundo atroz.

1150 ALEJANDRO. (*Sonríe.*)—Más bien un admirable programa...de me-
joras, aunque quizá algo utópico, ¿no cree? (*Se levanta.*)
Pero no quiero desanimarles: a soñar todos esta noche lo
mismo..., menos yo. Prometo dormir profundamente para
no estorbarles.

1155   (*El Sargento ríe a hurtadillas.*)

ANA. (*Histérica.*)—¡Cállense ya, por favor!

(*Todos la miran.*)

ALEJANDRO.—Pero, Ana...

ANA.—No se puede sufrir.[120]

1160 SILVANO. (*Turbado.*)—Perdone.

(*Un silencio.*)

[117] **más desnuda**   more basic (*i.e.*, a life bereft of artificiality)
[118] **soñaríamos . . . irrealizables**   we would dream the same dream, and the very conflict of our selfish desires would prevent their fulfilment
[119] **Porque en el sueño . . . verdadero.**   Because we find the truest essence of our being in our dreams.
[120] **No se puede sufrir**   I can't stand it (*impersonal form used for the first person*)

SARGENTO. (*Sonríe.*)—Oiga, profesor: alguna vez también soñará con comida, ¿no?

SILVANO. (*Ríe.*)—Pues claro. ¿Cree que no tengo dientes? (*Isabel ríe, infantil.*) ¡Al fin hemos conseguido que ría la pequeña! 1165
(*Toca el vaso.*) Esto está a punto, Isabel. ¡Déselo a su crío!

(*Isabel se levanta y, aún riendo, va a cogerlo, cuando entra el Campesino: huidiza mirada, edad indefinible, saco repleto a las espaldas. Temblorosa, Isabel se apoya en la mesa y lo mira fijamente.* 1170
Georgina se levantó ahogando un grito y se echa en brazos de Carlos. Ana se levanta. En medio del sobresalto general, el Campesino avanza, mirando a todos como a enemigos y va rápido a sentarse contra la pared del primer término derecho, colocando 1175
su saco entre las piernas.)

GEORGINA. (*Se desprende de Carlos, avergonzada.*)—Discúlpeme.

CARLOS.—No faltaba más.[121]

ANA. (*Presa de una secreta irritación.*)—Dé las buenas noches, por lo menos. 1180

CAMPESINO.—Para quien lo sean.[122]

(*Abre su saco.*)

CARLOS. (*Violento, llega al primer término.*)—¡Se ha retrasado usted mucho, amigo! ¡Puede que no haya tren!

CAMPESINO.—Eso a mí no me importa. 1185

(*Ante la ansiedad general, saca un gran pan y una longaniza de los que, tras partir sendos pedazos, se pone a comer con pintoresco juego de navaja.*[123]
Silvano, risueño, se acerca.)

[121] **No faltaba más.** Of course. Don't mention it.
[122] **Para quien lo sean.** A good evening to anyone who thinks it is (**sean** *refers to* **noches**).
[123] **de los que . . . navaja** which, after cutting a piece from both, he begins to eat while waving his knife about in an unusual fashion

1190 SILVANO.—Hay apetito, ¿eh? (*Sigue sus merodeos sin que el Campesino le pierda de vista.*) Tiene muy buena cara ese pan.

(*Se atreve a acercar el dedo.*[124] *Todos alargan la cabeza, sorprendidos.*)

1195 CAMPESINO. (*Ruge.*)—¡Quieto!

SILVANO.—No se enfade. Sólo quería ver si estaba tierno.

(*Vuelve a su taburete.*)

CAMPESINO.—No me gustan esas bromas.

ANA.—Y usted, ¿por qué se va?

1200 CAMPESINO.—¡Ja! A la fuerza.[125] El Gobierno mandó evacuar y nos lo llevamos todo. Me fusilarían si me quedase: dirían que era guerrillero. Allí quedaron las tierras, al cierzo y a las malas hierbas.

(*Isabel mira el vaso de agua azucarada que sostiene*
1205 *y luego se acerca, encogida, al Campesino.*)

ISABEL.—¿No tendría usted un bote de leche para mi hijo?

CAMPESINO. (*Sin mirarla.*)—No hay nada.

CARLOS.—Oiga: todos tenemos hambre, pero no le pedimos para nosotros. Déle a ella para que pueda alimentar a su hijo...
1210 Es una pobre muchacha víctima de la barbarie del enemigo. Y su niño es de pecho. Está ahí dentro, durmiendo.

ISABEL.—Y ya no tiene fuerzas ni para llorar... ¿No me daría nada?

CAMPESINO. (*Después de una ligera vacilación.*)—Botes de leche
1215 no llevo.

SILVANO.—Pero algo para ella, al menos...

---

[124] **Se atreve . . . dedo.** He finally dares to almost touch the bread with his finger.
[125] **A la fuerza.** I have to.

Foto de M. Santos Yubero

Georgina y el Campesino

CAMPESINO. (*Mira a Isabel un momento y baja la mirada.*)—Lo siento.

> (*Crispando los puños, Carlos va hacia el Campesino.*)

1220

CARLOS.—¡Cerdo!

> (*El Campesino lo mira duramente. Rápida, Isabel interpone su brazo.*[126])

ISABEL.—No.

[126] **interpone su brazo** intercedes, putting her arm between them

1225   (*Suspira y mira el vaso. Meneando el líquido con
cuidado, se encamina al dormitorio. Carlos coge
una botella con su vela y corre a la puerta. En
medio de un gran silencio, Isabel entra en el dormitorio. Carlos entra tras ella. A poco vuelve sin la*
1230   *vela y cierra, sentándose luego. Entretanto, Georgina se decide y se acerca al Campesino.*)

GEORGINA.—Si me diese alguna cosa, huevos, por ejemplo, yo...
se lo pagaría bien.

CAMPESINO.—¿Dinero del Gobierno? No, gracias.

1235   (*Después de una ojeada avergonzada a los demás,
Georgina se despoja de una sortija.*)

GEORGINA.—¿Y este brillante? (*A los demás.*) Es el único que
traigo, ya ven. Ahora, casi me alegro.

CAMPESINO.—No entiendo de anillos.

1240   ANA.—Pero yo sí. Le aseguro que es bueno.

(*La mano de Georgina sigue tendida.*)

CAMPESINO. (*Toma la joya, la mira y la guarda. Parte luego un
pedazo no muy grande de pan y otro de longaniza, y los
tiende.*)—Me arriesgaré.

1245   GEORGINA.—¿Sólo eso por una joya que vale mucho más que el
saco entero? (*El Campesino retira la mano y tiende otra
vez la sortija.*) ¡Es indignante! ¡Indignante!

(*Le arrebata el pan y la longaniza y va a sentarse.
Todos la miran. Pero ella, en medio de un silencio
bochornoso y con una ojeada a los demás de repen-*
1250   *tino desconocimiento,[127] empieza a comer.*)

SARGENTO. (*Al Campesino.*)—¡Basta! ¡No aguanto más! ¿Cree que
se va a estar hinchando ah mientras los demás tragan

---

[127] **con una ojeada . . . desconocimiento** glancing at the others as if they had
suddenly become strangers to her

saliva? [128] (*El Campesino para de comer y lo mira.*) Todos
estamos medio muertos de hambre y la necesidad es gene-   1255
ral. De modo que ¡venga el saco! [129] (*Le echa mano. El
Campesino lo repele y se levanta como un rayo.*) ¡Vamos,
ayúdenme todos! (*A Carlos.*) ¡Usted, muchacho!

GEORGINA. (*Se levanta sin dejar de comer.*)—¡Sí, sí!

CARLOS. (*Se precipita.*)—¡Suelte el saco!   1260

(*Ana se levanta.*)

SARGENTO. (*Vuelve a echar mano al saco.*)—¡Suelte, granuja!

(*De un feroz puñetazo, el Campesino lo derriba.
Carlos llega a tiempo para levantarlo. Las mujeres
gritan.*)   1265

CAMPESINO.—¿A quién le toca ahora? [130]

GEORGINA.—¡Es una bestia! Se aprovecha de que estamos débiles,
que si no...

SARGENTO. (*Sostenido por Carlos y Alejandro, que lo sientan.*)—
¡Ya me las pagará! [131]   1270

(*El Campesino ata con fuerza su saco y va a beber
agua en el cazo.*)

ANA.—Podría usar un bote, ¿no le parece?

SILVANO. (*Le tiende uno.*)—Este está libre.

CAMPESINO. (*Lo coge y lo llena.*)—¡Qué más dará! [132] (*Bebe.*)   1275
¿Dónde se duerme?

SILVANO.—Allí.

(*El Campesino llega a la puerta del dormitorio de
hombres y se vuelve.*)

---

[128] **los demás tragan saliva**   the rest of us lick our lips (*lit.*, swallow saliva)
[129] **¡venga el saco!**   let's have the bag!
[130] **¿A quién le toca ahora?**   Whose turn is it now?
[131] **¡Ya me las pagará!**   I'll get even with him later!
[132] **¡Qué más dará!**   What's the difference!

1280   CAMPESINO.—¡No piensen que me vayan a pillar descuidado!
        Ojo conmigo: [133] la próxima vez usaré la navaja.

        (*Entra en el dormitorio con su saco a cuestas y
        cierra.*)

        CARLOS. (*Consulta a Alejandro con la mirada.*)—Sin embargo,
1285   sería fácil, si lo consideramos absolutamente necesario.

        ALEJANDRO.—No perdamos la cabeza. Mañana se verá. Ahora
        conviene dormir y ahorrar fuerzas.

        CARLOS. (*Mirándolo siempre.*)—Convendrá montar una vigi-
        lancia.

1290   ALEJANDRO.—De ningún modo. El enemigo está lejos. Vaya a
        descansar lo que pueda, muchacho. Yo iré en seguida.

        SARGENTO.—Mejor será. (*Coge una de las velas y se levanta.*)
        ¿Viene, profesor?

        SILVANO. (*Medio adormilado.*)—¿Eh?... No tardo nada. Yo ce-
1295   rraré esto. Buenas noches.

        (*Carlos se acerca a la derecha y abre para mirar.*)

        ALEJANDRO.—¿Se ha dormido ya?

        CARLOS.—Está terminando de darle el vaso al niño. (*Alejandro
        llega a su lado.*) Que descanses, Isabel.

1300   ALEJANDRO.—Que duerma bien, niña.

        LA VOZ DE ISABEL.—Gracias...

        CARLOS. (*Cierra y se vuelve a todos.*)—Hasta mañana.

        TODOS.—Buenas noches.

        GEORGINA. (*Con blando tono y sonrisa inocente.*)—Buenas noches,
1305   señor Albín. (*El Sargento y Carlos entran en el dormitorio.
        Georgina toma su último bocado y se dirige a Silvano.*)
        ¿Me haría el favor de indicarme si hay algún bote libre?

        SILVANO. (*Desfallecido, se vuelve hacia la mesa.*)—Sí, señora.
        Éste.

        [133] **Ojo conmigo** Watch out for me

GEORGINA.—Gracias. (*Se sirve agua y bebe. Luego toma sus dos*   1310
maletas.) Buenas noches a todos.

SILVANO.—Buenas noches, señora. (*Georgina entra en el dormitorio y cierra. Una pausa. Ana y Alejandro se miran.
Silvano se levanta con dificultad.*) Si quieren, pueden
acostarse. Yo cerraré. Voy a apagar el fuego.   1315

> (*Sale tambaleándose por el foro. Alejandro saca una
> llavecita y se acerca a Ana.*)

ALEJANDRO.—De prisa, Ana. Antes de que vuelva. Sácame un
buen bocadillo.

ANA.—¿Delante de ellas?   1320

ALEJANDRO.—Con disimulo, mujer.[134] (*Le da la llave.*) Toma.
¡Y aviva! (*Ana va a la puerta del dormitorio. Allí se vuelve.*) Saca algo para ti también y espera a que se duerman
para comértelo.

ANA.—¿No podríamos darle algo a la pequeña?   1325

ALEJANDRO.—Ahora no, Ana. Ya lo pensaremos. ¡Vamos!

> (*Ana entra en el dormitorio. Una pausa. Silvano
> vuelve, cierra la puerta y corre el cerrojo con es-
> fuerzo, echando después la barra, que sujeta con
> un clavo.*)   1330

SILVANO.—¿Aún no se acostó?

ALEJANDRO. (*Contrariado.*)—Ya lo ve.

> (*Pasea.*)

SILVANO. (*Saca su reloj y avanza al primer término.*)—Las nueve
en punto.   1335

> (*Empieza a darle cuerda. Ana reaparece en la
> derecha y él la mira. Luego sigue dando cuerda a*

---

[134] **Con disimulo, mujer.** Don't let them see it, my dear woman.

su reloj. Con disimulo, Ana tiende el bocadillo y
la llave a Alejandro, que se los guarda. Sin volver
1340   *la cabeza, Silvano deja de dar cuerda y atiende.*)

ALEJANDRO.—¿Están dormidas?

ANA.—La pequeña, no.

ALEJANDRO.—Procura descansar.

ANA.—Hasta mañana.

1345   (*Se mete y cierra. Silvano guarda su reloj.*)

ALEJANDRO.—Buenas noches, Silvano.

(*Llega a la puerta del dormitorio de hombres y va*
a abrir.)

SILVANO.—Buenas noches, Goldmann.

1350   (*Alejandro se vuelve en el acto. Silvano lo mira de*
reojo y se sienta en el taburete del primer término
izquierda. Alejandro se acerca despacio.)

ALEJANDRO.—¿Cómo ha dicho?

SILVANO.—Lo sabe perfectamente.

1355 ALEJANDRO. (*Lo piensa y le pone, paternal, la mano en el hom-*
bro.)—¿Por qué no se va a acostar? Su cabeza ya no rige.[135]

SILVANO. (*Risueño.*)—Ya no está muy fuerte, desde luego. Pero
aún funciona.

ALEJANDRO. (*Se sienta delante de la mesa.*)—Es increíble... ¿De
1360   modo que me confunde usted con Goldmann?

SILVANO.—Yo no le confundo con nadie. Usted es Goldmann.

ALEJANDRO. (*Mientras saca un pitillo y lo enciende.*)—Y... ¿desde
cuándo ha llegado usted a esa curiosa conclusión?

SILVANO.—Desde que entró usted en el albergue.

---

[135] **Su cabeza ya no rige.**   Your head is no longer functioning.

ALEJANDRO.—¿De veras?   1365

SILVANO.—Naturalmente. Yo también le reconocí a usted. Las cabezas de los hombres públicos, antiguos y modernos, me son familiares. Aunque las afeiten y les corten el pelo. Es mi oficio.

ALEJANDRO. (*Ríe.*)—No debe usted de estar tan seguro cuando no   1370 se lo ha dicho a nadie.

SILVANO.—No me interesa comentarlo con nadie. Pero con usted, sí.

ALEJANDRO.—No tiene pies ni cabeza lo que usted supone.[136] Goldmann aquí, de incógnito, y sin escolta... ¿No comprende que sería absurdo?   1375

SILVANO.—Las guerras dan a veces esas sorpresas..., incluso a quienes las mueven.[137]

ALEJANDRO.—Pero vamos a ver, hombre de Dios: suponiendo por un momento que yo fuese Goldmann, ¿no estaría usted cometiendo el mayor de los disparates al descubrirme que   1380 lo sabía?

SILVANO.—¿Y quién le dice que yo amo la vida?

ALEJANDRO.—¿No la ama?

SILVANO.—No tanto como usted.

ALEJANDRO. (*Duro.*)—Entonces, ¿qué persigue?   1385

SILVANO. (*Después de un momento.*)—Usted me expulsó, Goldmann. Usted lanzó a la jauría contra mí, para que me mataran en cualquier esquina. Y puede que dentro de unos momentos, o mañana, o más adelante, me elimine. Pero antes me oirá. Ya ve qué curioso: al final hemos   1390 venido a enfrentarnos aquí. Pero aquí las fuerzas se nivelan.

ALEJANDRO. (*Suave.*)—¿Está seguro?

SILVANO.—Sí. Porque antes éramos el profesor y el dictador: dos personajes en la farsa del país. Y todavía no sabemos   1395

---

[136] **No tiene pies . . . supone.** What you are imagining doesn't make any sense (*lit.*, has neither feet nor head).

[137] **incluso . . . mueven** even for those who manipulate them

quién le fue más útil y quién más pernicioso; ya le he
reconocido antes que yo dudo, y ahora le diré que esa
duda no me dejará vivir tranquilo. ¡Pero aquí somos
hombres, y nada más! Sin nombre siquiera, porque el
1400   mío está manchado y usted ha borrado el suyo. Hombres
que pueden tender una mano, o negarla.[138] Y aquí podré
quizá demostrarle, y demostrarme a mí mismo, que usted
no vale nada a mi lado.[139] Aquí se podrá ver quién cumple
mejor ese juramento de abnegación de su partido..., que
1405   yo no he prestado.[140] (*Se levanta.*) ¡Y ahora, máteme, si
se atreve! Si lo hace, ya no hará falta otra demostración.

ALEJANDRO.—¡Pobre soñador! Usted está deseando morir, pero
no voy a darle ese gusto. Yo no soy un asesino.

SILVANO.—Habría que saber lo que dirían muchos miles de com-
1410   patriotas muertos. Pero eso también ha quedado atrás.
Ahora es usted ya, por lo menos, un egoísta.[141]

ALEJANDRO. (*Tira el pitillo.*)—Y usted, ¿cómo sabe que no lo es?
Usted no tiene nada que repartir.

SILVANO.—Exacto. De mí, todavía no lo sabemos. De usted, lo
1415   sabemos ya. Empiezo a vencerle, Goldmann.

(*Alejandro sonríe y se levanta.*)

ALEJANDRO.—No cante victoria tan pronto. (*Se dirige al dormitorio. En la puerta, se vuelve.*) ¡Felices sueños!

SILVANO.—Que duerma sin pesadillas, Goldmann. (*A Alejan-
1420   dro se le nubla el rostro* [142] *y sale, rápido, cerrando tras
sí. Una pausa. Silvano jadea, agotado. Al fin, va despacio
al foro y cierra las maderas de la ventana. Luego viene al
primer término y empieza a cerrar las de la izquierda. La
puerta de la derecha se abre sin ruido y entra Ana, que
1425   cierra tras sí y se acerca a la mesa, mirándolo. Ya allí, deja*

---

[138] **Hombres que . . . negarla.** (We are) men who can extend a helping hand
or refuse to do so.
[139] **que usted . . . lado** that you are worthless compared to me
[140] **que yo no he prestado** (an oath) which I did not make
[141] **Ahora es usted . . . egoísta.** As of now you are, at the very least, an egotist.
[142] **A Alejandro . . . rostro** Alejandro's expression becomes clouded

sobre ella un panecillo con algo dentro. Algo nota Silvano,
y se vuelve.) ¿Le sucede algo?

ANA.—No. (*Un silencio. Señala el panecillo.*) Le traigo esto.
Cómalo y sosténgase.

(*Él se acerca a la mesa, estupefacto.*)   1430

SILVANO.—¿Para mí?

ANA. (*Seca.*)—¿A qué espera? ¡Cójalo!

(*Instintivamente, Silvano lo coge.*)

SILVANO.—Usted...es muy bondadosa.

ANA.—No. Yo soy una mujer como las demás. ¡Y usted, un   1435
hombre como los demás! Convénzase de ello mientras roe
su mendrugo..., como hacemos todos.

SILVANO.—¡Ah! Ya comprendo. No es una generosidad; es un
desquite. (*Deja el bocadillo.*) Usted nos ha oído.

ANA.—¿A quiénes?   1440

SILVANO.—Así no vale, Ana.[143] Es él quien tiene que demostrar
su generosidad; no usted por él. Llévese eso.

ANA.—¿Pero de qué me habla?

SILVANO.—De la charla que acabamos de tener aquí...su marido
y yo.   1445

ANA.—¿Usted y él?

SILVANO.—¿No nos ha oído?

ANA.—No.

SILVANO.—¿Seguro?

ANA.—¡O ha perdido el juicio o me está insultando!   1450

SILVANO. (*Perplejo.*)—Quizá... Perdóneme... ¡Pero si no nos ha
oído, es lo mismo! Usted insultó primero, y lo hizo por
algo.[144] ¿Qué pretende? ¿Demostrarse a sí misma que no
soy superior a él?

[143] **Así no vale, Ana.** That won't do, Ana.
[144] **lo hizo por algo** you did it for a reason

1455 ANA.—¿Cómo se atreve a suponer que yo he pensado eso? ¡Es usted un fatuo!

(*Va al primer término, nerviosa. Un silencio.*)

SILVANO.—¡Cuánto sufre usted, Ana!

ANA. (*Descompuesta.*)—¿Qué dice? ¡No hable de lo que no sabe
1460 y aprenda humildad!

SILVANO. (*Grave.*)—Está bien. Gracias por el pan; lo acepto humildemente.

ANA. (*Débil.*)—Pues cómalo en seguida o quítelo pronto de la vista, por favor.

1465 SILVANO.—Me he equivocado y le pido perdón. (*Guarda el pan en el bolsillo y se acerca.*) Pero, ¿no arriesga demasiado? Seguramente él lo echará en falta.[145] Y ya sabe lo duro que es.

(*Ella se vuelve sorprendida.*)

1470 ANA.—¿Por qué habla así? Usted no lo conoce.

SILVANO.—Quizá mejor que usted. Aunque usted lleve con él... quince años.[146]

ANA.—¿Qué? Pero... ¡Usted se equivoca! Usted...

SILVANO.—No finja, Ana. Supe quiénes eran desde el principio.

1475 (*Breve pausa.*)

ANA. (*Se deja caer en un asiento.*)—No pronuncie su nombre, por favor.

SILVANO.—No pienso hacerlo.

ANA.—Y baje la voz. Podría oirle.

1480 SILVANO.—Eso no importa. El ya sabe que yo lo sé.

---

[145] **él lo echará en falta**   he will miss it (*i.e.,* the bread)
[146] **Aunque . . . .quince años.**   Even though you have been with him for . . . fifteen years

ANA. (*Aterrorizada.*)—¿Qué?

SILVANO.—Se lo he dicho yo.

ANA.—¿Qué ha hecho, insensato? ¡Y dice que lo conoce! ¡Él es...
implacable! ¡Huya, márchese ahora mismo!

(*Se levanta.*)   1485

SILVANO.—¡No, no! Hay una partida emprendida entre él y yo
desde hace meses [147] y quiero ganarla.

ANA.—Pero usted no es capaz, y él [148]...

SILVANO.—¿De qué? [149]

ANA.—¡Márchese! ¡Vayase, por Dios santo!   1490

SILVANO.—No creo que intente nada, de momento; no es tan
torpe. Y hasta puede que quiera convencerme de su generosidad en las horas que nos quedan juntos... (*Sonríe.*)
Muy bien podría ser.

ANA.—¡Iluso! ¡No sabe, no sabe cómo es! [150]   1495

(*Se aparta, demudada.*)

SILVANO.—Usted le odia, ¿verdad?

ANA.—No.

SILVANO.—Y le teme.

ANA.—¡No!   1500

SILVANO.—¡Sí!

ANA.—¡No, no!

(*Se derrumba en el asiento, sollozando.*)

SILVANO.—No llore. Es natural. (*Se acerca.*) Pero usted no debe
temer a nadie, Ana. Ni a él. Usted es más fuerte que él.   1505

[147] **Hay una partida . . . meses** He and I have been having a contest for some
months
[148] **Pero usted no es capaz, y él...** But you are not fit for it, while he. . .
[149] **¿De qué?** Fit for what?
[150] **no sabe cómo es** you don't know what he is like

ANA. (*Llorando.*)—Cállese.

SILVANO. (*Le pone tímidamente una mano en el hombro.*)—
Usted ha hecho lo que él no es capaz de hacer.

ANA. (*Se levanta, irritada consigo misma.*)—¡No me toque! Y
1510   guárdese sus consuelos. ¡No los necesito! (*Cruza.*) A usted
le gusta hablar, eso es todo. Usted es un petulante y nada
más. ¡Vencerle! No sabe lo que dice. A usted le puede su
vanidad.[151] ¡Su bondad es vanidad!

SILVANO.—Tal vez.

1515   ANA.—¡Seguro! Porque no hay hombres buenos. ¡No hay hombres buenos!

SILVANO. (*Nervioso también.*)—¿Y no será [152] que a usted le do-
lería muchísimo reconocer que los había algo mejores que
él? Hastiada, envejecida, habiendo perdido la vida a su
1520   lado...

ANA. (*Se seca, furiosa, las lágrimas.*)—¡Calle la boca! ¡Y olvide
todo esto! Usted no es más que un insolente.

(*Se encamina, rápida, al dormitorio, en cuya puerta
se detiene de espaldas, desfallecida.*)

1525   SILVANO.—Gracias otra vez, Ana. (*Ella lo mira fijamente un
instante.*) Le deseo un bello sueño. (*Ana entra en el
dormitorio. Silvano permanece unos momentos nervioso
y abstraído. De pronto recuerda el bocadillo y lo saca. Ganado por el puro regocijo animal de comer, se sienta y
1530   muerde el pan, saboreando en un éxtasis el bocado. Mas
en seguida su fisonomía se ensombrece y mira con dolorida
fijeza al dormitorio femenino. Desvía los ojos con un
suspiro y con una penosa sonrisa huele el pan y lo deja
sobre la mesa. Se levanta y bebe, melancólico, un poco de
1535   agua. Luego se vuelve y se enfrenta con el cartel; sonríe.
Dirige otra turbia mirada al pan y se acerca, rápido, al
dormitorio femenino, cuya puerta abre sin ruido. Después
de mirar un momento habla en voz baja.*) Isabel...

---

[151] **A usted le puede su vanidad.**   It's your vanity that controls you.
[152] **Y no será**   And isn't it possible

Isabel, salga un momento. Soy yo, el profesor... ¡No tenga miedo!   1540

LA VOZ DE ISABEL.—¿Qué quiere?

SILVANO.—¡Salga y lo verá! (*Una pausa. Isabel aparece temerosa.*) No me mire así, niña. Yo soy su amigo. (*Se acerca a la mesa.*) Venga y cómase esto.

ISABEL.—¿Me lo da?   1545

SILVANO.—Pues claro. Usted lo necesita más que nadie. Y el nene.

ISABEL. (*Mientras avanza, dudosa.*)—Es que... (*Señala el dormitorio.*) ella me ha dado ya algo de lo suyo...

SILVANO.—Me alegro. Así tendrá más. Adelante.

> (*Isabel coge el bocadillo. Intrigada, Ana entra y*   1550
> *avanza, dispuesta a intervenir. Silvano le envía una*
> *rapidísima mirada.*)

ISABEL. (*Vacila.*)—Coma usted también. Déme la mitad nada más.

SILVANO.—¿La mitad de esto? Dar la mitad no es dar nada.   1555

ISABEL.—Gracias...

> (*Se sienta y se dispone a comer. Ana lo piensa y*
> *retrocede hacia la puerta, donde se detiene, sin*
> *dejar de mirarlos.*)

SILVANO.—No me dé las gracias. (*Mira de reojo a Ana.*) Quizá   1560
lo hago sólo por vanidad. (*Isabel le mira, sin comprender.*
El se sienta y apoya los codos en la mesa.) ¡Vamos! ¿A
qué espera? (*Isabel muerde el pan, mirándole.*) ¿Está rico?
(*Ella afirma con la cabeza.*) Yo...probé un pedacito. Perdóneme. Sólo un bocadito, para saber cómo está.[153]   1565

> (*La observa risueño, aunque sin poder evitar un*
> *leve movimiento de mandíbulas. Ana lo mira, ab-*
> *sorta.*)

[153] **para saber cómo está** in order to know what it's like

ISABEL. (*Muerde otro bocado.*[154] *Se detiene.*)—Se lo estoy qui-
1570   tando a usted.

SILVANO. (*Grave.*)—Se lo está usted dando a su hijo.

ISABEL. (*Mastica, llorosa.*)—Por él lo acepto; sólo por él. Por él...

TELÓN

[154] **Muerde otro bocado.** She takes another bite.

El sueño

La habitación viene a ser la misma,[1] aunque deformada por el sueño de todos. La mesa del centro parece ahora un túmulo, cubierta por un amplio tapete, y se ha desplazado hacia el lateral izquierdo. La caldereta, platos, escoba y demás adminículos han desaparecido. Los únicos asientos, invisibles, se encuentran detrás de la mesa. Por las dos ventanas, convertidas en amplios huecos ruinosos y sin forma, se divisa un indeciso panorama submarino donde se insinúan[2] vagas formas de corales, algas y medusas que se mecen lentamente. No hay puerta exterior, y las de los dormitorios se han transformado en angostas aberturas de túnel, por las que hay que pasar casi de lado. Paredes muy simples, sin estructura, negras o de tonos oscuros y profundos como graves notas de órgano. Entre la mesa y el lateral derecho emerge ahora un raro montículo, de aristas unas veces geométricas y otras espermáticas, en el que destellan algunos irisados tonos minerales.[3] Por el momento, nada es visible. Después crece poco a poco una luz cenital blanca y fría, que desciende para iluminar la cima del montículo y deja el resto en penumbra.

(Muy remota, la música de "Sirenas," de Debussy,[4] acompaña la acción desde el principio. Sobre el montículo, sentado e inmóvil, Silvano. Sus ojos están cerrados. Sus enflaquecidos miembros mues-

[1] **viene a ser la misma**   is essentially the same
[2] **donde se insinúan**   where one perceives indistinctly
[3] **en el que destellan . . . minerales**   with some flashing, multi-colored, gem-like tones
[4] *Claude Debussy (1862–1918), influential French composer and founder of modern musical impressionism*

tran su descarnada anatomía bajo una camisa y un pantalón arrugados y destrozados, propios de un mendigo, pero completamente negros. Los pies

25   *calzan abarcas también negras. Los ojos de Silvano se abren despacio y miran el frente,[5] extáticos; al tiempo se inicia en las ventanas una débil claridad. Hay algo extraño en la fisonomía del hombre. Muy blanca y casi sin cejas, recuerda a una máscara.*

30   *Ana sale del túnel derecho con los ojos semicerrados y avanza titubeante hasta el primer término. Viste sobrio uniforme de enfermera sin emblemas: traje y cofia blancos, capa de profundo tono oscuro. Sus ojos pugnan por abrirse y al fin lo consiguen.*

35   *Entonces miran también al frente, absortos. Ahora son inmensos y la cara ha sufrido asimismo sutiles transformaciones que la enmascaran.[6] Silvano no la mira, pero, al abrir ella los ojos, una leve sonrisa se dibuja en su rostro. La luz envuelve ahora a los*

40   *dos.)*

ANA.—¿Por qué no bajas?

SILVANO.—Déjame soñar.

ANA.—Sueña conmigo.

SILVANO.—Eso hago.

45   ANA.—Ven.

(*Sin mirar, tiende la mano en la dirección del montículo.*)

SILVANO.—No.

(*Ana se acerca despacio al montículo.*)

50   ANA.—Baja a soñar conmigo. (*Se abraza al montículo, donde se recuesta.*) Desde aquí no puedo hablarte. (*Un silencio.*)

[5] **y miran el frente** and look straight ahead (toward the audience)
[6] **que la enmascaran** which give it the appearance of a mask

¿Me oyes? (*Un silencio. Ella suspira.*) No me desprecies.
Yo era un animal dormido. El me dijo: "Despertarás."
¿Me oyes? (*Un silencio.*) No he despertado. Sus hombros
son rojos. Chorrean rojo. Es un hombre de acción. No he   55
despertado. Es otra pesadilla. ¿Me oyes?

SILVANO.—Él nunca sueña.

ANA.—¿Me oyes? Él nunca sueña. Ni sabe hacer soñar.[7] Lo devora
todo. Me ha devorado. (*Un silencio.*) ¿Me escuchas? ¡Dime
que me escuchas! (*Un silencio. Ana resbala hasta sentarse*   60
al pie del montículo.) Estoy muy cansada. Él nunca da.
¡Dame tú un poco de tu pan! ¡Dame a mí también! (*Mira*
hacia arriba con anhelo. Su voz se enronquece.) Baja y te
daré mis sueños. Él nunca los ha tenido. Si bajas, te los
doy. ¡Baja! (*Baja la voz.*) Las enfermeras dan. Yo quiero   65
dar. Él nunca da.

SILVANO.—Sube.

(*Se inclina y, sin mirarla, le tiende la mano.*)

ANA.—¡Ahí arriba hace frío! Ven conmigo.

LOS DOS. (*A un tiempo.*)—Será una aventura en lo gris.[8]   70

SILVANO.—Ese traje no te corresponde. (*Ella gime.*) Dame la
mano.

(*Tras las ventanas, la claridad submarina aumenta*
durante las palabras siguientes. Sin levantarse, Ana
alza lentamente un brazo.)   75

ANA.—¿Dónde estás?

SILVANO.—No llego.[9]

[7] **Ni sabe hacer soñar.** Nor does he know how to make others dream.
[8] **aventura en lo gris** *Regarding the possible significance of the title, Buero*
states in a letter (7-11-65): "No es mi intención que 'lo gris' tenga un sig-
nificado demasiado unívoco; eso quitaría poesía.... En un sentido, sim-
bolizaría el gris de la vida—o la vida gris—, en el que, acaso alguna vez
puede surgir una excepcional 'aventura' que lo borre; o intentar que surja,
al menos, según hacemos todos los humanos para 'abrillantar' nuestra vida."
[9] **No llego.** I can't reach you.

Ana.—¿Me oyes?

Silvano.—¿Dónde estás? No oigo tu voz.

80   Ana.—¡Baja!

> (*Silvano se inclina un poco más. Sus manos se buscan, sin alcanzarse.*)

Silvano.—No encuentro tu mano.

> (*Ella estira el brazo cuanto puede, en vano.*)

85   Ana.—¡Baja!

Silvano.—Estás con él. Sigues con él.

Ana.—El nunca sueña.

> (*Deja caer su mano. La mano de él se afloja; su cuerpo vuelve a enderezarse, pero la cabeza perma-*
90 *nece vencida. Un silencio. La voz de Carlos se oye fuera.*)

La voz de Carlos.—¡Isabel! (*Ana se levanta con un gemido de susto y se aprieta contra el montículo. Silvano levanta la cabeza. Carlos entra por el foro y va al centro de la escena.*
95 *Viste exactamente las mismas prendas, pero todas ellas son ahora de vivo color rojo. Su cara es, en cambio, cada-vérica; sus labios, sin color, se confunden con los dientes.*) ¡Isabel! (*Sigue hasta la izquierda, contra cuya pared tropieza. Se vuelve.*) ¿Dónde estás? (*Avanza hacia el mon-*
100 *tículo; ve a Ana. La toma de un brazo y tira de ella.*) Ven.

Ana.—¡No!

> (*Carlos le toma rudamente el rostro y lo mira un instante. Deniega y va hacia la mesa, donde da un*
105 *leve golpe.*)

Carlos.—¿Dónde estás?

SILVANO.—¿Por qué la llamas? Ella está ahora tranquila.

CARLOS.—¿La has visto? Debo decirle algo en seguida. Todas las noches la busco, y no aparece. (*Busca.*) ¡Isabel! ¿Dónde te escondes? Sé que me estás oyendo. ¡Quiero que sepas que tu niño es mío! (*En las ventanas ha aumentado la claridad. Por la del foro asoma un soldado invasor—uniforme verdoso, cara roja, mirada exaltada bajo el casco de acero—y sonríe burlonamente, en silencio. No tardan en unírsele otros dos soldados iguales, también risueños. Carlos retrocede al verlos.*) ¡Mío, Isabel, mío! (*Amedrentado, se vuelve hacia la otra ventana, al tiempo que asoma por ella un sargento invasor. Carlos se precipita hacia él.*) ¡Es mío! (*El sargento desaparece. Carlos se vuelve hacia la ventana del foro, pero los soldados han desaparecido también de ella. Carlos, al vacío, con voz ronca.*) Ven siquiera esta noche.

> (*Georgina viene por la derecha. El rostro, atrozmente pintado y con un leve tinte verdoso donde estalla el oscuro carmín de la boca.[10] Trae el pelo suelto y viste un vaporoso salto de cama.*)

GEORGINA.—¿Quién me llama?

CARLOS. (*Cruza a su lado, sin verla.*)—¡Isabel!

GEORGINA. (*Lo retiene por un brazo.*)—¿Me llamas?

CARLOS.—Tú no eres Isabel.

> (*Se desprende y busca.*)

GEORGINA.—Yo soy lo que tú buscas. (*Va tras él.*) Estamos en el mismo infierno. Esa chicuela no quiere entrar. Déjala y sueña conmigo.

> (*Durante estas palabras lo persigue o se le enfrenta felinamente,[11] mientras él busca.*)

---

[10] **donde estalla . . . boca** which brings out the dark crimson of her lips
[11] **o se le enfrenta felinamente** or she confronts him with cat-like movements

CARLOS.—¡Isabel!

GEORGINA.—Yo soy.

CARLOS.—¡Isabel!

140   GEORGINA.—Sueña conmigo. (*Le sujeta de nuevo por una muñeca
y le obliga a detenerse.*) Soy rica. Te gusto. Con ella, nada.
Conmigo, todo. Esta tarde lo has pensado.

CARLOS. (*Sin mirarla.*)—No.

GEORGINA.—Sí. Yo lo vi en tus ojos. Elige ahora. (*Silabea.*) ¡A-
145   ho-ra! Deja a la andrajosa. Es carne de todos.[12] Y es tu
pecado, tu suciedad de todas las noches.

CARLOS.—Cállate.

GEORGINA. (*Le abraza por la espalda.*[13])—Mátala.

CARLOS.—No.

150   GEORGINA.—Te matará ella a ti.

CARLOS.—El niño.

GEORGINA. (*Ríe junto a su oreja.*)—No es tuyo. Le odias. Olvida
todo ahora. (*Silabea.*) ¡A-ho-ra. Es más joven, sí. Pero no
te dará ya nunca lo que tú más deseas. Yo puedo dártelo.
155   ¡A-ho-ra!

CARLOS. (*Temblando.*)—¿El qué?

GEORGINA. (*Muy quedo.*)—La lujuria.

(*Carlos extiende los brazos y grita sordamente, con
los puños crispados y la cabeza levantada. Al mismo
160   tiempo, Ana levanta sus brazos hacia Silvano.*)

SILVANO.—Turbia.[14]

GEORGINA.—Calla, importuno. Apenas te veo.

(*Los brazos de Carlos se abaten lentamente. Su cabeza se humilla.*[15] *Con unos pasos hacia la derecha,*

[12] **Es carne de todos.** She belongs to everyone. (**carne** *refers here to Isabel's
body*).
[13] **Le abraza por la espalda.** She embraces him from behind.
[14] **Turbia.** You're confused. (*Silvano refers to Georgina's confused, twisted
mind*)
[15] **Su cabeza se humilla.** He lets his head fall, defeated.

se separa de Georgina, que permanece donde estaba   165
y baja asimismo la cabeza. Se miran de reojo, con
vergüenza.)

ANA.—Silvano.

GEORGINA.—Mátala. (*El Campesino salió entretanto por el foro*
y va bordeando cauteloso la habitación [16] *hasta llegar al*   170
primer término izquierdo. Allí se sienta en el suelo y abre
su saco. Viste ahora un traje de pana rica y ostenta en el
chaleco una gran cadena de oro con pelucona. Georgina,
a Carlos.) ¿Vendrás conmigo? (*Un silencio.*) Contesta. (*Un*
silencio.) Cobarde.   175

(*Georgina se acerca despacio al Campesino, que*
está extrayendo del saco, uno tras otro, varios panes
redondos y dorados, que huele y acaricia.)

ANA.—¡Silvano!

(*Silvano está mirando los panes. Ana baja los bra-*   180
zos y la cabeza. Georgina llegó junto al Campesino,
que extiende sus manos protectoras sobre los panes.)

GEORGINA.—Tuyos, tuyos son. Saben muy bien.[17]
SILVANO.—Ana.

ANA. (*Conmovida y sorprendida.*)—¿Me llamas?   185
SILVANO.—Huele a campo. A paz. A abundancia. ¿Será posible?
ANA.—¡Sigue!

(*El Campesino levanta la cabeza y mira a Georgina.*
Entonces se ve su cara rojiza, en la que se dibujan
innumerables arrugas negras.)   190

CAMPESINO.—Hay un poco de mi sudor en la masa. Que nadie
me los quite.

[16] **va bordeando . . . habitación** he walks cautiously hugging the walls of the
room
[17] **Saben muy bien.** They're very good.

ANA. (*A Silvano.*)—¡Ya no te oigo!

GEORGINA.—¿Por qué los quieres todos?

195 CAMPESINO.—Son míos.

GEORGINA.—Y míos. Yo no te los quito, te los compro. (*Se despoja de imaginarias sortijas.*) Toma. Toma.

(*El Campesino tiende la mano.*)

SILVANO.—Se los estás quitando a los que no pueden comprar.

200 ANA.—¿Me hablas? ¿Es a mí a quien hablas?

GEORGINA.—Para algo tengo mi dinero.

CAMPESINO.—Es poco.

GEORGINA.—¿Poco? Serás rico al pasar la frontera.

CAMPESINO.—Estamos en guerra.

205 GEORGINA.—¿Qué más quieres? (*El Campesino vuelve la mano y la alarga hacia Georgina, mientras eleva su mirada, que parece taladrar, hender y apretar el cuerpo de Georgina como otro sabroso pan.*[18]) ¡Miren el zafio, lo que insinúa! (*Burlona, pero no molesta.*) Con su olor montaraz y sus
210 dientes sucios, quiere otra cosa.

(*Se aparta.*)

CAMPESINO.—¡Déjate de melindres! [19] (*Cierra el puño.*) Conozco a las de tu casta. ¿Quieres o no quieres?

(*Muy despacio, emerge por detrás de la mesa el Sar-*
215 *gento y permanece sentado tras ella. Lleva el pecho cuajado de medallas y las mangas cubiertas de galones dorados hasta el hombro.*)

GEORGINA. (*Sonríe.*)—Un negocio pasajero puede estudiarse.

CAMPESINO.—Demasiadas palabras. ¿Quieres el pan?

---

[18] **como otro sabroso pan**   as if she were another savory loaf of bread
[19] **¡Déjate de melindres!**   Stop acting like a prude!

(*El Sargento los sisea desde la mesa. Su cara es*   220
amarillenta. Todos le miran.)

SARGENTO.—Ese pan queda requisado para necesidades de guerra.

CAMPESINO.—¡No!

CARLOS. (*Saca del pecho su pistola y le apunta.*)—¡Sí!

(*El Campesino se levanta temblando. El Sargento*   225
ríe, se levanta, va a su lado y coge todos los panes.
Después coge el saco, donde ya no queda nada, y
azota con él al Campesino.)

SARGENTO.—¡Perro!

(*Se encamina a la mesa con los panes.*)   230

GEORGINA. (*Se interpone y le sonríe.*)—Hola.

(*El Sargento la mira y la coge de una muñeca.*)

SARGENTO.—Tú también quedas requisada.

GEORGINA. (*Espantada, se resiste.*)—¡No; yo, no! ¡Llama a Isabel!

SARGENTO. (*Brutal.*)—¡Vamos! (*La lleva a la fuerza tras la mesa.*)   235
¡Forma aquí! [20] ¡Y los demás, a formar también! ¡Aprisa!
¡Los invasores se acercan!

SILVANO.—Tú no eres Goldmann. Tú no eres más que un de-
sertor.

SARGENTO.—¿Cómo sabes que yo no soy Goldmann?   240

ANA. (*Espantada.*)—¡No!

SARGENTO.—Baja o te fusilo. (*Al Campesino.*) ¡A formar! (*Se
enfrenta con Carlos.*) ¡A formar, he dicho! ¿Estáis
soñando? (*Carlos forma tras la mesa. El Campesino
se coloca al lado de Georgina.*) ¡Más firmes! [21]   245

[20] **¡Forma aquí!**   Get in line here!
[21] **¡Más firmes!**   Stand more stiffly at attention!

(*Los tres se ponen rígidos.*)

ANA. (*A Silvano.*)—¿Es él?

SARGENTO.—Te estamos esperando, enfermera.

(*Y va hacia ella para tomarla de los brazos.*)

250 ANA.—¡Silvano!

SILVANO.—¡Aunque sea él, tú eres más fuerte!

ANA.—¡Ayúdame!

SILVANO. (*Tiende los brazos.*)—¡No le temas!

(*El Sargento la arrastra y la pone junto a Carlos,*
255   *en el extremo derecho de la mesa. Silvano se oprime*
los brazos, angustiado.)

SARGENTO.—Y tú, ¿no bajas? (*Silvano deniega, sin mirarlo.*) Tú
te lo pierdes.[22] (*A los demás.*) A sentarse. (*Todos lo hacen.*
El Sargento saca una navaja, que abre.) Las raciones serán
260 repartidas inmediatamente.

(*Va tras la mesa y se sienta en el centro, entre*
Georgina y Carlos.)

GEORGINA.—Un pan a cada uno.

SARGENTO.—Ya puedes andar derecha.[23]

265   (*Se dispone a partir.*)

CARLOS. (*Le detiene la mano.*)—¡Falta Isabel!

GEORGINA.—Está con un soldado invasor. Él la alimentará.

(*Carlos la mira con espanto. De pronto, ríe.*)

SILVANO.—El pan debiera ser la paz.

[22] **Tú te lo pierdes.**   It's your loss.
[23] **Ya puedes andar derecha.**   You had better behave.

SARGENTO.—¿Qué dices?   270

SILVANO.—Y se convierte en guerra. Esa es la historia.

SARGENTO.—Te quedarás sin comer.

SILVANO.—Da tu pan de guerra, y dalo bien.

(*El Sargento parte una rebanada que divide en minúsculos trocitos. Todos tienden sus manos, anhelantes. Reparte.*)   275

CAMPESINO.—Es poco.

GEORGINA.—Muy poco.

SILVANO.—Dales más. Ya estamos derrotados. Lo que reserves, el enemigo lo cogerá.   280

ANA. (*Al Sargento.*)—Guarda un pedacito para Isabel.

CARLOS.—Está con un soldado invasor.

GEORGINA.—Dame a mí su ración.

SARGENTO.—¡Su ración es para mí! (*Se la reserva.*) ¿No coméis? (*Todos mastican su pedacito, menos Ana.*) Come, enfermera.   285

ANA.—No tengo ganas.

SARGENTO.—¡Pues hay que comer! Si no lo haces, trabajarás mal y habrá que fusilarte.

SILVANO. (*Al Sargento.*)—Perderás tu guerra, Goldmann. No sabes soñar.   290

SARGENTO.—Mucho presumes. ¿Sabes tú hacerlo?

SILVANO. (*Turbado.*)—Lo he olvidado. Mi cabeza también está enferma de guerra. Pero yo sabía. Sabía. ¿Cómo era? [24]

ANA.—Como un país verde.   295

(*Todos, menos Ana, se van aletargando.*[25] *El Campesino se recuesta de bruces sobre la mesa.*)

---

[24] **Pero yo sabía. Sabía. ¿Cómo era?**   But I used to know how. I used to. What was it like?

[25] **se van aletargando**   become gradually drowsy

SILVANO.—Sí.

ANA.—Inundado de agua tranquila.

300   (*Georgina cae de bruces.*)

SILVANO.—¡Sí!

                (*Levanta la cabeza.*)

ANA.—Donde vivían seres maravillosos.

                (*El Sargento cae de bruces.*)

305   SILVANO.—¡Como ángeles sin alas! (*Ahoga un sollozo.*) ¿Dónde
        están? ¿Por qué no vienen?

ANA.—Quizá es pronto.

                (*Carlos cae de bruces.*)

SILVANO.—Quizá no vengan nunca.

310   (*Los Soldados asoman otra vez a las ventanas y los
        contemplan con ojos burlones y amenazantes.*)

SOLDADO PRIMERO.—¿Los has visto antes?

                (*Silvano se vuelve al oirlo, horrorizado.*)

SOLDADO SEGUNDO.—Sí.

315   SOLDADO TERCERO.—Desunidos.

SOLDADO PRIMERO.—Riñen por el pan.

SOLDADO SEGUNDO.—Riñen por todo. Cada cual va a lo suyo.[26]

SOLDADO TERCERO.—Perderán la guerra. Caeremos sobre ellos
        como una lluvia de fuego.

320   SILVANO.—¡Gritádselo! ¡No os oyen!

---

[26] **Cada cual va a lo suyo.** Each one goes his own way.

SOLDADO PRIMERO. (*Después de un momento.*)—Sólo oyes tú.

ANA.—¿A quién hablas?

SILVANO.—Pero vosotros sois soldados. Y caeréis. La lluvia de fuego os arrasará también.

(*Los Soldados ríen mansamente.*)   325

SOLDADO SEGUNDO.—¿No nos conoces?

SILVANO.—¿Quiénes sois?

(*Ana mira a las ventanas, sin ver nada.*)

SARGENTO ENEMIGO. (*Desde la ventana de la izquierda.*)—La guerra de los hombres nos disfraza de exterminadores.   330

SILVANO. (*Grita.*)—¿Quiénes sois?

SOLDADO PRIMERO.—Tus ángeles sin alas.

(*Silvano esconde la cara entre las manos. Los Soldados desaparecen.*)

SILVANO.—¡Piedad!   335

(*Ana se levanta y va despacio a su antiguo puesto bajo el montículo.*)

ANA. (*A Silvano.*)—¡Piedad!

(*La luz se va amortiguando en las ventanas. Ana eleva sus brazos. Los de Silvano se separan lenta-   340 mente de la cara y bajan a buscarlos.[27] Cuando sus manos se van a tocar, se oye un grito estridente. La música cesa. Silvano se yergue, sobrecogido. La mano de Ana, que buscaba inútilmente la de Sil-vano, se cansa y baja. Por detrás del montículo apa-   345 rece Isabel. Viene desmelenada, con un pobre ca-misón blanco por toda ropa y los pies desnudos.*)

[27] **bajan a buscarlos** they (his arms) reach down seeking hers

Isabel.—¡Mi niño!

> (*En el centro de la escena mueve sus brazos con*
> 350   *dificultad, como un Laoconte* [28] *que luchara con*
> *serpientes invisibles. A sus gritos, los aletargados se*
> *agitan sin abrir los ojos.*)

Silvano.—¡Isabel!

Isabel.—¡Mi niño nace otra vez!

> 355   (*Vuelve a gritar.*)

Silvano.—¿No la oís? ¡Sargento! ¡Carlos!

> (*Carlos levanta la cabeza, sin abrir los ojos.*)

Isabel. (*Cae de rodillas.*)—¡Socorro!

Silvano.—¡Carlos!

> 360   (*Carlos se incorpora lentamente, mirando a Isabel.*)

Carlos.—Al fin vienes.

> (*La luz va enrojeciendo. Carlos se acerca a Isabel.*)

Georgina. (*Levanta un instante la cabeza y murmura, sin abrir
los ojos.*)—Mátala.

365   Carlos.—Es de mí de quien huyes, ¿verdad? Mírame.

> (*Ella lo hace.*)

Isabel.—¡Protegedme!

Ana. (*Tiende otra vez su mano.*)—¡Baja!

> (*Silvano tiende la suya. Las dos manos se buscan.*)

---

[28] **Laoconte** Laocoön (*a priest of Apollo or Neptune in Greek mythology who
was crushed to death with his two sons by two enormous serpents*)

CARLOS.—¡Mírame! Ahora querrías, pero ya es tarde.[29] (*Las*   370
manos de Ana y Silvano se encuentran y se aprietan con
fuerza.) Ahora tienes que morir para que yo viva.

ISABEL.—¡Hijo mío!

SILVANO.—Ayúdame a bajar.

(*Apoyado en Ana, tantea con un pie.*)   375

CARLOS.—¿Me reconoces?

ISABEL. (*Asustada.*)—Sí.

CARLOS.—Yo soy tu obra.

ISABEL.—Ahora te veo. Tus ojos me hacen daño. Son ojos de invasor. No, tú no eres Carlos. Tú eres...un soldado, y eres...   380
el hombre.

CARLOS.—¡Y el hombre te mata!

SILVANO. (*Mientras comienza a bajar.*)—¡No! ¡No, Carlos! ¡Carlos!

(*Entretanto, Carlos acerca sus manos engarfiadas al*   385
cuello de Isabel, sin llegar a tocarlo,[30] *y ella va ven-*
ciéndose despacio, como el tallo tronchado de una
flor.)

ISABEL.—Maldita sea...mi carne.

(*Se desploma. Carlos la contempla un segundo y*   390
después mira sus manos. Luego vuelve, cansina-
mente, a su sitio, y se recuesta de bruces sobre la
mesa. Silvano está ya en el suelo. Ana sigue opri-
miéndole la mano con las dos suyas, pero él está
mirando el cuerpo de Isabel. Al fin, da un paso   395
hacia él.[31])

---

[29] **Ahora querrías . . . tarde.** You would like to now (*i.e.,* yield to me) but it's
too late.

[30] **Entretanto . . . tocarlo** Meanwhile, without actually touching her, Carlos
puts his hands around Isabel's neck as if to choke her

[31] **da un paso hacia él** (he) takes a step toward it (*i.e.,* Isabel's body)

ANA.—¿Dónde vas?

SILVANO.—Aparta, mujer.

> (*Se desprende suavemente y se acerca al cuerpo.*)

400   ANA.—¡No te vayas! ¡Ten piedad de mí! Dame una palabra, una
sola palabra de ánimo! ¡Con él estoy sola, y llena de frío!
¿Voy a seguir sola? Todo puede borrarlo una palabra
tuya. (*Solloza.*) ¡Una palabra, Silvano, una sola palabra!

> (*La luz ha vuelto a convertirse en un alto y puro
405   foco blanco que cae de lleno sobre los tres. Silvano
se inclina para mirar a la muchacha, con una tristeza ilimitada en el rostro. Ana cae de rodillas junto
al montículo cuando él empieza a hablar.*)

SILVANO.—¿Soy yo quien te ha matado? ¿Estoy soñando tu
410   muerte? Levanta, Isabel. Estamos en el albergue y nada
sucede. Yo voy a despertar. (*Tiende su mano.*) Dame la
mano. (*Un silencio. Retira su mano.*) Cándido pan cercado
de apetitos.[32] También a ti te ha devorado la guerra. Pero
yo veo una mirada muy dulce detrás de tus párpados cerra-
415   dos. Una mirada inmensa. Ahora tú eres paz. Dánosla tú
a todos, pobre inocente. Yo voy a despertar. Que esto sea
un mal sueño mío.[33]

> (*Breve silencio.*)

ANA Y SILVANO. (*A un tiempo.*)—¡Sólo un mal sueño mío!

420   (*La luz empieza a debilitarse, hasta la oscuridad
total.*)

TELÓN

---

[32] **Cándido pan cercado de apetitos.**   Innocent victim (*lit.*, bread as the prey)
of men's hungry appetites.
[33] **Que esto sea un mal sueño mío.**   Let this be an evil dream of mine.

Acto segundo

De nuevo la sórdida realidad del albergue. Por las ventanas entra el pálido claror del alba, que va creciendo durante la acción.

(*En el lugar donde cayó durante el sueño y en la misma postura, pero con su traje del primer acto, yace el cuerpo de Isabel. Bajo la humilde falda muestra los pies desnudos. Junto a ella, inclinado y con la cara llena de angustia, está Silvano, otra vez con su sencillo traje viejo. Alejandro sale del dormitorio ahogando un bostezo y terminando de abrocharse el traje. Silvano lo mira.*) 5

                                                                            10

ALEJANDRO.—Buenos días. (*Va a la puerta.*) ¿Dónde dijo que estaba el manantial? (*Silvano no responde.*) ¿Le ocurre algo?

SILVANO.—Vea.

ALEJANDRO. (*Se acerca.*)—¿Qué le sucede? 15

SILVANO.—Está muerta.

ALEJANDRO.—¿Muerta?

(*Se inclina para mirar y palpa una muñeca.*)

SILVANO.—La han matado.

20 ALEJANDRO. (*Lo mira súbitamente y se incorpora.*)—¿Qué dice?

SILVANO. (*Señala.*)—Vea las señales en el cuello. Estrangulada bestialmente. (*Alejandro mira.*) Por uno de nosotros. Mire: el cerrojo y la barra están como los dejé yo ayer.

ALEJANDRO.—¿Y las ventanas?

25 SILVANO. (*Deniega.*)—También estaban cerradas. La he visto al abrir las maderas.

ALEJANDRO.—¿No habrá muerto de inanición?

SILVANO.—¿Y las señales?

ALEJANDRO.—Tal vez ella, con sus propias manos, enloquecida...

30 SILVANO.—No. Advierta que la cogieron por atrás. Sólo dos señales en la nuca, que son las de los pulgares. Ella se las habría hecho al revés.[1]

(*Se miran.*)

ALEJANDRO.—¿Y qué podemos hacer?

35 SILVANO.—No lo sé.

ALEJANDRO.—Yo sí lo sé: nada. Lo mejor será marcharse en seguida. (*Llama con los nudillos en la derecha.*) ¡Ana!...

LA VOZ DE ANA.—No entres. Nos estamos arreglando.

ALEJANDRO.—No tardes.

40 LA VOZ DE ANA.—No. Oye...

ALEJANDRO.—Dime.

ANA.—¿Está la pequeña ahí fuera?

(*Alejandro y Silvano se miran.*)

ALEJANDRO.—Sí.

45 SILVANO. (*Se acerca al dormitorio de hombres.*)—Hay que avisarlos.

ALEJANDRO.—Esto es muy desagradable.

[1] **Ella . . . revés.** She would have made them (the thumb marks) the other way around (*i.e.,* in the front of her neck).

SILVANO.—Sí que lo es. (*Abre la puerta.*) ¡Salgan pronto! Ha ocurrido algo.

LA VOZ DEL SARGENTO.—¿El qué? 50

SILVANO.—Ahora lo verán.

SARGENTO.—¿Qué hora tiene, profesor?

SILVANO. (*Mira su reloj.*)—Las siete menos veinte.

(*Se apoya en la mesa y contempla el cuerpo.*)

SARGENTO.—Debo darme prisa para ir a la estación. Si hay tren, 55 saldrá a las ocho. (*Entra el Campesino con su saco, y tras él, el Sargento, abrochándose la guerrera.*) ¿Qué ha pasado? (*Silvano señala el cuerpo de Isabel. El Campesino se acerca y lo examina en silencio. El Sargento lo mira también y mira a Silvano.*) ¿Está muerta? 60

SILVANO.—Sí.

(*Carlos aparece en la puerta del dormitorio y los mira con aprensión.*)

SARGENTO.—¿De hambre?

ALEJANDRO.—No, sargento. Parece ser que alguien la ha ase- 65 sinado.

CARLOS. (Grita.)—¿A quién? (*Todos lo miran sin responder. Carlos entrevé el cuerpo y corre a su lado.*) ¡Isabel! (*Se arrodilla a su lado, le toma la cara e intenta despertarla.*) ¡Isabel! ¡Responde!... 70

(*Vuelve a moverla. Luego la deja sobre el suelo, levanta despacio la cabeza y mira al vacío con gesto horrorizado.*)

SARGENTO. (*En voz baja.*)—Pero, ¿qué motivos...?

SILVANO. (*Sombrío.*)—Lascivia, sin duda. 75

(*Carlos le mira. Todos se miran entre sí. Bajo los*

> *ojos de todos,*[2] *el Campesino se sienta en su rincón*
> *y abre el saco para desayunar.*)

ALEJANDRO.—Hay que quitarla de aquí; podría venir alguien.
80   Ayúdeme, sargento. Diga a las mujeres que salgan de una
vez, Silvano.

> (*Silvano llama a la puerta de la derecha y abre,*
> *mientras Alejandro y el Sargento cogen el cuerpo.*)

SILVANO. (*A las mujeres.*)—¡Dense prisa!
85 LA VOZ DE GEORGINA.—¿No ha gritado alguien?
SILVANO.—Sí.

> (*Ana sale, terminando de pasarse un peine por el*
> *pelo y, tras ella, Georgina.*)

ANA.—Ya estamos.[3] ¿Qué ocurre?

90   (*Alejandro y el Sargento avanzan con el cuerpo.*
> *Carlos se levanta despacio y va tras ellos.*)

SARGENTO.—Dejen paso.
GEORGINA.—¿Está enferma?
SARGENTO.—Está muerta.

95   (*Georgina grita.*)

ANA.—¿Muerta?

> (*Pasan el cuerpo al dormitorio. Silvano sale tam-*
> *bién, y tras él, Carlos, que se detiene en la puerta*
> *un momento. El Campesino empieza a comer.*)

100 GEORGINA.—¡La han matado!

---

[2] **Bajo los ojos de todos** With everyone looking
[3] **Ya estamos.** Here we are.

ANA.—¿Matado?

GEORGINA.—¡Dios mío! ¡Quién me lo iba a decir! Igual pudo ser cualquiera de nosotras.[4]

ANA.—¡Chist! Calle. El niño llora...

LA VOZ DE ALEJANDRO.—¿No podrías hacer callar a este niño de algún modo, Ana?   105

ANA. (*Levanta la voz.*)—Probaré.

(*Sale. Una pausa.*)

GEORGINA. (*Llena de miedo.*)—No le tengo miedo. (*El Campesino para de comer y la mira.*) ¡No, no se lo tengo! ¡Ahí dentro   110 están mis amigos y me defenderán, si es preciso! (*El Campesino deja de mirarla y sigue comiendo.*) ¡No finja! No hay más que ver lo tranquilo que está.[5] (*Retrocede, bordeando la mesa.*) ¿O es que a usted, mientras no le toquen su condenado saco, todo le da igual?[6] (*El la mira, pero   115 sigue comiendo. Ella baja la voz.*) Alguien ha matado a esa muchacha, y usted no dice nada y se pone a comer. ¿Qué significa eso? ¿Eh?... ¿Qué significa? (*Pausa.*) Si no hubiera tren, esta noche me buscaría usted a mí, ¿verdad? Si ha sido usted, prefiero que me lo diga. Yo...no quiero   120 que me maten. ¡Todo lo acepto antes de que me maten! (*El Campesino ríe.*) ¡No se ría o llamo!

CAMPESINO. (*Fuerte.*)—¡No diga tonterías!

GEORGINA. (*Asustada.*)—Bueno, yo no digo que haya sido usted. Si no ha sido usted..., me alegro. (*Espía su rostro. Llori-   125 quea.*) ¡Dios mío! ¡Ya no tengo coche, ni doncella, ni nada!... A merced de un loco peligroso... (*Histérica.*) ¡Mastique y sáciese! ¡Bribón!

CAMPESINO.—Cállese. No le voy a dar nada.

GEORGINA.—¿Y quién le pide, logrero? ¿Cree que todos los días   130 hay sortijas que dejarse robar?

---

[4] **¡Quién me lo iba . . . nosotras.** I wouldn't have believed it possible! It might just as easily have been one of us.
[5] **No hay . . . está** It's easy to see how unconcerned you are
[6] **todo le da igual** it's all the same to you

CAMPESINO.—No haberlo tomado.[7]

GEORGINA. (*Se atreve a dar unos pasos hacia él.*)—¿Y se atreve
a decirlo, cuando debería darme hoy más comida?... Sería
135   lo justo.[8] (*El deniega enérgicamente.*) Ah, ¿no? Pues si
cree que no me voy a atrever a decirle cuatro verdades,
me conoce mal.[9] ¡Y si usted la ha matado, con mayor
razón! Ustedes son la hez, entérese. Esperan años y años,
hasta que les llega su oportunidad, y entonces les dan
140   suelta [10] a sus instintos bestiales o se aprovechan de
nuestra hambre. (*El Campesino la mira duramente. Ella
solloza.*) ¡Pensar que yo iba a conocer el hambre! ¡Yo!

CAMPESINO. (*Estalla.*)—¡Sí, usted! ¡Hambre! Sin su coche, ni su
doncella, ni sus perritos, ni sus anillos. ¡Usted, por quien
145   nosotros aramos y sudamos de sol a sol,[11] tiene ahora
hambre! ¡Ja! Y ahora, que ya no es nada, se atreve a
seguir insultando.

GEORGINA. (*Asustada por lo repentino del ataque.*)—¡Por Dios!...

CAMPESINO. (*Se levanta.*)—¡Cómase su coche, si puede! (*Ella
150   retrocede al verle avanzar, espantada. El va a servirse un
bote de agua y bebe.*) Me echa en cara que como con esa
pobre rapaza al lado [12] y luego me pide comida. Y llo-
riquea. (*Sombrío.*) Yo no lloro. ¿Para qué? Tres hijos
tuve. Dos cayeron en el frente, y el chiquitín, con la ma-
155   dre, en los bombardeos. ¿Y qué se puede hacer? ¡Nada!
Apretar los dientes ¡y comer mientras lo haya! [13]

(*Deja el bote con un fuerte golpe sobre la mesa y
vuelve a su sitio para atar el saco. Georgina se aleja
lo más posible y se sienta a la izquierda en el*

---

[7] **No haberlo tomado.**   You didn't have to take it (the bread).

[8] **Sería lo justo.**   It's only fair.

[9] **Pues si cree . . . mal.**   Well, if you think I'm afraid to give you a piece of
my mind, you don't know me.

[10] **dan suelta** *i.e.,* **dan rienda suelta**   you give vent to

[11] **de sol a sol**   from sunrise to sunset

[12] **Me echa . . . lado**   You blame me for eating in the presence of that
wretched girl

[13] **Apretar . . . haya!**   You set your jaw and eat when you can! (*i.e.,* while
the food lasts)

taburete, llorando abyectamente. Cabizbajos, entran 160
el Sargento y Silvano; detrás, Alejandro.)

SILVANO.—¿Qué vamos a hacer?

SARGENTO.—Yo creo...que no se puede hacer nada.

SILVANO.—Si pudiéramos, deberíamos aclarar esto.

ALEJANDRO.—¿Por qué? 165

SILVANO.—¿Y por qué no?

SARGENTO. (*Menea la cabeza y sonríe.*)—¿Qué hora es, profesor?

SILVANO.—¿La hora? Sí. Las siete menos cuarto.

SARGENTO.—Yo me voy a la estación. Lo de esa chica es una pena,
pero...¡tantas otras han muerto! Lo que ahora nos importa 170
a todos es saber si hay tren.

(*Va quitando la barra y descorriendo el cerrojo.*[14])

ALEJANDRO.—Y nada podríamos hacer contra quien la haya
matado, aunque confesase.

GEORGINA.—¡No averigüemos nada! ¡Al tren, al tren cuanto 175
antes!

SARGENTO.—Si lo hay. Pero tenemos que enterarnos en seguida,
porque si no lo hay, tendremos que intentar escapar por
otro lado. En estas horas pueden haber avanzado mucho.

ALEJANDRO.—No se hable más.[15] Vaya a la estación, sargento, y 180
vuelva pronto.

SARGENTO.—En un vuelo. (*Abre.*) Parece que va a despejar...
Hasta luego.

(*Sale.*)

SILVANO.—Pero... 185

ALEJANDRO. (*Sonríe.*)—Es usted un ingenuo, Silvano. (*Pasea.*)
Pero, aun a riesgo de que me tome usted por el asesino,

---

[14] **Va quitando . . . cerrojo.** He starts removing the crossbar and slides back
the bolt.

[15] **No se hable más.** Say no more.

insistiré en la conveniencia de no averiguar nada. Primero, porque es casi imposible...y después, porque éste no es momento de hacer justicia. Ya no somos nada en el país, y nadie la puede ya resucitar. Lo mejor que podemos hacer todos es olvidar que hubo un asesino. Ella murió de hambre; eso es lo que hay que decir, si es que hay que decir algo. De lo contrario, nos vamos a tropezar siempre con suspicacias y murmuraciones en la emigración..., que a ninguno nos convienen. Hay que ser prácticos.

SILVANO.—Todos la hemos matado. Con nuestro egoísmo, con nuestra torpeza.

ALEJANDRO.—Bueno. No hay inconveniente en que lo tome así.[16] Todos, en general, y nadie, en particular.

SILVANO. (Seco.)—Déjeme pensar.

(Se acerca a la ventana del fondo, donde se recuesta. Alejandro se encoge de hombros y se asoma al exterior. Mirando hacia atrás, Ana vuelve del dormitorio y lo cierra.)

ANA.—Ese pobre muchacho no se mueve... Ahí está, mudo, con los ojos muy abiertos, sin dejar de mirarla. Y..., no sé si debo decirlo, pero hubo un momento en que la acarició el cuello y después se miró las manos. (Mira a todos.) ¿Será posible...que haya sido él?

SILVANO.—Quizá me falla la cabeza,[17] pero... Es curioso. No me parece muy difícil averiguarlo.

(Ana lo mira con frialdad.)

GEORGINA.—¿Cómo?

SILVANO.—Todo consiste en suponer...y en deducir.[18] Claro que una verdadera prueba no es fácil. Pero un análisis de las posibles intenciones de todos puede tener mucha fuerza.

[16] **No hay . . . así.** No one objects to your taking that stand.
[17] **Quizá . . . cabeza** Perhaps I'm confused
[18] **Todo consiste . . . deducir.** It all boils down to a process of hypothesis and deduction.

(*Avanza hacia la mesa.*)

ANA. (*Seca.*)—¿Está usted seguro?

SILVANO.—Siempre puede haber error. Pero un buen razona-   220
miento es casi una prueba.

ANA.—Sobre todo cuando los hace usted, ¿no? Le encanta pensar
que los demás no tienen secretos para su gran penetración.

(*Cruza tras él.*)

SILVANO.—Bueno; yo creo...   225

ANA. (*Se vuelve.*)—Usted cree que lo sabe todo. Usted siempre
está por encima de todo, en su altura [19]... ¿Por qué no nos
demuestra primero que no fue usted? (*El Campesino ríe.*)
¿De qué se ríe?

CAMPESINO.—¡Cuánto palabreo gastan los de ciudad! Como si ese   230
hombre estuviera para algo.[20]

ANA.—Usted, en cambio, está fuerte, nutrido...

CAMPESINO.—Como usted.

ANA.—Usted sí pudo hacerlo, ¿verdad?

CAMPESINO.—Igual que usted.   235

ANA.—¿Yo? ¿Por qué motivo?

ALEJANDRO. (*A todos.*)—Esto es ocioso, amigos. Nos vamos a
separar muy pronto. Detrás de nosotros quedan muchas
tragedias. Saber quién fue no remedia nada y no conduce
a nada: hay que olvidarlo. (*Se acerca al dormitorio de*   240
mujeres.) Supongamos que ha sido ese pobre muchacho.
¿Y qué? ¿Le vamos a denunciar por eso? Yo no lo haría...
En momentos como éste es muy difícil juzgar y condenar
los actos de nadie.

SILVANO.—Pero es muy fácil pensar mal de quien puede ser   245
inocente.

[19] **Usted siempre está . . . altura** You always consider yourself unassailable
with your superior attitude
[20] **¡Cuánto palabreo . . . algo.** What a lot of words you city people use! As if
that man were good for anything.

ANA.—Eso es cierto. Quizá no fue él.

(*Se acerca a Alejandro.*)

250 SILVANO.—¿Quién entonces? (*Un silencio.*) ¿No sienten la necesidad de aliviar nuestra culpa por no haberlo evitado? ¡A esa pobre víctima de la guerra le han dado aquí la puntilla, como si fuera una res del matadero! ¿Y lo vamos a olvidar? El culpable está entre nosotros...

(*Un silencio.*)

255 ANA. (*Baja los ojos.*)—No. Si se pudiera averiguar, deberíamos hacerlo.

(*Se sienta tras la mesa.*)

ALEJANDRO.—Sólo que no se puede [21]...
SILVANO.—¿Por qué no?
260 ALEJANDRO.—Ni siquiera queda tiempo.

(*Se sienta en el extremo derecho de la mesa.*)

SILVANO. (*Saca su reloj.*)—Quedan veinte minutos para que vuelva el sargento. Intentémoslo.

GEORGINA.—¿Y si fuera el sargento? ¿Y si no volviese?

265 SILVANO. (*Junto a ella.*)—Volverá, señora. ¿El sargento? No lo creo. Por muchos enemigos que hayan caído bajo su fusil,[22] no es capaz de matar una mosca. Es la paradoja de la guerra: gentes que hablan de fusilar a diestro y siniestro y que incluso pueden mandar un pelotón de ejecución,[23]
270 pero que no asesinan a una fugitiva. Él es sencillo, transparente. Carece de la tortuosidad necesaria para concebir

---

[21] **Sólo que no se puede**   Except that it can't be done
[22] **Por muchos . . . fusil**   No matter how many enemies he shot
[23] **que incluso . . . ejecución**   who are even capable of taking charge of a firing squad

un atentado en la noche. El mismo desenfado con que
planteó su marcha a la estación le hace inocente.

ANA.—¿Y cree haberlo descartado con esas deducciones?

(Ríe.) 275

SILVANO.—De acuerdo en que no valen mucho. Sólo estaba
ordenando mis ideas respecto a un hombre con el que he
convivido estos días. Pero igual podría ser un canalla.[24]

ANA.—¿Entonces?

SILVANO.—Pues que, a pesar de todo, es inocente. 280

ANA.—¿Por qué?

SILVANO.—Porque, tanto si es un infeliz como un canalla, no
tenía ningún motivo para estrangularla. Total: una chica
que se niega, que grita, que descubre su intentona.
¡Bueno! Su vanidad no es tan grande como para no aguan- 285
tar el revés.[25] (Cruza y se acerca a la puerta de la derecha.)
Además, ¿cómo habría él logrado convencerla de que saliese del dormitorio? ¿Él? ¿Un soldado? La muchacha no
habría querido ni oir hablar de ello.

ALEJANDRO.—Bueno, eso no está mal discurrido.[26] Pero no es 290
concluyente. Pudo hacerla salir con algún pretexto, y
luego mataría...por el gusto de matar. No podemos eliminar la hipótesis de que se trate de un anormal.

SILVANO.—De acuerdo. Pero el sargento parece a todas luces
normal.[27] (A Ana.) Sin embargo, no pretendo eliminarlo 295
del todo; no, señora. Es sólo un razonamiento provisional.
¡Pero es un razonamiento!

GEORGINA. (Mirando al Campesino.)—¡Yo sé quién fue!

SILVANO. (Que capta su mirada.)—¿Sí? Sabe usted mucho, señora.
(Junto al Campesino.) ¡No pensará que fue este hombre! [28] 300

---

[24] **Pero igual podría ser un canalla.** But he could just as easily be a rogue.
[25] **Su vanidad . . . el revés.** He is not so vain that he couldn't stand being rejected.
[26] **eso no está mal discurrido** that's not a bad deduction
[27] **a todas luces normal** normal in every respect
[28] **¡No pensará . . . hombre!** I hope you don't think it was this man!

CAMPESINO.—Esa estúpida es capaz de pensar cualquier cosa.

SILVANO.—Pero ésa no es fácil de pensar.[29] Este hombre sólo sabe de su saco. Habrá pasado la noche entre pesadillas, durmiendo sobre él.

305   ANA. (Fría.)—Sin embargo, él sí habría podido convencerla de que viniese a esta habitación.

GEORGINA. (Lo encuentra.)—¡Claro! Ofreciéndole comida.

ANA.—A eso me refería. (Silvano y ella se miran fijamente.) ¿No tiene otro razonamiento a favor de ese hombre?

310   CAMPESINO.—Lo tengo yo.

SILVANO.—Pues hable, amigo. Yo no puedo pensarlo todo.

(Se aleja hacia el fondo.)

CAMPESINO.—Yo no doy algo por nada.

ANA.—¿Por nada? ¿No es nada una mujer para usted?

315   SILVANO.—Ya lo ve, amigo.[30] Su razón no es muy convincente para ellas. (Se acerca a la mesa.) No obstante, es de peso. Él es un campesino. Tiene el sentido de la economía metido en los huesos,[31] incluida la economía de sus fuerzas. Eso que para ustedes significa tanto, para él es poca cosa
320   en circunstancias como las presentes: algo que se volatiliza, que se lleva energías y que no deja nada tangible a cambio. (Al Campesino.) En estos días, comer y no cansarse.[32] Aunque le tienten a uno otras cosas. ¿Verdad, amigo?

CAMPESINO.—Naturalmente.

325   SILVANO.—Exacto. Por lo que hubiera que afrontar.

GEORGINA.—Por favor, no continúe. Es preferible no saberlo. ¡Sería horrible!

SILVANO.—Es ya horrible.

---

[29] **Pero ésa . . . pensar**   But it would be difficult to believe *that* (*i.e.*, that El Campesino is guilty of the crime)
[30] **Ya lo ve, amigo.**   You can see for yourself, my friend.
[31] **Tiene el sentido . . . huesos**   Thrift is an integral part of him (*i.e.*, it is in his bones)
[32] **En estos días . . . cansarse.**   Nowadays, all that matters is eating and resting.

GEORGINA.—Procuremos no pensar en ello.

SILVANO. (*Grave.*)—Yo ya sé quién es.   330

ANA. (*Presa de una inquietud indefinible.*)—¿Usted también se descarta?

SILVANO.—Ya antes me ha honrado usted suponiéndome el asesino.

ANA.—Yo no he dicho tanto.   335

SILVANO. (*Viene al primer término.*)—En efecto, pude ser yo.[33] Aunque nuestro amigo el campesino, que es muy listo, haya comprendido que...no estoy para nada. La pobrecita me habría tirado al suelo sin el menor trabajo. Como que tengo que sentarme.   340

(*Lo hace delante de la mesa.*)

ANA. (*Cada vez más nerviosa.*)—Pues yo les vi esta noche aquí, juntos.

ALEJANDRO.—¿Cómo?

(*Todos miran a Silvano. Un silencio.*)   345

SILVANO. (*Sin mirarla.*)—¿De veras? ¿Y comprobó...cómo trataba yo de fortalecerme y debilitarla?

ANA.—Pudo ser un cebo.

ALEJANDRO.—¿Puedo saber de qué hablan?

SILVANO. (*Seco.*)—Ya lo sabrá.   350

ALEJANDRO. (*Se levanta.*)—Oiga, profesor, esto ha empezado por su gusto, no por el mío. A usted le han visto con ella, y eso sí es un hecho. Esperamos sus explicaciones.

SILVANO.—La señora me vio con ella, es cierto.

ALEJANDRO.—¿Qué hacían?   355

SILVANO.—Hablábamos.

ALEJANDRO.—¿De qué? (*Un silencio. Alejandro se vuelve airado hacia Ana.*) ¡Habla tú, Ana! ¿Qué viste?

[33] **En efecto, pude ser yo.**   As a matter of fact, I could have done it.

(*Ana se levanta muy turbada.*)

360   SILVANO.—Hable, señora. Usted nos vio y nos oyó. (*Ana calla.*) Responda tan sólo a esta pregunta: ¿se volvió a dormir [34] sin la menor curiosidad por ver cómo terminaba mi charla con ella, o esperó hasta que la vio volver a su petate, viva e intacta?

365   ANA. (*Baja los ojos.*)—La vi volver.

SILVANO. (*A Alejandro.*)—Ya ve que tengo un testigo.

ALEJANDRO. (*Irritado, a Ana.*)—Entonces, ¿por qué has insinuado...?

(*Ana calla.*)

370   SILVANO.—Contéstele, señora. ¿Contra qué está usted luchando para haberse decidido a sugerir ese absurdo? (*Ana se retira hacia la ventana, muy turbada.*) Es más fácil sacar un cuerpo de esa habitación que hacer salir viva a la muchacha a las tantas de la noche.[35] ¿Qué diría usted si yo
375   sugiriese que el crimen se había cometido ahí dentro y no fuera?

ANA. (*Se vuelve.*)—¿Por mí?

SILVANO.—O por la señora Moray. Aún no hemos descartado a las mujeres.

380   GEORGINA.—¿Cómo se atreve a sugerirlo? ¡He pasado soñando toda la noche!

SILVANO. (*Mirándola.*)—No lo dudo. (*Se pasa las manos temblorosas por la cara.*) Y es asombroso. No me atrevo a creerlo y, sin embargo, puede ser verdad. ¿O es que he perdido ya
385   la cabeza? [36]

ALEJANDRO.—Si no nos explica mejor de qué habla, habrá que empezar a creerlo.

SILVANO.—Algo grave me ronda.[37]

[34] **se volvió a dormir**   did you go back to sleep
[35] **a las tantas de la noche**   so late at night
[36] **¿o es que . . . cabeza?**   Or have I already lost my mind?
[37] **Algo grave me ronda.**   A dreadful thought is haunting me.

(*Cierra los ojos. Todos le miran, perplejos. Ana se
acerca a la mesa. Alejandro se sienta junto a Sil-*   390
vano y le toca en el hombro.)

ALEJANDRO.—¿Se siente mal?

(*La puerta de la izquierda se abre en silencio. Carlos se detiene en el quicio. Su fisonomía da pavor:
con el pelo alborotado, los ojos saltones, palidísimo,*   395
*las manos temblorosas, la cara contraída por fugaces
rictus, escucha. Pendientes de Silvano,*[38] *no le ad-
vierten de momento.*)

SILVANO. (*Abre los ojos.*)—Señora Moray, nunca he pretendido
insinuar que usted o ella hubieran matado a Isabel. Lo   400
puse como otro ejemplo de acusación absurda. Usted podría desear la muerte de esa desdichada, o de cualquiera
otra persona, en sueños, quizá...

(*La mira fijamente.*)

GEORGINA. (*Tartamudea.*)—¿Qué...qué...e...está diciendo?   405

SILVANO. (*Asiente, nervioso.*)—Eso. Justo. Pero no podría cometer
con sus manos algo tan feroz. En cuanto a la señora, estoy
seguro, ¡seguro!, de que no quería mal a Isabel.

ALEJANDRO.—Pero lo que Ana ha dicho no es tan absurdo. ¿No
pudo usted convencer a la pequeña para que saliese más   410
tarde? Labia no le falta.[39]

ANA.—¡No lo hizo, Alejandro!¡Yo les oí todo!

ALEJANDRO. (*Frío.*)—Quizá no todo. (*A Silvano.*) ¿Consideramos
esa posibilidad, o...prefiere empezar mi acusación? [40]

[38] **Pendientes de Silvano**   Since their attention is centered on Silvano
[39] **Labia no le falta.**   You're persuasive enough.
[40] **prefiere empezar mi acusación**   do you prefer to begin by accusing me

415   ANA. (*Trastornada.*)—¡Alejandro!

ALEJANDRO. (*Le devuelve una tranquila mirada.*[41])—¿Qué, Ana?

Foto de M. Santos Yubero

De izquierda a derecha: Georgina, Silvano, Alejandro (Goldmann), Carlos, Ana.

GEORGINA. (*Que ve a Carlos.*)—¡Chist! Callen. Miren.

(*Todos se vuelven a mirar a Carlos, Alejandro se levanta. Carlos da unos pasos en silencio; se tambalea. Alejandro corre a sostenerlo.*)

420

CARLOS.—No busquen más.

(*Silvano se levanta.*)

ALEJANDRO.—¿Qué dice?

[41] **Le devuelve . . . mirada.** He in turn looks backs at her calmly.

(Carlos da unos pasos hacia la mesa. Alejandro lo
sujeta.)   425

CARLOS. *(Se suelta.)*—He sido yo. ¡Yo!

(Se deja caer en la silla de la derecha.)

GEORGINA. *(Musita.)*—¡Qué horror!

ALEJANDRO. *(Lo zarandea.)*—¿Que tú...? ¡Habla, monigote!

CARLOS.—Perdón...   430

ALEJANDRO.—¡Habla!

CARLOS.—Yo la he matado.

ANA. *(Asombrada.)*—¿Usted?

CARLOS.—¡Perdón, soy indigno! Ya no lo podía soportar.

ALEJANDRO.—¿El qué?   435

CARLOS. *(Lo mira, abstraído.)*—¿Eh?...

ALEJANDRO.—¿Qué es lo que no podías soportar?

CARLOS.—Perdónenme todos. Ella se obstinaba en no ver en mí
más que un hermano... A su lado, como un hermano. Y
ella...ofendiéndome con su amor a ese niño odioso. ¡Yo no   440
debía repugnarle! ¡Yo, no! ¿Por qué no comprendía? ¿Por
qué no me aceptaba? *(Solloza.)* Yo lo habría sacrificado
todo por ella.

CAMPESINO.—Ya lo hacías, muchacho. Con un poco de paciencia...   445

ANA. *(Mirando a Carlos.)*—¡Ha perdido el juicio!

CARLOS. *(Se sobrepone.)*—Perdón. El partido no se verá deshonrado por mí. Ya sé lo que tengo que hacer.

ALEJANDRO.—Tú no sabes nada, imbécil. Tú estás desquiciado.
Y usted, Silvano, ¡ya logró lo que quería! Pero, ¿qué ha   450
logrado?

SILVANO.—Nada.

ALEJANDRO.—Lo reconoce usted muy tarde.

(Se aparta, molesto, hacia el fondo. Ana se sienta
455 *tras la mesa y suspira hondamente. Georgina va a*
servirse agua y bebe.)

SILVANO. *(Que lo advierte, a Carlos.)*—¿Quiere un poco de agua?
(Carlos deniega. Silvano se sienta.) Discúlpeme que le
haga una pregunta. Aunque sea desagradable. ¿Cómo lo
460 hizo usted?

(Alejandro se vuelve y lo mira con disgusto. Los
demás también le miran, asombrados.)

CARLOS.—No sé.

ANA.—Pero... ¿A qué viene eso? [42]

465 SILVANO.—Veamos. Salió usted del dormitorio, en silencio...

CARLOS.—Sí.

SILVANO.—Abrió esa puerta sin ruido, entró y la despertó, ¿no
es eso?

CARLOS.—Sí. Tal vez.

470 SILVANO.—¿Cómo, tal vez? [43]

GEORGINA.—¡No le atormente más!

ALEJANDRO.—Dos locos siempre se encuentran.

SILVANO.—Y se entienden. Escúcheme, Carlos. Tiene que recor-
darlo todo. ¿Recuerda si la invitó a salir aquí? ¿Si, por
475 ejemplo, usted espiaba nuestras respiraciones? [44]... Y aquí...
le confesó sus deseos a Isabel y ella se asustó. ¿No?

CARLOS.—¡Déjeme!

SILVANO. *(Suspira.)*—Estoy débil, pero no importa. *(Corre su*
asiento para acercarse a Carlos.) Trate de recordar.
480 Usted..., ¿le apretó el cuello para ahogar sus gritos?

GEORGINA.—¡Cállese de una vez! ¡Es insufrible!

---

[42] **¿A qué viene eso?** Why are you doing this? (*i.e.,* question Carlos after he
admitted his guilt)
[43] **¿Cómo, tal vez?** What do you mean *perhaps?*
[44] **Si, por ejemplo, . . . respiraciones** If, for example, you spied on us to watch
our breathing (*i.e.,* to see if we were asleep)

ALEJANDRO. *(Va hacia ellos.)*—¡Deje ya al muchacho!

ANA. *(Que ha comprendido, se levanta.)*—¡No! *(Alejandro y ella se miran durante un momento.)* ¡Siga preguntando!

SILVANO.—¿Apretó? ¿Ahogaba los gritos de ella?   485

ANA. *(Oprimiendo el otro hombro de Carlos.)*—¡Recuerde bien!

ALEJANDRO.—Ana, ¿qué te ocurre?

ANA.—¿Lo recuerda?

CARLOS.—¡No sé cómo lo hice! Me desperté de un mal sueño... y vine aquí.   490

SILVANO. *(Muy fuerte.)*—¿Apretó? *(Georgina se desata en gritos histéricos.)* ¡Silencio!

CARLOS.—Ella se iba cayendo... Yo no veía bien... Ella decía que mis ojos la mataban.

SILVANO. *(Se las señala.[45])*—¿Y sus manos?   495

CARLOS.—No me acuerdo.

(Una pausa.)

SILVANO.—Y después... ¿Volvió usted, sigiloso, al dormitorio?

CARLOS.—No recuerdo.

(Georgina se sienta junta a Silvano, intrigada.)   500

ANA.—¿Pero ya no dormiría? [46]

CARLOS.—No sé. Quizá sí. Todo era como una pesadilla.

(Silvano y Ana se miran.)

ANA.—Es una pesadilla, muchacho. Usted no la ha matado.

CARLOS. *(La mira.)*—¡Tenía que matarla! [47]   505

ANA.—¿De qué modo? Usted no se acuerda de nada.

GEORGINA.—¡Porque está fingiendo!

---

[45] **Se las señala.** He points at them.
[46] **¿Pero ya no dormiría?** But I assume you no longer slept?
[47] **¡Tenía que matarla!** I must have killed her!

SILVANO.—¿Después de confesar el crimen? No. Él también ha soñado esta noche. Y no ha dejado de soñar todavía. Eso
510   es todo.

ALEJANDRO.—Increíble, ¿no le parece?

SILVANO. (*Duro.*)—¿Qué es lo increíble?

ALEJANDRO.—Que confunda[48] de ese modo la realidad y el sueño. Aún no está tan débil.

515   (*Va hacia la derecha, bajo la mirada de Ana.*[49])

SILVANO.—Pero su cabeza nunca ha estado fuerte. (*Carlos lo mira.*) Le ha sucedido muchas veces, ¿verdad?

CARLOS.—¿El qué?

SILVANO.—Sabe muy bien a qué me refiero. Usted nos dijo ayer
520   que le habían rebajado del servicio por padecer...trastornos oculares.

ALEJANDRO.—Pero usted no entiende nada. ¿Qué tienen que ver los trastornos oculares...?

ANA.—Es que él no quiso dar su verdadero nombre...otro tipo
525   de trastornos. (*A Carlos.*) Usted ha estado varios meses en el sanatorio del doctor Zenner.

GEORGINA.—¿El psiquíatra?

SILVANO.—Sí.

CARLOS.—¿Quién le ha dicho eso?

530   ANA.—Ella se lo dijo al profesor anoche. Yo lo oí. (*Dulce.*) Usted la ayudaba mucho, Carlos... Pero ella también le ayudaba a usted. Sabía que estaba enfermo, y habló de usted...con mucha tenura.

          (*Se aleja despacio hacia la izquierda.*)

535   SILVANO.—El muchacho padece alucinaciones. (*A Alejandro.*) A veces no distingue la realidad del sueño.

---

[48] **Que confunda**   That he (Carlos) should confuse
[49] **bajo la mirada de Ana**   under Anna's watchful eye

(*Un silencio.*)

GEORGINA.—Pero... ¡Esa pobre está realmente muerta!

SILVANO. (*Grave.*)—Sí. Muerta por un hombre sin escrúpulos, acostumbrado a coger a su paso [50] el dinero, el lujo y las   540
mujeres; un engreído, muy seguro de sus dotes de seducción, a pesar del horror de la muchacha por los hombres; un aprovechado que muerde por última vez en la carne de la patria vencida antes de marcharse.[51] Y, en definitiva, otro enfermo: un esclavo de su creciente debilidad por las   545
jovencitas, que quizá empieza a ser una obsesión senil. (*Alejandro baja la vista.*) ¡Pero, eso sí, un enfermo muy vital! ¡No un pobre soñador como Carlos, no! Un hombre ...de acción, que nunca sueña...y que obra durante el sueño de los demás.   550

(*Todos miran a Alejandro, aterrados.*)

ALEJANDRO.—¡Está usted desbarrando, profesor! En cuanto a tí, Ana...

ANA. (*Sin mirarlo.*)—¡Tú lo hiciste!

(*El Campesino se levanta, muy interesado.*)   555

ALEJANDRO. (*Con helada entonación.*)—¿También tú enloqueces?

ANA.—No sería extraño. Loca me tienes desde hace años. ¡Ah, cómo descanso! [52] Tú la mataste: es tu estilo. (*A todos.*) ¡La vida de los demás carece de valor para él! Y siempre consideró a las mujeres como objetos creados para su   560
placer, que se toman y se abandonan. A todas las creía propiedad suya. Y cuando se le antoja una, ya no mira nada [53]...(*A Alejandro.*) ¿Loca? Sí; loca de mí, que llegué a

[50] **a su paso** as he pleases
[51] **un aprovechado . . . marcharse** an opportunist who, before leaving, takes a last bite out of the fallen fatherland
[52] **¡Ah, cómo descanso!** Oh, how relieved I am! (*An ambiguous statement which may refer to the discovery of the identity of the killer or to her relief in being freed from Goldmann's hold on her.*)
[53] **Y cuando se le antoja . . . nada** And when he wants one, he lets nothing stand in his way

compartir tu vida [54] y a creer todas esas razones con que
la justificabas... El bien de Surelia... La conveniencia de la
situación... Y así se va el corazón endureciendo y se acaba
matando por cualquier cosa.[55]

(*Carlos se levanta, demudado.*)

ALEJANDRO.—¡Estás loca, pero de celos!

(*Va hacia ella.*)

ANA.—Estoy harta de ti. Pisoteabas mi cariño una y otra vez con
mujerzuelas. Te reías de lo que llamabas mis sensiblerías
y mis prejuicios... Te has reído de todo y lo has manchado
todo...en nombre de la eficacia. Y esta noche has querido
seguir tus costumbres. ¡Tomar, si es necesario, a la fuerza!
¿Celos? No. Es maravilloso; no sufro nada. ¡Respiro! [56]

ALEJANDRO.—Ya sólo te falta decirles quién soy.

ANA.—Ya he dicho bastante.

(*Se aparta hacia la ventana de la izquierda.*)

ALEJANDRO.—¡Pues lo diré yo! Todos ustedes están trastornados
a causa del momento que vivimos. Pero les advierto leal-
mente de que, si se hacen eco de esa acusación estúpida,[57]
les costará caro. Soy miembro del Gobierno. ¡Y mi nombre
es Goldmann!

GEORGINA. (*Estupefacta.*)—¿Goldmann?

(*Mira el cartel y se levanta.*)

ALEJANDRO.—¡Goldmann, sí! Usted, Carlos, ya lo sabía. Y usted,
Silvano. (*Sin convicción.*) ¿Piensan todos que Goldmann

---

[54] **loca de mí, . . . tu vida** I must have been mad to have shared your life
[55] **se acaba . . . cosa** you end up killing on the slightest provocation
[56] **¡Respiro!** I can breathe again!
[57] **si se hacen eco . . . estúpida** if you support that stupid accusation (*lit.*,
become an echo)

iba a incurrir en semejante necedad? No pierdan el juicio, por favor. *(A Silvano.)* En cuanto a usted... Yo nunca sueño, es cierto; no quiero enfermar de los nervios.[58] Y también sé razonar. Mejor que usted.

SILVANO.—Es posible.

ALEJANDRO.—¿Por qué iba yo a matar a esa chicuela si ella se negaba?

SILVANO.—Eso debió ser lo más duro para usted, lo reconozco. Pero cruzar la frontera con ese testigo de sus debilidades no le convenía nada. A usted le debe de estar esperando toda una comisión. Y si ella hablaba de lo ocurrido...

ALEJANDRO. *(Agrio.)*—Muy ingenioso. Pero yo habría sacado el cuerpo de aquí para abandonarlo en el campo, como si ella se hubiera ido. ¿No le parece?

SILVANO. *(Asiente.)*—Lo pensó. Pero Carlos la habría buscado hoy, y traído... Y alguien podía despertar y advertir su ausencia prolongada... Quizá era preferible volver cuanto antes al dormitorio, sin quitar la barra ni descorrer el cerrojo. Serían demasiados ruidos después de los gritos ahogados. Esos gritos que estuvieron a punto de despertarnos a todos... *(Georgina gime.)* Usted pierde, Goldmann. Pero me ha deparado una experiencia extraordinaria, de la que no hablaré..., *(Mira a todos.)* porque ya veo que sería inútil... Y me ha dado con ella una gran lección. No se puede soñar; no se debe soñar dejando las manos libres a quienes no lo hacen. Aunque, al final, sea el soñador quien desenmascare al hombre de acción.

ALEJANDRO. *(Cruza de nuevo.)*—Palabrería. Usted no ha demostrado nada; lo mismo pudo ser el sargento que cualquiera otro. ¡Yo no admito ninguna acusación sin pruebas! Y usted no tiene ni la más leve prueba. ¿Por qué no nos explica cómo habría podido yo convencer a la pequeña para que saliese del dormitorio? ¡Le desafío a que lo haga!

CARLOS.—Eso es cierto...

ALEJANDRO. *(Ríe.)*—¡Y tan cierto! Ya ven ustedes cómo las lucu-

---

[58] **no quiero . . . nervios** I don't want to become a neurotic

braciones del profesor...y de esa insensata no son más que
625   un castillo de naipes.[59]

SILVANO. (*Lo mira fijamente.*)—¿Quiere hacer el favor de enseñar-
nos ese bulto que lleva en el bolsillo?

ALEJANDRO.—¿Qué tiene que ver? Son cosas mías.

SILVANO.—Sáquelas.

630   (*Se levanta.*)

ALEJANDRO.—¡Oiga, no pienso hacer caso de sus sandeces!

(*El Campesino se le acerca.*)

SILVANO.—Yo soy bastante observador. Ese bulto no apareció ayer
en su bolsillo hasta muy poco antes de ir a acostarse. En-
635   séñenos lo que es.

ALEJANDRO.—¡No pienso hacerlo! ¡Si se cree que...! (*El Campesino le aferra hercúleamente* [60] *y le inmoviliza, pese a
sus forcejeos.*) ¡Suelte, bribón! ¡No me ponga las manos
encima! [61]

640   CAMPESINO.—¡Sáquelo!

(*Silvano registra y saca un bocadillo, que enseña y
deja sobre la mesa. Alejandro se desprende, furioso.*)

ANA.—Se lo di yo anoche.

645   ALEJANDRO. (*Sin voz.*)—¡Toda su vida lamentarán esto! ¡Toda
su vida!

SILVANO.—Isabel sólo pensaba en comer para alimentar al pequeñín, y usted lo sabía. Este fue el cebo. Lo guardó para
eso, en vez de comerlo en seguida, como hubiera sido
650   lógico. Y después del crimen..., ya no pudo comérselo;
usted también tiene nervios. (*Un silencio.*) ¡Qué lástima,

---

[59] **un castillo de naipes**   wishful thinking (*lit.*, a castle made of cards)
[60] **le aferra hercúleamente**   seizes him with Herculean strength
[61] **¡No me ponga las manos encima!**   Don't you dare lay your hands on me!

Goldmann! Anoche pensé por un momento que, después
de lo hablado entre usted y yo [62]..., ¡tal vez se lo daría a
Isabel! Es usted quien ha querido perder la partida.

ANA. (*Amarga.*)—El nunca lo habría dado.   655

> (*Silvano se aleja hacia el fondo. Todos miran a
> Alejandro, que está turbado. Un silencio.*)

ALEJANDRO. (*Frío.*)—Saca las maletas, Ana.

ANA.—¡Ya no iré contigo!

ALEJANDRO.—Estúpida y sentimental, como todas.   660

> (*Se vuelve hacia el dormitorio de mujeres. De un
> salto, Carlos se interpone.*)

CARLOS.—¡Quieto!

ALEJANDRO.—No sea necio, Carlos, ni crea esas patrañas. No
pienso huir. (*Gana la puerta del dormitorio de hombres.*   665
Carlos va tras él.) Sea prudente con Goldmann, joven.
Le conviene.[63] Ya hablaremos todos en la emigración.

> (*Entra en el dormitorio y Carlos le sigue. El Cam-
> pesino se acerca a la puerta para mirar.*)

SILVANO. (*Para sí.*)—Goldmann es más fuerte. Pero de todos   670
modos... (*Al Campesino.*) Yo ya no valgo para nada, buen
hombre. (*Se apoya en la mesa, agotado.*) Saque usted al
muchacho; hay que evitar una riña.

> (*El Campesino deniega con energía y sigue mi-
> rando.*)   675

LA VOZ DE ALEJANDRO.—Es usted un idiota, Carlos... Le faltan
muchas horas de vuelo y le sobran sueños.[64]

---

[62] **después de . . . yo...** after our discussion . . .
[63] **Le conviene.** It's in your interest.
[64] **Le faltan . . . sueños.** You have a long flight ahead of you (in life) and
an excess baggage of ideals.

(Las mujeres se acercan a la mesa y escuchan.)

CAMPESINO. *(En voz baja.)*—¡Duro con él!⁶⁵

680   SILVANO. *(Jadea.)*—¡Sáquelo!

LA VOZ DE ALEJANDRO.—¿Qué hace? ¡Imbécil! ¡Eso es una locura!
¿Cree que le tengo miedo? ¡Déme eso! ¡Es una orden!
¡Le digo que me...!

(Suenan dos tiros. Georgina grita. Ana se estre-
685   *mece violentamente.)*

ANA. *(Para sí.)*—La pistola del partido.

SILVANO. *(Dándose una palmada en la frente.⁶⁶)*—¡Torpe de
mí! *(Corre al dormitorio. Carlos reaparece con la pistola
en la mano.)* ¡Traiga!

690   *(Se apresura a quitársela y la deja sobre la mesa.*
Georgina llora en silencio y se sienta. Carlos se
sienta, sombrío.)

ANA.—Otra vez llora el niño...

(Cruza y entra en el dormitorio de la derecha. El
695   *Campesino vuelve a sentarse junto a su saco.)*

CARLOS. *(Abstraído.)*—Ya no tengo nada.

SILVANO. *(Se sienta.)*—Todo esto pasará.

CARLOS.—Ya no puedo creer en nada.

SILVANO. *(Abstraído.)*—Mañana se escribirá: "Un héroe llamado
700   Albín mató al tirano de Surelia." O quizá: "Un asesino
mató a Goldmann, el héroe surelés." ¿Quién sabe? *(Mira
a Carlos.)* Sí; es difícil creer en algo. Pero ahora usted
puede intentarlo.

CARLOS.—¿Ahora?

---

⁶⁵ **¡Duro con él!**   Hit him hard!
⁶⁶ **Dándose . . . frente.**   Hitting himself on his forehead.

Silvano.—¡Ahora que no tiene a nadie, incorpórese a las gue-   705
rrillas! Eso, al menos, es claro: si han invadido la patria,
hay que defenderla.

Carlos.—Las guerrillas se organizaron por orden de Goldmann.

Silvano.—¿Y qué?

Carlos.—No le comprendo a usted.   710

Silvano. (*Nervioso.*)—Tompoco yo me comprendo. ¡Pero vaya
a las guerrillas, Carlos, usted que aún puede hacerlo!
¡Ahora que ya no son de Goldmann, ahora que son nuestras! (*Carlos deniega, sombrío. Silvano suspira y habla
para sí.*) Es difícil entenderse. Ni de día, ni en sueños.   715
¿Será verdad que esta noche...no ha sido como las demás?
Sería prodigioso. Pero de nada serviría preguntaros... No
lo creeríais; no lo entenderíais. Y además, todos lo habréis
olvidado. Si yo no lo olvido es porque...me voy a morir...
(*Le empiezan a mirar, extrañados. El ríe débilmente.*) Si   720
al menos la emigración sirviese para aprender a hacerlo...
Porque de poco servirá actuar en comisiones, y gobierni-
llos, y congresos, si nuestros sueños reconciliados no nos
conducen. (*Breve pausa.*) ¿Me oís? ¡Qué vais a oírme...,
si vosotros sois...la Historia! [67]   725

(*El Campesino se toca con un dedo en la sien,*[68]
mirando a los demás. Georgina se levanta, mirán-
dolo con aprensión, y se acerca a la ventana de la
izquierda. Entra Ana.)

Ana.—Hay que buscar leche para ese niño. Está muy débil.   730

Silvano. (*Se levanta presuroso, torpe.*)—¡Claro que sí! ¡El niño!

Ana.—Nada de lo que yo traigo sirve para él. (*Al Campesino.*)
Usted no tendrá algún bote? [69]

---

[67] **¡Qué vais . . . la Historia!**   Of course you can't hear me . . . because *you*
represent History! (*i.e.,* man's blind experience as opposed to an idealized,
rationally directed future)

[68] **se toca con un dedo en la sien**   points to his temple (implying that Silvano
is crazy)

[69] **¿Usted . . . bote?**   You wouldn't have a can (of milk) by any chance?

CAMPESINO.—No.

735 SILVANO. (*Tímido ante la negativa.*)—¿De verdad, de verdad
que no?

CAMPESINO.—¡No!

SILVANO.—Dispense. Yo no sé pedir... (*A todos.*) Pero aún tendría
que pedirles algo, porque yo estoy muy débil y no voy a
740 poder. Carlos, usted debe llevarse a ese niño, porque es el
hijo de Isabel. Pero si ustedes quisieran ayudarle hasta
pasar la frontera... A él solo le va a ser difícil cuidar del
pequeño. (*Todos rehuyen su mirada. Carlos deniega, con
los ojos bajos.*) ¿Qué dice usted?

745 CARLOS. (*Voz monótona.*)—Que no me lo llevo. Ella ha muerto
y él no es nada mío.

SILVANO. (*Asombrado.*)—¿Lo dejaría usted morir aquí solo?

CARLOS.—Su padre era un invasor.

SILVANO.—Pero él es un ser inocente de nuestras furias,[70] Car-
750 los. Salvemos el mañana...

(*Carlos deniega con desesperación.*)

CARLOS.—¡No puedo! Además, ya está medio muerto.

SILVANO. (*Menea la cabeza.*)—Verdaderamente, está usted enfermo. (*Se acerca a Georgina.*) ¿Tiene usted hijos, señora?

755 GEORGINA.—No.

SILVANO.—Usted tiene dinero en el extranjero y acaso podría...

GEORGINA.—¡Por favor! ¡Me falta todo lo mío,[71] estoy sin coche,
no sé qué hacer! Y viene usted con esas embajadas.

(*Va a la ventana del fondo. Silvano mira al Cam-
760 pesino y a Ana. Se acerca a Ana, que le está mirando con los ojos húmedos, titubea y se acerca al
Campesino.*)

---

[70] **un ser inocente . . . furias**   an innocent victim of our vengeance
[71] **Me falta todo lo mío**   I have none of my own things

Campesino. (*Viéndole llegar, baja la vista.*)—Ya han muerto muchos niños en esta guerra. Total, uno más...

Silvano.—Y sin embargo, es sencillo. Yo mismo lo llevaría si 765 hubiera tren...

Ana. (*Con la voz quebrada.*)—Usted dijo ayer que no esperaba que lo hubiera.

Silvano.—Estoy tratando de creer que sí lo habrá, por él. Pero si no lo hay...no podemos llevarnos al niño. Serían varios 770 días de camino por la montaña y moriría con seguridad. (*Pausa.*) Sólo queda una solución.

Ana.—¿Cuál?

(*Silvano la mira fijamente.*)

Georgina. (*Mirando por la ventana.*)—¡Ya vuelve el sargento! 775

(*Todos se levantan o se vuelven, nerviosos. El Sargento cruza tras la ventana. Le rodean, llenos de ansiedad.*)

Sargento. (*Jadeante.*)—Estamos perdidos. Hay que marcharse como sea.[72] 780

Ana.—¿No hay tren?

Sargento.—No. ¡Pero miren ahí fuera! ¡En el horizonte!

(*Se abalanza a beber un bote de agua.*)

Ana.—¿Eh?

(*Todos salen al exterior y miran a la izquierda. El 785 Sargento repara en el bocadillo que quedó sobre la mesa, los mira de reojo y se lo guarda rápidamente. Van entrando todos, anonadados.*)

Georgina.—¿Qué significa...?

[72] **Hay que marcharse como sea.** We must get away as best we can.

790 CAMPESINO.—Frenal [73] está ardiendo.

SARGENTO.—Son ellos. No tardarán en llegar aquí.

(*Georgina grita y entra en el dormitorio. El Campesino se carga su saco.*)

ANA.—¿No avanzaban por el oeste?

795 SARGENTO.—Habrán sabido que por aquí se evacuaba y ya los tenemos encima. (*Levanta la voz.*) ¡Dense prisa todos! Si nos cogen, nos liquidan. (*Carlos recoge su morral de la ventana. Después se acerca al dormitorio, a cuya puerta permanece sin decidirse a entrar, mirando a la muerta.*)
800 Hay que llevarse las botellas y la tetera, profesor. Nos van a hacer falta. (*Levanta la voz.*) ¡Al pasar por el manantial, beban toda el agua que puedan!

(*Georgina sale del dormitorio con su maleta y su maletín. El Campesino entra en el dormitorio masculino sin soltar su saco.*)
805

GEORGINA.—¡Ana, coja sus cosas! Carlos, usted me ampara, ¿verdad? ¡Ea, vamos ya! (*Va a la mesa.*) ¿Y el bocadillo que había aquí?

SARGENTO.—Yo no he visto nada.

810 (*El Campesino entra con dos botellas.*)

SILVANO.—¿Por dónde piensa ir?

SARGENTO.—Ya veremos. Pero quedarnos es suicida. Esa canalla avanza entre tiros de guerrilleros y no da cuartel.[74] (*A Ana, mientras recoge una cantimplora de la pared y se*
815 *la cuelga.*) ¡Ea, coja sus cosas y avise a su marido! ¡Y saque la botella con la vela!

(*Ana entra en el dormitorio.*)

---

[73] **Frenal** *an imaginary town*
[74] **no da cuartel** spares no one

SILVANO.—Ya no se le puede avisar, sargento. Resultó ser el asesino de la chica...y Carlos lo ha matado.

> (*El Sargento emite un silbido de asombro y mira a*   820
> *Carlos, que continúa absorto ante el invisible cuer-*
> *po de Isabel.*)

SARGENTO.—Caray con el mocito...[75] (*Al Campesino, que le en-* *seña las dos botellas.*) Traiga.

> (*Se las toma y les quita las velas, que se guarda.*   825
> *El Campesino va a la puerta.*)

CAMPESINO.—Déme una.

SARGENTO.—Tome. (*Le da una botella. Ana vuelve con la can-* *timplora, las maletas y la botella con la vela debajo del* *brazo. Viene claramente perpleja. El Sargento le quita la*   830 *botella y la deja sobre la mesa junto a la otra después de* *guardar la vela. Ana deja las maletas en el suelo.*) Óiganme todos. Intentaremos cruzar la frontera a pie. No conozco los pasos, pero no hay otro remedio. De conseguirlo, nos llevará días.[76] Necesito mucha disciplina.   835

GEORGINA.—¡Moriremos en el camino!

CAMPESINO.—Ni disciplina ni nada.[77] Yo conozco los pasos. El que quiera que me siga. Pero no daré comida a nadie: que quede bien claro.[78]

GEORGINA.—¡Nuestro salvador!   840

> (*Le abraza impulsivamente.*)

CAMPESINO.—¡Quite!

> (*El Sargento va a descolgar un morral, donde mete* *las botellas y las velas.*)

[75] **Caray con el mocito...** That kid? Well, I'll be darned!
[76] **De conseguirlo, . . . días.** It will take us days if we are to succeed.
[77] **Ni disciplina ni nada.** We don't need discipline.
[78] **que quede bien claro** let it be clearly understood

845   GEORGINA.—¡Conoce los pasos, Ana! ¡Carlos, nos salvaremos!
      Usted necesita compañía; es como un niño. Yo le ayudaré.
      (*Va hacia él, que se volvió a escucharla, y le toma del
      brazo.*) No me importa que esté enfermo: verá cómo se
      cura.

850   CARLOS. (*Se decide.*)—Vámonos.

      (*Se dirige a la salida seguido por ella y toma la
      maleta de Georgina. Pendiente de Silvano, Ana no
      se mueve.*)

      GEORGINA.—Coja también la maleta de Ana, Carlos. La ayu-
855   daremos.

      (*Toma su maletín y Carlos va a coger la maleta de
      Goldmann.*)

      SARGENTO. (*Cogiendo la tetera.*)—En marcha, profesor.

      (*Todos se apiñan en la puerta, menos Ana. El
860   Campesino ya está fuera. Silvano no se mueve.*)

      SILVANO.—Váyanse. Yo me quedo.

      ANA.—¿Por qué?

      SARGENTO. (*Comprensivo.*)—El pobre no puede con su alma.[79]

      ANA.—Eso no importa. Yo traigo un poco de comida. Ahora
865   mismo le doy algo y lo toma mientras caminamos.

      SILVANO.—¿Y el niño?

      ANA.—¡Nunca pensé en dejarlo! Ahora lo traigo. ¡Pero no
      podemos quedarnos aquí! (*A los demás.*) ¡No quiero que
      se quede, lo matarían! ¡Díganle que se venga!

870   (*El Sargento se encoge de hombros.*)

      SILVANO.—No pierdan más tiempo.

      [79] **El pobre no puede con su alma.** The poor man is too weak to move (*i.e.*,
      even his soul weighs him down).

ANA.—Pero, ¿por qué se queda? ¡Le digo que nos llevamos al niño! ¡Y usted no debe morir!

SILVANO.—Es el niño el que no debe morir, Ana. Y si nos lo llevamos es su muerte segura. Pero hay una probabilidad 875 de que ellos lo evacúen hacia atrás [80] y le den leche..., si yo acierto a pedírselo.

(*Ana se acerca a Silvano. Georgina, que no la pierde de vista, toma su maleta del suelo.*)

SARGENTO. (*Asombrado.*)—¿Se ha vuelto loco, profesor? 880

ANA. (*Con vergüenza.*)—Quizá, si lo dejáramos, lo harían ellos al encontrarlo...

SILVANO.—No lo harán si alguien no les convence.

ANA.—¿Y va usted a sacrificar su vida por eso?

SILVANO—No me desanime, Ana... Yo no soy un hombre vale- 885 roso.

(*Cruza hacia el centro.*)

ANA.—¡Vamos a llevárnoslo!

SILVANO.—Entonces se muere.

(*Ella le mira, atrozmente perpleja.*) 890

CAMPESINO. (*Desde el camino.*)—¡No espero más!

(*Desaparece por la derecha. Tras un segundo de vacilación, los demás le siguen.*)

SARGENTO.—Adiós, profesor. Buena suerte.

SILVANO.—Adiós, sargento. 895

GEORGINA. (*Desde la puerta, reteniendo a Carlos de un brazo.*)— ¡Véngase, Ana!

---

[80] **hacia atrás**   behind their own lines

(*Carlos tira de ella y se van también, con todas las maletas.*)

900 SILVANO.—Ana, váyase.

LA VOZ DE GEORGINA.—¡Ana! (*Ana corre a la puerta y mira. Luego mira a Silvano. La voz llega otra vez.*) ¡Ana!...

SILVANO.—¿A qué espera? (*Ana rompe a llorar.*) ¿Qué le sucede? ¿Por qué llora?

905 (*Ana avanza hacia el primer término.*)

ANA.—No puedo... No puedo irme.

SILVANO.—¡Ana!

ANA. (*Se seca los ojos; se calma.*)—Me quedo también.

910 (*Se descuelga la cantimplora, la deja sobre la mesa y va a sentarse al primer término.*)

SILVANO. (*Temblando.*)—Eso no es necesario... Yo puedo intentar...

ANA.—¿Usted? No se haga ilusiones.[81] Tartamudeará, se pondrá a temblar... ¡Le barrerán a tiros! [82] Una mujer podrá con-
915 vencerlos mejor.

SILVANO. (*La mira fijamente. Profiere, ronco.*)—¡Vete! Aún estás a tiempo.[83] (*Ella deniega con energía. El se exalta.*) ¿Pero no comprendes que pueden hacer contigo lo mismo que hicieron con esa desdichada?

920 ANA. (*Angustiada.*)—Silvano, no me hables así... Yo tampoco soy una mujer valerosa.

SILVANO.—Déjame intentarlo solo. Es...inútil que tú también te sacrifiques. Yo...no quiero que te atropellen. ¡No podría soportarlo!

---

[81] **No se haga ilusiones.** You're dreaming.
[82] **¡Le barrerán a tiros!** They'll mow you down with their guns!
[83] **Aún estás a tiempo.** You still have time (to change your mind).

Ana.—Si es necesario para convencerlos, pagaré ese precio. Así   925
habré servido para algo.

Silvano.—¡Es que también pueden matarte!

Ana. (*Se enardece.*)—Pero, ¿no comprendes tú? ¿Es que no comprendes...que no podría dejarte solo?

> (*Baja la vista, avergonzada. Silvano se acerca des-*   930
> *pacio y le pone una mano en el hombro. Ella se la*
> *coge y la oprime, sin mirarlo.*)

Silvano. (*Muy quedo.*)—Ana, tú debes vivir, y yo estoy hecho
para morir.[84]

Ana. (*Muy quedo, sin soltarle la mano.*)—Calla.   935

Silvano. (*Muy quedo.*)—Tú aún podrías encontrar otro hombre...

Ana. (*Muy quedo.*)—Ya no.

> (*Largo silencio. La voz de Georgina llega por úl-*
> *tima vez, desde muy lejos, llamando a Ana. Ella se*   940
> *sobresalta y se levanta, mirando a la puerta. Le*
> *tiemblan los labios.*)

Silvano.—Sí, Ana. Te llaman. (*Ana le mira con ojos de animal*
desvalido.) Vuelves a tener miedo... (*Ella asiente, com-*
pungida.) ¡Corre! ¡Aún los alcanzas!   945

(*Se aparta hacia la derecha.*)

Ana.—¡No! ¡Eso, no! (*Se acerca.*) Pero, si tú quisieras, Silvano...
¡Aún podríamos salvarnos!

Silvano. (*Todo su cuerpo se endurece.*)—¿Marchándonos?

Ana.—No.   950

Silvano. (*Desconcertado, se vuelve.*)—¿Cómo?

Ana. (*Lo abraza.*)—¡Creo que hay un medio!

[84] **yo estoy hecho para morir**   I am doomed to die

SILVANO. (*La estrecha con fuerza; le tiembla la voz.*)—¿Cuál?

ANA.—¡Decirles que nosotros matamos a Goldmann! ¡Ellos
955   tratarían bien a cualquiera que ofreciese su cadáver!
¿Quieres?...

SILVANO. (*Se desprende suavemente.*)—No.

(*Cruza hacia la izquierda.*)

ANA.—¡Tendríamos la vida! ¡La felicidad! Y nos concederían
960   también la vida del niño...

SILVANO.—Y aún más cosas. Felicitaciones a los asesinos de Goldmann... Mercedes y privilegios para ellos... Benévolas en-
trevistas de Prensa con los patriotas conscientes que
supieron comprender la necesidad de eliminarlo y re-
965   conocer los derechos del invasor... Toda la fea literatura
de la traición. ¿Te das cuenta? No puede ser... Goldmann
era un ministro de Surelia. No podemos especular con su
cadáver. (*Se acerca y le pasa la mano por los hombros.*[85])
Mi pobre Ana, has empezado muy tarde a aprender. Aún
970   no sabes lo que es vencer, ni lo que es vencerse [86]... ¡Y te
queda ya tan poco tiempo...!

ANA. (*Sumisa.*)—Ayúdame tú. No soy más que una pobre mujer
que todavía quisiera vivir.

(*Silvano la conduce y la sienta. Sale en seguida por
975   la derecha y vuelve, trayendo al niño. Se miran.*)

SILVANO.—Toma. Debemos prepararnos. (*Ella lo coge, agra-
decida, y lo mece suavemente. El va hacia la ventana de
la izquierda y mira.*) Las nubes se están yendo... El campo
está ya soleado, allá lejos. Y todo está tranquilo... No se
980   oye nada.

ANA.—Es curioso. Ya no tengo miedo. (*Mira a su alrededor con
ojos asombrados y serenos.*) Y todo me parece nuevo, dis-

[85] **le pasa . . . hombros** he puts his arm around her shoulders
[86] **lo que es vencer . . . vencerse** what it means to triumph over others or to
win a victory over oneself

Foto de M. Santos Yubero

Silvano y con el niño de Isabel.

tinto. Me cuesta creer [87] que ahí dentro pueda estar Goldmann, muerto. Ni siquiera mi antiguo nombre me dice
nada: me parece el de una extraña. Es como si siempre me   985
hubiese llamado Ana. (*Le mira.*) Y como si hubiese estado
siempre contigo.

---

[87] **Me cuesta creer**   I find it difficult to believe

SILVANO. (*Que se fue acercando,*[88] *se sitúa a su lado.*)—Este es
nuestro hijo, Ana. Sí. Es nuestro, y lo vamos a intentar
990   salvar con nuestra sangre, como los padres hacen con sus
hijos.

(*Con una tierna mirada hacia arriba, Ana eleva su
mano, que él toma y estrecha contra su pecho. Ella
se estremece.*)

995 ANA.—¡Silvano!

SILVANO.—Dime, Ana.

ANA.—No sé... Yo... No sé explicártelo... (*Sonríe.*) Ya ves qué
tontería. Siento como si ya hubiera buscado tu mano así,
en alguna otra ocasión..., que hubiese olvidado.

1000 SILVANO. (*Musita.*)—Puede ser, Ana. Puede ser. (*Se desprende
y se aleja unos pasos. Ella le mira, inquieta. De pronto,
con los ojos muy abiertos por el asombro, va a hablar.
El se pone un dedo en los labios.*) ¡Chist! No digas nada.

ANA.—Es que...me parece recordar... ¿Será posible? Tú dijiste
1005   ayer algo que...

SILVANO. (*Muy quedo.*)—No hables.

(*Un silencio.*)

ANA. (*Con un temor diferente.*)—¿Qué nos sucede, Silvano?
¿Estamos vivos? ¿O hemos muerto ya y no lo sabemos?

1010 SILVANO.—Aún tenemos que lograr algo en esta vida; aún
estamos vivos. Pero los invasores ya están cerca. ¿Sabrás
afrontar...lo que nos traen?

ANA.—A tu lado, sí.

SILVANO.—Y, sin embargo, no valgo nada. (*Pasea.*) Nunca he
1015   sabido vivir, ni luchar. Si supiese luchar, me habría ido a
las montañas con las guerrillas... (*Sonríe, en un triste rapto*

---

[88] **Que se fue acercando** Who had been drawing near

de humorismo final, mientras mira al cartel.) Con lo que,
ya ves, hubiera venido a cumplir la consigna de Goldmann... (*Grave.*) Pero hay otras maneras de vencer. (*La
mira.*) ¿Está tranquilo el niño?   1020

ANA.—Sí.

(*Le acaricia suavemente la cabecita.*)

SILVANO. (*Se acerca.*)—A propósito, ¿cómo se llama?

ANA.—Ella no lo dijo.

(*Una pausa. Ha comenzado a oirse un lejano ruido*   1025
de motores, que aumenta rápidamente de intensi-
dad.)

SILVANO.—Calla. (*Los dos escuchan.*) Sí.

(*Se miran. Ana se levanta y mira a la puerta. Sil-*
vano la abraza por la cintura. Las motocicletas   1030
llegan y paran, en medio de un estrépito atronador.
Unos segundos de silencio. La puerta se abre de
un puntapié y la falleba de la ventana de la
izquierda salta. En la puerta hay un Sargento
enemigo y dos Soldados apuntando con los fusiles   1035
ametralladores. Por la ventana salta otro Soldado
armado y se queda junto a ella. Los de la puerta en-
tran; los dos Soldados se abalanzan a la pareja y la
cachean rápida y brutalmente. El Sargento les hace
después una seña para que registren. Cada uno   1040
entra en seguida en un dormitorio, abatiendo las
puertas con el pie. El Sargento enfunda su pistola.)

SOLDADO PRIMERO. (*Saliendo del dormitorio de mujeres.*)—Una
mujer muerta, sargento. Creo que de hambre. Esta es su
documentación.   1045

SARGENTO ENEMIGO. (*Toma la carta y la mira.*)—De Valderol.
¿Cómo es?

SOLDADO PRIMERO.—Joven y mal vestida.

SOLDADO SEGUNDO. (*Saliendo del otro dormitorio.*)—Un hombre
1050   muerto de dos tiros. Reciente.

> (*Entrega al Sargento una carta de identidad.*)

SARGENTO ENEMIGO. (*Lee.*)—"Alejandro Fischer. Dentista." Cualquiera sabe.[89] (*Se encoge de hombros.*) De todos modos, ya
está muerto. (*A Silvano.*) ¿Entiendes mi lengua?

1055 SILVANO.—Sí.

SARGENTO ENEMIGO.—¿Lo has matado tú?

ANA.—¡No! Lo mató uno...que se ha ido.

SARGENTO ENEMIGO.—¿Por qué?

ANA.—Acompañaba a la muchacha..., y ese hombre quiso for-
1060   zarla.

SARGENTO ENEMIGO. (*Ríe.*)—¡Monsergas! ¿Es éste un albergue de
evacuación?

SILVANO.—Sí.

SARGENTO ENEMIGO.—¡Vuestros documentos! (*Ana y Silvano sacan*
1065   *sus cartas de identidad. El Sargento las toma y lee.*) "Silvano, catedrático." "Ana Veidt, mecanógrafa." ¡Bah! En
mi vida cumplí una misión más estúpida.[90] (*Le da todos*
los documentos al Soldado tercero.) La gasolina.

SOLDADO PRIMERO.—A la orden.

1070   (*Sale para volver en seguida con un bidón que va*
volcando por el suelo y en el interior de los dormi-
torios.)

SOLDADO SEGUNDO.—Sargento.

SARGENTO ENEMIGO.—¿Qué?

1075 SOLDADO SEGUNDO. (*Señala la mesa.*)—Una pistola.

---

[89] **Cualquiera sabe.**   It's anyone's guess.
[90] **En mi vida . . . estúpida.**   I've never in my life carried out such a stupid
mission.

SARGENTO ENEMIGO.—¡Ah! ¿Conque un arma? [91] (*La coge, saca el cargador y comprueba los cartuchos que faltan. Señala al dormitorio.*) Tú lo has matado, ¿eh?

SILVANO.—No...

SARGENTO ENEMIGO. (*Ríe.*)—Catedráticos, dentistas, mecanó- 1080
grafas..., pero con armas. ¡Guerrilleros y asesinos hasta el final! ¡Ahora lo pagaréis!

> (*Se guarda la pistola y va a irse. Silvano da unos pasos tras él.*)

SILVANO.—Sargento, este niño no es culpable de nada. Tienes 1085
que salvarlo.

SARGENTO ENEMIGO.—¿De veras? ¿Y todos los que nos habéis matado vosotros? [92]

SILVANO.—Este niño no ha matado a nadie.

SARGENTO ENEMIGO (*Sin hacerle caso, al Soldado del bidón.*) 1090
¡Más aprisa! (*Mira su reloj.*) Tenemos que ocupar la estación antes de las ocho.

> (*El Soldado primero sale por el foro y vuelve a poco sin el bidón.*)

ANA. (*Se adelanta.*)—¡Por caridad, escúchenos! El niño está muy 1095
débil, pero aún vive. Usted puede evacuarlo hacia atrás... Tiene que tomar leche en seguida. No mama desde ayer.

SARGENTO ENEMIGO.—¿No es tuyo?

SILVANO.—Es de la muchacha muerta. Y su padre...es un soldado de los vuestros. 1100

SARGENTO ENEMIGO. (*Lo agarra y le abofetea brutalmente.*)—¿Nos insultas, bribón?

SILVANO.—La guerra es terrible, sargento... Yo no acuso a nadie. Ella era de Valderol, donde vosotros estuvisteis cuatro meses. 1105

---

[91] **¿Conque un arma?** So you have a weapon?
[92] **¿Y todos los que . . . vosotros?** And what about all of *our* children you've killed?

Foto de M. Santos Yubero

Soldados del partido enemigo, Ana con el niño de Isabel, y Silvano.

(*El Sargento afloja la presión de sus manos. Luego lo despide de un empellón y se encamina a la puerta.*)

SARGENTO ENEMIGO.—No puedo encargarme del crío.

1110 ANA. (*Iracunda.*)—No puedes, ¿eh? Primero los engendráis, y luego..., que se mueran. ¡Canallas!

SILVANO.—¡Ana!

ANA.—Después volveréis a vuestras casas y besaréis a vuestras mujeres y a vuestros hijos, sin acordaros de la pobre
1115 criatura que habéis dejado morir. ¿Sabes si acaso es tuyo? [93] ¿Estuviste tú en Valderol? ¿Y tú? ¡No importa! ¡Ame-

---

[93] ¿**Sabes . . . tuyo?**   Can you be certain that it is not perhaps your own?

tralladle también! ¡Quién sabe si ametralláis a vuestro
hijo! [94]

(*El Sargento vuelve despacio hacia ella con ojos
duros. El Soldado de la ventana da un paso al*   1120
frente.)

SOLDADO TERCERO.—Mi sargento.

SARGENTO ENEMIGO.—¿Qué?

SOLDADO TERCERO.—Digo yo que, a la que vuelvo [95] con el parte,
podría llevar al crío al primer puesto de Sanidad [96]...   1125

(*Un silencio. El Sargento lo mira fijamente.*)

SARGENTO ENEMIGO.—¿Estuviste tú en Valderol?

SOLDADO TERCERO. (*Baja la cabeza.*)—Sí, mi sargento.

SARGENTO ENEMIGO. (*Después de un momento.*)—Coge al niño.

(*Ana mira a Silvano y besa al niño con honda*   1130
ternura. El Soldado tercero se cuelga el fusil [97] y
toma al niño de los brazos de Ana.)

ANA. (*Llorando.*)—¡Llévelo con cuidado!

SILVANO.—¡Con mucho cuidado!

SARGENTO ENEMIGO.—¿Qué haces ya? ¡Vuela!   1135

SOLDADO TERCERO.—A la orden.

(*Sale. Los rayos del sol están incendiando el exterior. Ana y Silvano se miran y se cogen de las
manos.*)

[94] **¡Quién sabe . . . hijo!** Perhaps you'll gun down your own son!
[95] **a la que vuelvo**   *i.e.,* **a la hora que vuelva**
[96] **a la que vuelvo . . . Sanidad**   When I return with the urgent message, I
could take the kid to the nearest First Aid Station
[97] **se cuelga el fusil**   slings the gun over his shoulder

1140 SARGENTO ENEMIGO.—Terminad pronto vosotros. Y nada de historias con la mujer, ¿eh? [98] No hay tiempo que perder.

(*Los Soldados arrinconan a la pareja hacia la derecha, examinan sus armas y se miran. Luego retroceden para ganar distancia.*)

1145 SILVANO.—Tú lo conseguiste, Ana mía.

ANA.—Pero tú me enseñaste a hacerlo. ¡Silvano! ¿Es así? ¿Es esto vencer?

SILVANO.—¡Sí! ¡Esto es vencer!

1150 (*Sus manos se aprietan fuertemente: se sueldan para la eternidad cercana. Los soldados elevan despacio sus armas, a punto de disparar. Pero Silvano y Ana están ya por encima de todo temor: ellos han vencido. Erguidos y sonrientes contemplan ahora la boca de los fusiles. No alcanzamos a verlos* 1155 *caer.*[99] *Antes cae el telón.*)

TELÓN

---

[98] **Y nada de . . . mujer, ¿eh?** And I'll have no nonsense from the woman, do you hear?
[99] **No alcanzamos a verlos caer.** We do not witness their death.

Las Palabras en la arena

TRAGEDIA EN UN ACTO

PERSONAJES

ASAF, jefe de la Guardia del Sanhedrín
NOEMI, su esposa
LA FENICIA, sierva
JOAZAR, sacerdote del Templo
MATATÍAS, fariseo
GADÍ, saduceo
ELIÚ, escriba

La acción en Jerusalén, hacia el año 30 de la Era Cristiana

Derecha e izquierda, las del espectador.

Esta obra se estrenó la noche del 19 de diciembre de 1949 en el Teatro Español de Madrid. Ganó el primer premio de la Asociación de Amigos de los Quintero en 1949.

Nota sobre el título. Buero Vallejo dice en una carta (2–7–65): " 'Escribía en tierra,' dice la Escritura. Es admisible suponer, pues, un lugar del templo aliado, quizá visible desde fuera—como un atrio—con piso de tierra. Que esta tierra sea arenosa, es asimismo posible; y muy conveniente para el argumento, pues lo que se escribe en la arena se borra aún mejor—por el viento, por ejemplo—que lo escrito en tierra."

Acto único

Un polvoriento camino limitado por el cercado [1] de la casa de Asaf.
Es un cercado muy bajo de tierra encalada que corre a lo largo de la
escena, con un portillo en el centro y un poyo a la derecha de éste. Tras
él se encuentran la casa y el huerto: una casa enjalbegada de una sola
planta, pobre para nuestros ojos de hoy, y de la que se ve un ángulo,
perdiéndose el resto en el lateral derecho.[2] La monotonía de su pared
sólo es interrumpida por la puerta, bien visible para el caminante, y
una ventana con celosía. A la izquierda está el huerto, donde la familia
cultiva legumbres para su sustento, y un par de árboles frutales. Puede
divisarse entre ellos la parte posterior del cercado, tras la que se pierde
un confuso atisbo de callejuelas y terrazas. La mañana es seca y
ardiente, relampagueante de azul, y la blancura de los muros devuelve
la calcinada crueldad del sol.

*(La Fenicia, sierva de la casa, sale al huerto con una
espuerta para recoger hortalizas. Es joven, pero*

[1] **limitado por el cercado** separated by the fenced-in enclosure
[2] **perdiéndose . . . derecho** with the rest (of the house) extending out of sight
into the right wing

*seca y angulosa, de menudos ojos inquisitivos y
vivos ademanes. Nada más salir,[3] espía hacia el interior y luego, tranquilizada, extrae de entre sus
ropas un higo seco y lo mastica con culpable
fruición. Dirige una despectiva mirada a la azadilla,*   20
*que descansa en el ángulo de la pared, y tira la
espuerta junto a ella, sin dejar de escuchar. La voz
de Noemi, desde dentro, la sobresalta.)*

NOEMI. *(Desde dentro.)*—Coge sólo seis o siete, las que estén
más granadas. *(Pausa.)* ¿Me oyes, Fenicia?   25

LA FENICIA. *(Tragándose precipitadamente el higo antes de responder.)*—Sí, ama. *(Escucha un momento aún y, después,
feliz, corre al cercado. Empieza a comer otro higo y se
acomoda sobre el borde para mirar a la izquierda del
camino. A juzgar por su turbia sonrisa y su actitud, está*   30
*contemplando algo que ocurre a lo lejos y que le interesa.
Después comenta en voz alta, dirigiéndose a la casa.)* El
Rabí está predicando otra vez en las gradas del Templo.
(Silencio. Para sí misma.[4]) Qué fastidio, no poder enterarse... Si mis orejas fueran tan buenas como mis ojos.   35
(Haciendo pabellón con la mano.) ¿Tal vez...se oye? *(De-
sencantada.)* No. No se oye. *(Sigue mirando. Pausa. Se mete
otro higo en la boca.)*

NOEMI. *(Desde dentro.)*— ¿Hay mucha gente?

LA FENICIA. *(Tragando aprisa.)*—Mucha. Cada día más. *(Pausa.)*   40

NOEMI. *(Desde dentro, con tono de ira.)*—¡Otra vez nos ha ro-
bado higos!

LA FENICIA.—No, ama...

NOEMI. *(Desde dentro.)*—¡No mientas! Se te nota en la voz.[5]

LA FENICIA. *(Tragando de nuevo.)*—De veras que no, ama.   45
(Pausa breve.) Hay mucho gentío...y muchas mujeres...
Es muy buen mozo el Rabí. *(Sin dejar de mirar.)* Ahora

---

[3] **Nada más salir** As soon as she comes out
[4] **Para sí misma.** To herself.
[5] **Se te nota en la voz.** One can tell by your voice.

desemboca un tropel por la cuesta vieja [6]... Me parece
distinguir entre ellos a... *(Pausa.)* Sí. Es el amo.

50   NOEMI. *(Desde dentro.)*—¿Asaf?

LA FENICIA.—Sí. ¡Le brillan todas las armas! Va con gentes del
Templo y del Sanhedrín.[7] *(Con júbilo.)* ¡Ah, ya veo! [8]
Traen a una mujer. ¡Van a lapidar a una mujer! *(Lanza
en seguida una expectante y burlona ojeada a la casa para*
55   *seguir mirando con aparente atención. Pausa. En la puerta*
de la casa asoma Noemi, conteniendo su agitación y tra-
tando de ocultar su miedo. Noemi es hermosa: tiene la
hermosura violenta y gastada de muchas mujeres morenas.
Sus ojos son profundos, cansados, asustados. Grandes
60   *ojeras los circundan. La boca es dura y sensual con un*
pliegue amargo. Mira fijamente a La Fenicia, que advirtió
su llegada, pero que finge ignorarla y sigue hablando entre
sonrisas [9] *que Noemi no puede ver.)* Ahora hablan con
el Rabí y le muestran a la mujer... ¡La han tirado a sus
65   pies...! Y cogen piedras... Gritan. Todos gritan y gesti-
culan... *(Haciendo otra vez pabellón.)* Sí. Parece que se
oye [10]... ¡Adúltera! Eso gritan. ¿No oyes, ama?

NOEMI.—No. No oigo.

LA FENICIA.—¿Estabas aquí? Tus pasos son como de gacela...
70   Nunca se te siente.[11] ¿Vienes a verlo? *(Pausa.)*

NOEMI.—¿Qué hace el Rabí?

LA FENICIA. *(Divertidamente impresionada.)*—Espera... Sí. Parece
como si estuviese...dibujando o escribiendo en el suelo...
(Alborozada.) ¡Es como un niño ese Rabí! Se ha agachado
75   y dibuja en la arena... Todos le preguntan con violencia...
El amo no se queda atrás, se mueve por diez... Pero él no
los escucha.[12] *(Pausa.)*

[6] **Ahora desemboca . . . vieja**   Now there's a large crowd surging down the
old slope
[7] **Sanhedrín**   Sanhedrin *(an aristocratic tribunal or council of ancient Jews
of Jerusalem, headed by a high-priest, who passed judgment on matters of
state or religion)*
[8] **¡Ah, ya veo!**   Oh! I see now!
[9] **entre sonrisas**   with contemptuous smiles
[10] **Parece que se oye**   One can almost hear it
[11] **Nunca se te siente**   One can never hear *(lit., feel)* you approach
[12] **El amo . . . escucha.**   The master, not to be outdone, questions the Rabbi
with the violence of ten men . . . But he (the Rabbi) does not listen to them.

NOEMI.—¡Óyeme!

LA FENICIA.—No los escucha... Ahora se levanta y dice algo. La mujer no se mueve. ¡Semeja una muerta! 80

NOEMI.—¡Óyeme! (*La sierva se vuelve súbitamente y atiende.*) ¡Deja ya de fisgar,[13] deja al Rabí, y al amo, y...a los demás!

LA FENICIA.—Yo fisgaba, ama, porque tú preguntabas. Creí que te gustaría saber. 85

NOEMI.—¡No me importa! (*Pausa breve.*) Acércate. (*La Fenicia se aproxima.*) Has de hacerme ahora un servicio muy importante... Ya sabes...

(*Pausa. No sabe cómo continuar.*)

LA FENICIA. (*Insinuante.*)—¿Acaso, ama, quieres decirme algo 90 para el centurión Marcio? (*Pausa.*) Ama, tu pie sobre mí.[14] Habla sin reparo a tu sierva. Yo iré con gusto a avisarle; Marcio es bondadoso y generoso.

NOEMI.—Le dirás que mi señor marcha esta tarde a Betshaida.[15]

LA FENICIA.—Lo sé. 95

NOEMI.—Calla... Va custodiando[16] un envío de la Sinagoga. Tardará cinco días en volver...

LA FENICIA.—Cinco días de dicha para mi ama, cinco noches de fresco amor...

NOEMI. (*Disgustada.*)—Déjame concluir. 100

LA FENICIA. (*Con falso afecto.*)—No te canses, ama. Debo decirle que venga esta noche, después de completas y entre por el sitio que conoce. Que tú le aguardas[17] llena de gozo, que reservas para él alegrías que no se pueden nombrar. Y que vuelva, que vuelva todas las noches, que tú le 105 esperas siempre... Y que sea muy discreto, y que le adoras.

---

[13] **Deja ya de fisgar** Stop prying into other people's affairs
[14] **tu pie sobre mí** you may trample on your obedient slave
[15] **Betshaida** *A town near the sea of Galilee*
[16] **Va custodiando** He is in charge of
[17] **Que tú le aguardas** *The indicative as well as the subjunctive verbs in these clauses depend on the main verb* (**debo**) **decirle:** I should tell him that, (*or*) I should tell him to + *inf.*

NOEMI. (*Molesta.*)—Tú todo lo sabes.

LA FENICIA. (*Con una risita.*)—¿Equivoqué algo?

(*Se mete con descaro un higo en la boca.*)

110 NOEMI. (*Con ira.*)—¿Qué esperas? ¡Parte ya! (*Temerosa.*) ¡Pero guárdate, recátate mucho, por Jehová![18]

LA FENICIA.—Tu pie sobre mi cabeza, paloma. Descansa en mí.[19]

(*Sale por et portillo y se dispone a marchar por la derecha.*)

115 NOEMI.—Espera. (*La sierva se detiene. Pausa breve. Sin mirarla.*) Dime qué hacen ahora frente al Templo.

LA FENICIA.—¿No quieres mirar? (*Afable.*) ¡Como una rosa encarnada estás![20] ¡Yo he de decirle a Marcio de tu hermosura! (*Va hacia la izquierda para mirar. Pausa.*) No han

120 lapidado a la mujer; todos se van. El Rabí sigue escribiendo en el suelo... Ahora se levanta y habla con ella. ¡Apenas se atreve a levantar la vista!

(*Noemi inclina la cabeza.*)

NOEMI.—Basta. Vete ya. Y sé discreta.

125 LA FENICIA. (*Marchando aprisa hacia la derecha.*)—¡Que cieguen mis ojos si otros ojos me ven con Marcio![21]

(*Sale. Luchando consigo misma, se aproxima Noemi al cercado. Decídese, al fin, a mirar para la izquierda. Con un gesto de alarma se echa el velo[22]*

130 *y entra presurosa en la casa. Pausa. Mirando con*

[18] **por Jehová!**   for God's sake! (*Jehovah is the most solemn name given to God, signifying "self-existent"*)

[19] **Descansa en mí.**   Depend on me.

[20] **¡Como . . . estás!**   You look like a blushing rose! (*The sly implication is that she is blushing with shame*)

[21] **¡Que cieguen . . . Marcio!**   May I be struck blind if I allow anyone to see me with Marcio!

[22] **se echa el velo**   she pulls the veil over her face

miedo y rencor hacia atrás entra, por la izquierda,
Eliú, el escriba. Es pequeño y ratonil.)

ELIÚ. (*Mascullando, a su pesar.*)—Ladrón...de los dineros...de los
pobres.

(*Sale por la derecha. Entra en seguida, por la iz-*   135
quierda, Gadí, el saduceo.[23] *Es grueso, de piel relu-*
ciente. También mira atrás, aunque con más disi-
mulo. Luego, divisa al escriba y le llama.)

GADÍ.—¡Eliú! ¡Eliú! (*Pausa.*) Este cochino escriba [24] no quiere
explicaciones. ¡Eliú! (*Se encamina a la derecha. Eliú apa-*   140
rece de nuevo, con los ojos bajos.) Acércate. ¿Es que huyes
del galileo? (*Pausa.*) ¡Acércate! (*Eliú se acerca.*) ¿Huyes del
Rabí?

ELIÚ. (*Estallando.*)—¡Maldición sobre ti y sobre todos los impíos
saduceos como tú! También tú huyes de él.   145

GADÍ.—Buscándote a ti y a todos los cobardes que nos habéis
abandonado.

ELIÚ.—No había motivo para lapidar a la mujer. Yo no vi nada.

GADÍ.—No, claro. Tú no les mulliste el lecho. No sería por falta
de ganas.[25]   150

ELIÚ.—¿Lo hiciste tú, acaso?

GADÍ.—¡Gallina! de sobra sabes que había testigos. Otras veces
se ha lapidado con menos pruebas. (*Pausa.*) Pero el Rabí
escribió unas palabritas en el suelo...y el escriba Eliú
corrió con el rabo entre las piernas.   155

ELIÚ.—Y como para el saduceo Gadí también hubo palabritas...
Gadí fue a ver adónde marchaba Eliú.

GADÍ.—¡Deslenguado! ¡Maldita simiente farisaica! [26]

---

[23] **el saduceo** the Sadducean (*one belonging to a special Jewish sect which
denies the immortality of the soul*)
[24] **Este cochino escriba** This pig of a scribe
[25] **No sería . . . ganas** You certainly would have liked to (*i.e.,* sleep in that
bed first)
[26] **¡Maldita simiente farisaica!** Cursed be the blood (*lit.,* seed) of the Pharisees!

ELIÚ.—¡Sí! Simiente de fariseo soy. Ellos son puros, son santos. Valen mucho más que vosotros.

160

GADÍ. (*Señalando a la izquierda.*)—¡Pues aquí tienes a tu amo, perro! (*Por la izquierda aparece Matatías, el fariseo. Es alto y flaco; nunca mira de frente.*[27] *Aunque viene nervioso, adopta en cuanto ve a los otros, un aire austero y reposado. Avanza con la vista baja, moviendo como con pena la cabeza.*[28] *Resuenan sordamente unas filacterias. Gadí, burlón.*) ¿Huyes, Matatías?

165

MATATÍAS.—No huyo de nada ni de nadie. ¡Jehová está conmigo! (*Incapaz de reprimir su rabia.*) ¡Y la ira de Jehová me posee! ¡Hay que matar a ese agitador que se atreve a profanar las gradas del Templo con sus plantas impuras! (*Aspavientos.*)

170

ELIÚ. (*Reverencial.*)—Así sea.

MATATÍAS.—Escrito está: "No darás oído a las palabras del tal profeta, ni a tal soñador de sueños; porque Jehová vuestro Dios os prueba para saber si le amáis." Y también; "El tal profeta o soñador de sueños ha de ser muerto; por cuanto trató de rebelión contra Jehová vuestro Dios." [29]

175

GADÍ.—Te altera demasiado lo que ha escrito ese Rabí.

180

MATATÍAS.—¡No le llames Rabí! Los rabís sólo están en los templos. Ese es un galileo inmundo. ¡Sea anatema sobre él! [30]

GADÍ.—Pero aunque ese galileo escribiese en la arena...

ELIÚ. (*Rencoroso.*)—Mucho te preocupan sus escritos. Motivos tienes.

185

GADÍ. (*Furioso.*)—¿Qué insinúas, perro?

ELIÚ.—¡Perro del Señor, para morderte!

(*Se han oído carcajadas cercanas, y Matatías volvióse para otear el camino. El saduceo y el escriba*

---

[27] **nunca mira de frente**   he never faces anyone (looks squarely at anyone)
[28] **moviendo . . . la cabeza**   shaking his head sorrowfully
[29] **por cuanto . . . Dios**   because of all his rebellious acts against your God, Jehovah (*both quotations are taken from the Bible, Deuteronomy, XIII: 3, 5*)
[30] **¡Sea anatema sobre él!**   May he be excommunicated!

sólo atienden a su odio. Matatías adopta posturas
conciliadoras para ser visto de los que llegan.)   190

MATATÍAS.—Paz entre nosotros, y que el Señor haga fructificar
nuestra unión contra el galileo...

> (*Llegan, por la izquierda, Asaf y Joazar; éste es*
> *sacerdote del Templo. Erguido, aunque viejo, su*
> *barba blanca ennoblece un rostro duro y enérgico,*   195
> *de acusada nariz aguileña. Asaf, jefe de la milicia*
> *del Sanhedrín, es joven, pueril y arrabatado. Viste*
> *arreos militares. Eran de él las risas y sigue riendo,*
> *mientras señala con el dedo a los otros tres.*)

ASAF.—Míralos, sacerdote. Aquí vinieron a parar de su fuga.   200
Talmente ante mi casa. ¿Tanto os turbaron las palabras
que escribió el Rabí?

MATATÍAS.—¡No le llames Rabí!

JOAZAR. (*Sentencioso.*)—No lo es.

ASAF. (*Riendo.*)—Le llamaré entonces Mesías, como sus adeptos...   205

MATATÍAS.—¡Abominación sobre ti!

JOAZAR. (*Grave.*)—Cálmate, Asaf.

ASAF.—Lo cierto es que ese Mesías, o Hijo de David, o como
queráis llamarle...

MATATÍAS.—¡Galileo!   210

ASAF.—Ese galileo os ha hecho huir a todos. Y allí quedó la mujerzuela que merecía la muerte. (*A Joazar.*) Tú como sacerdote del Templo debiste imponerte. Mas también huyes
del galileo.

JOAZAR.—No es cierto.   215

ASAF.—¡Sí! ¡Es cierto! Y todo, ¿por qué? Por unas insignificantes
palabras en la arena. Por unas palabras que borra el
viento. (*Empieza a reír hasta estallar otra vez en carca-*
jadas.) Ese Rabí (*gesto del fariseo*), no carece de humor.
(*A Eliú.*) ¿Qué escribió para ti? (*Pausa.*) ¿Prevaricador?   220

ELIÚ. (*En ascuas.*)—No me acuerdo.

GADÍ. (*Riendo, contagiado.*[31])—Yo lo vi; estaba a su lado. Puso...

ELIÚ.—¡Calla, vil embustero!

GADÍ. (*Entre el regocijo de los demás, menos Matatías, que nunca
225   ríe.*)—Puso: "Ladrón de los dineros de los pobres."

ELIÚ. (*Fuera de sí.*)—Reíd, reíd. Yo os digo que el galileo es
mago y tiene poder de adivinación. Se equivocó conmigo,
pero...

ASAF. (*Muy divertido.*)—¿Se equivocó contigo?

230   ELIÚ—Pero yo vi lo que escribió para Gadí. ¡Bien te adivinó!

GADÍ. (*Repentinamente serio.*)—Simplezas.

ELIÚ. (*Silabeando con odio.*)—"Corruptor de niñas." Eso puso el
galileo para ti.

GADÍ. (*Rojo.*)—No sabes lo que dices. Quieres distraer la aten-
235   ción de tus robos calumniándome.

ELIÚ.—¿Olvidaste ya tu historia con la huerfanita?

MATATÍAS (*Con los brazos en alto.*)—¡Tapóname los oídos, oh
Jehová, y presérvame de inmundicia!

ASAF.—No reces en voz alta al señor. También para ti hubo.[32]

240   MATATÍAS.—¡Mentiras, grandes mentiras serían! Ni siquiera las
leí.

ASAF.—"Hipócrita...y lujurioso."

MATATÍAS.—Falso. De evidente falsedad. Hace quince años que
soy casto por el favor divino.

245   ASAF. (*Con zumba.*)—Por eso te brillaban tanto los ojos ante el
pecho desnudo de la adúltera.

MATATÍAS.—¡De indignación! ¡De santa ira contra el pecado!

ELIÚ.—Ese hombre tiene poder; un poder infernal. Dicen que
pasó años instruyéndose con los esenios.[33]

250   JOAZAR. (*Terminante.*)—Los esenios no son magos. Es intolerable
que un escriba crea en ese infundio popular.

---

[31] **Riendo, contagiado.** He laughs, infected (by Asaf's laughter).
[32] **También para ti hubo.** There were also words for you.
[33] **los esenios** the Esseni (*sing.*, Essene) (*members of a severely ascetic brotherhood among the Jews of Palestine from the 2nd century B.C. to the 2nd
century A.D.*)

Eliú.—Los esenios no serán magos. Pero Jesús lo es. Acertó con todos..., salvo en mi caso..., y en el de Matatías. Para otros escribió también cosas muy verdaderas de su intimidad. (*Pausa breve. Con respeto y malicia.*) Y si el sacerdote   255
accede a decirnos lo que para él puso con el dedo...

Joazar.—¡Bah! A mí me puso "ateo." (*Un silencio expresivo.*) ¡A mí, a un sacerdote del Templo de Jerusalén! (*Ríe, pero nadie ríe con él. Pausa.*) Es un falso profeta, y hay que matarle.   260

Eliú, Gadí y Matatías.—¡Hay que matarle!

Asaf.—Hay que conseguir que Roma nos deje matarle,[34] o que el pueblo lo mate a pedradas, como habría hecho hoy con la mujer si no es por él.

Joazar.—Le prepararemos una hábil y *espontánea* lapidación...   265

Gadí.—Tan *espontánea* como la de hoy, pero más hábil...

Asaf.—Sin que nadie pida al limpio de pecado que lance la primera piedra...

Eliú.—Y Roma nada podrá decir.

Matatías.—¡Y la ley de Moisés [35] será cumplida! (*Pausa.*)   270

Eliú. (*Suave.*)—Y a ti, apuesto capitán, ¿qué te escribió?

Joazar.—En efecto, ¿qué escribió para ti?

(*Todos rodean a Asaf, que ríe francamente.*)

Asaf.—Todos decís que se ha equivocado con vosotros. ¡Conmigo sí que se equivocó! Y lo escribió para mí, no hay duda,   275
pues me miró antes de hacerlo.

Matatías.—¿Qué fue?

Asaf.—La mayor tontería que podáis imaginar. Algo que no hice nunca.

Eliú.—Dinos lo que fue. (*Pausa.*)   280

Asaf. (*Riendo.*)—Lo he olvidado, tan infantil era. ¡Bah! ¡Palabras en la arena!

---

[34] **Hay que . . . matarle** We must get Rome to let us kill him
[35] **Moisés** Moses (*great Hebrew prophet and lawgiver who led the Israelites out of Egypt*)

JOAZAR.—No lo quieres decir.

ASAF.—Porque es una tontería. (*Pausa. Ellos le miran disgustados*
285   *por su silencio.*) Bien, amigos; si entráis en mi casa, mi
esposa podrá serviros un refresco.

MATATÍAS.—¡Abominación sobre mí antes que me atreva a mirar
joven esposa alguna!

(*Vase por la derecha murmurando entre dientes,*
290   *seguido, servilmente, del escriba.*)

GADÍ. (*Burlón.*)—Como no sea con los ojos brillantes de santa
ira por el pecado ajeno, ya sabemos.[36] (*Volviéndose a los*
otros.) Declino tu oferta, Jehová sea con vosotros.

(*Los tres se inclinan y el saduceo se va por la de-*
295   *recha.*)

ASAF.—¿Y tú, sacerdote?

JOAZAR.—No quiero privarte de los últimos momentos de compañía con tu esposa Noemi. Pero no los hagas tan dulces
que se te pase [37] la hora de tu partida.

300   ASAF.—Ya no estamos en la luna de miel. Es la hora quinta, y
salimos a la nona.

JOAZAR.—El Señor sea contigo en este viaje.

ASAF.—El te guarde. (*Se va Joazar por la derecha. Asaf salta con*
ímpetu el cercado.) ¡Noemi! ¡Noemi!

305   (*Ella sale rápida de la casa y se arroja en los brazos*
de su esposo.)

NOEMI.—Mi señor... (*Se prodigan caricias. Quedan luego empare-*
jados.[38]) Te vi por la celosía. ¡Te esperaba con impaciencia! ¡Has tardado mucho!

---

[36] **Como no sea . . . sabemos.** We know only too well how much his eyes shine
in righteous anger for the sins of another. (*A sarcastic reference to Matatías'*
reaction to the adulteress' nude bosom)
[37] **que se te pase** that you will forget
[38] **Quedan luego emparejados.** They remain apart from the others (*i.e.*, as
a pair).

Asaf.—Aún tenemos cuatro horas para nosotros... ¿Está La Feni-   310
cia? (*Pausa breve.*)

Noemi.—Fue a un recado... (*Dulce.*) Estamos solos. (*El la besa
con pasión.*) ¡Pueden vernos!

Asaf. (*Contento.*)—Que rabie el que mire.[39] Ven.

> (*La conduce al portillo y salen. Él se sienta en el*   315
> *poyo y atrae sobre sus rodillas a la mujer.*)

Noemi. (*Mirando al camino.*)—Puede vernos algún fariseo...

Asaf. (*Risueño.*)—Como Matatías. ¿Le viste?

Noemi.—A todos os vi.

Asaf.—Le invité a entrar y me dijo: "Abominación sobre mí,   320
antes de mirar a ninguna joven esposa." Se marchó entre
aspavientos. Todo lo hizo a propósito porque habíamos
estado burlándonos de unas palabras que Jesús, el galileo,
escribió para él en la arena. Tú esto no lo sabes.

Noemi. (*Grave.*)—Lo sé.   325

Asaf.—¿Lo sabes?

Noemi.—Desde aquí se ve todo. Ibais a lapidar a una mujer.

Asaf.—Una adúltera. (*Noemi se desprende con suavidad para
sentarse a su lado.*) ¿Qué haces?

Noemi.—Así estamos mejor. (*Pausa breve.*) ¿Qué decías de esa   330
mujer?

Asaf.—Una impura. Una adúltera. La llevamos a la plaza para
lapidarla, y ese galileo...

Noemi.—¿El rabí Jesús?

Asaf.—No es un rabí, tonta. Es un galileo sucio y perverso.   335
Matatías discurrió pedirle su parecer para ponerle en un
apuro.[40] ¡Buena contestación recibió! Por eso se ha negado
a verte.

Noemi. (*Inquieta.*)—¿Cómo?

[39] **Que rabie el que mire.** Let anyone who sees us burst with envy.
[40] **Matatías . . . apuro.** Matatías contrived to ask his opinion in order to perplex him.

340　Asaf.—¡Claro! El galileo es muy listo. Eliú, el escriba, dice que
es mago. Yo no lo creo, pero hoy se arriesgó y supo acertar.[41] Empezó a escribir en el suelo y la gente que había a
su lado se marchaba rezongando. Pero Matatías insistía.
(Confidencial.) Le gustaba la mujer, ¿sabes? Le gustan
345　todas, y, como no se atreve a confesárselo, le da rabia.

Noemi.—¿Y Jesús?

Asaf.—Jesús escribió algo para él. (Recalcando.) "Hipócrita, lujurioso." Yo tenía que hacer esfuerzos para no reirme en
sus narices, al ver la cara que puso.[42]

350　Noemi.—¿Sí?

Asaf.—Pero ellos lo tomaron por lo serio. Son unos cobardones.
Hubo para todos.[43] ¿Sabes lo que le puso a Gadí?

Noemi.—¿Acertó con sus impurezas?

Asaf.—Justo: "Corruptor de niñas." Y a Eliú: "Ladrón de los
355　dineros de los pobres."

Noemi.—¿Será posible?

Asaf.—¿Te asombra? Pues espera a oir lo que escribió del
sacerdote.

Noemi.—¿De Joazar?

360　Asaf.—Sí. Escribió: "Ateo." (Ríe ruidosamente.) Es graciosísimo,
¿verdad?

Noemi. (Ríe débilmente.)—Sí.

Asaf. (Serio.)—Y todos se fueron avergonzados. La mujer se
salvó.[44] (Feroz.) Ya caerá en otra ocasión. (Pausa.)

365　Noemi.—Asaf...

Asaf.—¿Qué?

Noemi. (Vacilante.)—Me hace daño verte así, tan duro... No
pienses en esa pobre mujer y piensa en nuestro amor.
Quisiera verte siempre alegre, bondadoso, feliz... Como
370　eres.

[41] **pero hoy . . . acertar**　but today he risked it and hit the mark
[42] **Yo tenía que . . . puso.**　I had to make an effort not to laugh in his face
when I saw his reaction (i.e., the look on his face).
[43] **Hubo para todos.**　He had words for everyone.
[44] **La mujer se salvó.**　The woman was saved.

(*Le mira con angustiosa expectación.*)

ASAF. (*Violento.*)—¿Pobre mujer, dices? Ella pecó, se revolcó con un cualquiera, ¿y la compadeces? Rompió su hogar, traicionó arteramente a su esposo, ¿y la llamas pobre?

NOEMI.—Pero matar a un ser a pedradas...   375

ASAF. (*Gritando, casi.*)—¡La ley de Moisés es terminante!

NOEMI. (*Agria.*)—Hablas igual que un fariseo.

ASAF.—Y tú hablas lo mismo que el galileo, igual que ese agitador peligroso, que quiere destruir los hogares y perdonar, ¡siempre perdonar! Pero perdonando no puede haber fa-   380
milia, ni mujer segura, ni hijos obedientes, ni estado, ¡ni nada! (*Está rojo.*)

NOEMI. (*Temblorosa.*)—Asaf...

ASAF. (*Levantándose de golpe.*)—¡Calla! Sólo dices tonterías.

(*Se recuesta en el cercado, al otro lado del portillo.*   385
Ella vacila un instante y se levanta para ir, con fin-
gida humildad, a su lado.)

NOEMI. (*Zalamera.*)—¿Se ha enfadado mi señor?

ASAF. (*Volviéndose, con una media sonrisa.*)—Noemi, eres como una mula cananea.[45]   390

NOEMI.—¿No perdona mi señor a su esclava?

ASAF.—Sí, por esta vez. (*Nervioso, con la cara de ella entre las manos.*) Pero habrás de pagar por tus errores...

NOEMI.—En buena moneda de cariño... (*Le echa los brazos al cuello.*[46]) No deseo otra cosa.   395

(*Pausa. Él se desprende.*)

ASAF.—Hace calor. Mal viaje vamos a tener. Voy a refrescarme.

NOEMI.—¿Quieres que te prepare agua de naranja?

[45] **una mula cananea**   a Canaan mule (*Asaf probably means that Noemi is a foolish and stubborn woman*)
[46] **Le echa . . . cuello.**   She throws her arms around his neck.

ASAF.—No. Beberé hidromiel,[47] que da fuerzas. (*Llega al por-*
tillo.) Y tú..., ¿no entras?

NOEMI.—En seguida seré contigo.[48]

ASAF. (*Con una intensa mirada.*)—No tardes.

> (*Se dirige a la puerta. Ella contempla sus robustas*
> *espaldas con una indefinible expresión.*)

NOEMI.—Asaf.

ASAF. (*Volviéndose.*)—¿Qué?

NOEMI. (*Risueña y coqueta.*)—Quisiera preguntarte algo... Ya
sabes que soy muy curiosa.

ASAF. (*Con impaciencia complacida.*)—¡Acaba! [49]

NOEMI.—¿Qué escribió para ti el galileo?

ASAF. (*Brusco.*)—No sé.

> (*Entra rápidamente. Noemi se vuelve con el gesto*
> *en agonía.*[50] *Se tapa la cara con las manos y perma-*
> *nece así un largo rato. Bulliciosa y ladina, entra La*
> *Fenicia por la derecha y se la queda mirando.*)

LA FENICIA.—¡Ama!

NOEMI.—¡Ah! Me asustaste.

LA FENICIA (*Gozosa y enseñando una bolsa cuyo contenido hace*
tintinear.)—¡Mira lo que me dió! Tan contento se puso,
que no acertaba hablar. (*Inicia un grotesco bailecillo, ha-*
ciendo sonar las monedas.) Se puso pálido, pálido..., después rojo... (*Imitando la bronca voz del centurión.*)
"¡Toma!"—me dijo. ¡Cinco denarios, ama; cinco her-
mosos denarios de plata en bolsa bordada! ¡Cinco de-

---

[47] **hidromiel**   mead (*a fermented liquor made with water, honey, malt, yeast,*
etc.)

[48] **En seguida seré contigo.**   *An infrequent use of* **ser** *instead of* **estar** *to de-*
note location.

[49] **¡Acaba!**   Go ahead!

[50] **Noemi se vuelve . . . agonía.**   Noemi turns away, her face filled with
anguish.

narios, uno por cada noche! (*Los hace sonar y sigue bai-*   425
lando.)

NOEMI. (*Despavorida.*)—Calla, párate, por tus dioses.[51] El amo
está en casa y puede verte. ¡Para...! ¡Dios mío!

> (*Pero La Fenicia no hace caso. Deposita la bolsa*
> *en el suelo y danza a su alrededor en un arrebato*   430
> *de avarienta pasión.*)

LA FENICIA.—Cinco discos de plata como cinco lunas... Cinco
lunas propicias a mis deseos... Atesorar y comprar... Comprar y atesorar... La plata me rescatará... Hombres y ganado ella me dará [52]...   435

NOEMI.—¡Oh! ¡Calla, calla!

ASAF. (*Desde dentro.*) ¡Noemi! (*Un silencio angustioso. La sierva*
se detiene, resollante.) ¿No vienes, Noemi?

NOEMI.—Voy, mi señor...

> (*Asaf aparece en la puerta.*)   440

ASAF.—¿Qué haces? (*La Fenicia recoge aprisa su bolsa con mano*
trémula. Se le cae y las monedas resuenan débilmente. La
coge otra vez y la esconde en su seno. Asaf las mira en
silencio; después avanza y cruza el portillo. Noemi le
brinda una sonrisa que él no recoge.[53] Se encara con la   445
sierva, con la mano extendida.) Dame eso que se te ha
caído. (*Ella le mira, vacilando.*) ¿Oyes?

> (*La sierva, asustada, mira a su ama.*)

NOEMI.—Déjala, Asaf... Son tonterías suyas, abalorios... (*A la*
sierva, autoritaria.) ¡Entra en seguida! Ya has holgaza-   450
neado bastante.

LA FENICIA. (*Sumisa.*)—Sí, ama.

[51] **por tus dioses**   in the name of your gods
[52] **ella me dará**   it (the silver) will give me (men and cattle)
[53] **Noemi le brinda . . . recoge.**   Noemi offers him a smile which he disregards.

(*Quiere entrar, pero Asaf la retiene por un brazo.*)

Asaf.—Espera. Dame eso que sonó al caer.

455 Noemi.—Asaf, por Dios... La estás asustando...

Asaf.—¡Calla tú! (*A la sierva.*) ¡Vamos!

La Fenicia.—Amo, yo...no hice nada malo...

(*Con impaciente brusquedad él palpa sus ropas,
que responden con un claro sonido. Busca febril-
460 mente y saca la bolsa bordada. La abre ante las pe-
trificadas miradas de las dos y vuelca en su palma
las monedas, tirando la bolsa. Pausa.*)

Asaf. (*Furioso.*)—¡Sucia moneda romana! Esos eran los abalorios.
(*A la sierva.*) También tú te vendes a los tiranos, ¿eh?
465 Son más ricos que nosotros, ¿verdad? Pagan mejor. (*La
zarandea.*) ¡Hambrienta de dinero estás! ¿Qué servicio les
hiciste, di?

Noemi.—¡Asaf, no digas eso!

Asaf.—¡Calla, te digo! ¿Qué tienes tú que ver con esto? (*Noemi
470 enmudece, prudente. El apremia duramente a la sierva,
que tiembla.*) ¿Qué diste a cambio, loba...? ¡Contesta! ¿Qué
pudiste dar tú? ¿Tu cuerpo?

La Fenicia.—No, no, amo...

Noemi.—Asaf, no...

475 Asaf.—Yaciste con algún soldado piojoso, con algún legionario
borracho e impío..., como tú. ¡Azotada serás! ¡Hasta que
tus espaldas sean como un árbol rojo, para que no puedas
otra vez darlas al suelo,[54] para que no puedan soportar el
peso de la inmundicia extranjera! (*La sierva gime.*) Cinco
480 denarios de plata. ¡Mucho te quieren! (*Pausa.*) O elevado
es el gentil que te gozó.[55]

La Fenicia.—No..., no...

[54] **para que . . . suelo** so that you may not be able to lie down again with
your back to the ground
[55] **O elevado . . . gozó.** Or the one who possessed you was a fellow of some importance.

ASAF. (*Sin soltar a La Fenicia, repara en la bolsa caída.*)—Pero yo
conozco esa bolsa. Yo vi antes esa bolsa bordada de cuentas
verdes... (*Exaltado.*) ¡Ah, perra! ¡Yaciste con Marcio, el   485
centurión de la torre Antonia! ¿Cómo pudiste tú pren-
derlo, rata escuálida? ¡Lapidada debieras ser como la
adúltera de esta mañana!

LA FENICIA.—Perdón... Yo... (*Suplica a Noemi con la mirada.*)
Estoy limpia de eso que me atribuyes [56]... ¡No me azotes!   490
Soy una pobre sierva fenicia que sólo sabe obedecer... Te
lo juro.

NOEMI.—¡No la escuches! Te inventará cualquier infundio.
Déjala ir. Es fenicia, ya sabes; acierta a encontrar dinero
debajo de las piedras... Dale sus denarios. (*A la sierva.*) Y   495
tú, ¡cógelos y entra! (*A Asaf, persuasiva.*) Yo la castigaré.

ASAF.—La bolsa es de Marcio, ese déspota que oprime al pueblo
de Israel... ¡Y ella pagará por él y por todas las que él
nos roba! [57]

LA FENICIA.—¡No, amo, por tu Dios! Yo te explicaré; no soy   500
culpable. Sólo fui una sierva diligente y sólo supe obedecer
...siempre. El ama me mandó... (*Enmudece.*)

ASAF. (*Gritando.*)—¿Qué?

(*Noemi gime ahogadamente. Asaf comprende de
pronto y se vuelve despacio, hacia ella, que le mira*   505
espantada. Suelta el brazo de La Fenicia, que res-
pira tranquilizada y los observa con curiosidad.
Asaf avanza unos pasos y su cara va enrojeciendo.
Noemi le mira venir lívida.)

NOEMI.—¡No! ¡Es falso lo que piensas!   510

(*Él sigue avanzando. Se le caen los denarios de la*
mano y La Fenicia los recoge, sin dejar de obser-
varles.)

ASAF.—Tú... ¡Con Marcio!

[56] **Estoy limpia . . . atribuyes** I'm innocent of your charge
[57] **por todas . . . roba** for all the women he steals from us

515 NOEMI.—¡Asaf, no! (*Va retrocediendo.*) ¡No, amado mío! ¡No
pienses eso de tu Noemi, que te adora, que se humilla ante
ti...! ¡Asaf, recuerda! ¡Hemos sido felices, lo somos! Aún
faltan tres horas para tu partida y tú me quieres y yo..., ¡te
quiero también! ¡Te deseo...! ¡Te imploro un poco de
520 felicidad, de alegría...! Bésame... (*Ha cruzado el portillo.
Con las manos crispadas, él va tras ella.*) ¡No me mires así
Asaf...! ¡No! (*Gritando.*) ¡No!

(*Entra en la casa y él se precipita detrás. La Fenicia recoge la bolsa, mete las monedas y se la guarda.
525 Luego corre a la puerta de la casa, y con el rostro
surcado por el sabroso escalofrío del horror, que ella
degusta con solapada delectación, atisba el interior.*[58] *Pausa larga. Noemi exhala dentro un grito
agudísimo. La sierva se estremece y grita también.
530 Después cruza corriendo el portillo y sale desalada
por la derecha, gritando. Pausa. Entran por la
derecha Matatías y Eliú, que miran la lejana carrera de La Fenicia.*)

ELIÚ.—No se la podía detener... No atiende a nada. ¿Qué hace-
535 mos?

MATATÍAS.—Algo ha ocurrido. Primero hubo un grito agudo;
más agudo que los de esa loca.

ELIÚ.—Más agudo.

MATATÍAS.—¡La cólera del Señor ha debido de aposentarse en
540 esta casa! [59]

ELIÚ.—Algún castigo envió Jehová a Asaf.

MATATÍAS. (*Insinuante.*)—Acaso por sus burlas de antes.

ELIÚ.—Acaso. (*Pausa.*) ¿Le llamo?

MATATÍAS.—Sí. (*Se acercan al portillo.*)

[58] **y con el rostro . . . interior** and furtively she proceeds to look inside, her
face distorted by a mixture of horror at what she sees and the morbid
pleasure which she cunningly experiences and fully savors
[59] **¡La cólera . . . casa!** The Lord's anger must have taken possession of this
house!

ELIÚ.—¡Asaf! (*Pausa.*) ¡Asaf! (*Pausa. Se miran, temerosos.*) ¿En-   545
tramos?

MATATÍAS.—¿Ocurre algo, Asaf?

> (*Esperan en silencio. Por la derecha entra Gadí.*)

GADÍ.—Parecéis cuervos oliendo la muerte.[60]

MATATÍAS.—¡No la nombres!   550

GADÍ.—¿Qué ha pasado?

ELIÚ.—¡No sabemos!

GADÍ.—Alguien gritó, ¿no?

ELIÚ.—Sí.

GADÍ.—¿Noemi?   555

> (*Pausa breve.*)

MATATÍAS.—Su voz parecía.

ELIÚ.—Y él no contesta. (*Pausa.*)

GADÍ.—Llamemos otra vez.

ELIÚ, GADÍ.—¡Asaf!   560

> (*Silencio. Siguen escuchando. Después atienden al
> camino, por donde vuelve La Fenicia, tirando del
> ropón de Joazar.*)

JOAZAR.—Suelta, mujer. No me contamines con tus manos.

LA FENICIA.—Se cegó..., se cegó... Ella era inocente. ¡Lo juro!   565
Y yo. También yo era inocente. (*Todos la rodean.*)

JOAZAR.—Dinos lo que pasó.

ELIÚ.—¡Habla!

LA FENICIA.—Se cegó... Las dos somos inocentes. Puras y sin
mancha. (*Ellos se miran, perplejos.*)   570

ELIÚ.—¿Llamamos? (*Se llegan al cercado.*)

GADÍ, ELIÚ.—¡Asaf...! ¡Asaf...!

[60] **Parecéis . . . muerte**   You look like vultures smelling death

Joazar.—¿Podemos entrar, Asaf? (*Pausa.*)

Eliú.—¡Asaf!

575   (*Pausa. En la puerta de la casa aparece Asaf, tras-
           tornado, roto. La Fenicia gime suavemente. Él sale
           muy despacio y cruza el portillo. Le rodean, pero
           Asaf parece no verlos.*)

Joazar.—¿Qué has hecho, Asaf?

580   Eliú.—¿Qué hiciste?

Gadí.—¿Has pegado a Noemi?

           (*Silencio. Asaf se derrumba y, de rodillas comienza
           a salmodiar monótonamente.*)

Asaf.—Lo sabía..., lo sabía.

585   Joazar.—¿Qué sabías?

Matatías. (*Turbado.*)—Te engañaba, ¿verdad?

Asaf. (*Ausente.*)—¿Eh?

Eliú.—¿Qué sabías Asaf; qué sabías?

Asaf.—Él lo sabía.

590   Gadí.—¿Quién?

Asaf.—Ése.

Eliú.—¿El galileo?

Asaf.—Él lo sabía. (*Pausa. Ellos se miran, inquietos.*) Me miró
           a los ojos, con los suyos, dulces y terribles, y entonces...

595   Eliú. (*Casi adivinando.*)—¿Entonces?

Asaf.—Lo escribió.

           (*Pausa. La sierva le escucha intrigadísima.*)

Joazar.—¡Dinos lo que escribió!

Matatías.—Tal vez... "¿Cruel?"

(Asaf inicia unos movimientos apenas perceptibles 600
de negación.[61]*)*

GADÍ.—"¿Turbulento?"

ELIÚ.—"¿Celoso?"

(Pausa. Asaf inclina la cabeza. Todos esperan, con-
teniéndose, fijas las pupilas en su nuca. Él ahoga 605
un seco sollozo.)

ASAF. *(Con la voz preñada de la más tremenda fatalidad, que es*
la que uno mismo se crea.[62]*—"¡A...se...sino!"*

(La sierva se arrodilla también, gimiendo. Los
demás se incorporan con los ojos espantados, y el 610
Destino pone su temblor en el grupo antiguo que
rodea al hombre vencido.)

TELÓN

[61] **Asaf inicia . . . negación.** Almost imperceptibly, Asaf begins to shake his head.

[62] **que es la que . . . se crea** See the Introducción *for an explanation of Buero Vallejo's faith in man's free will.*

LINGUISTIC AND LITERARY EXERCISES

The two parts of this section should satisfy both linguistic and literary aims. Part One has intensive language exercises for *Aventura en lo gris*. Part Two is composed of three types of general (not factual) questions for both plays, involving content analysis for understanding and oral practice, literary appreciation, and free composition.

Part One: Language Exercises

These exercises, based primarily on the vocabulary and high frequency constructions in *Aventura en lo gris,* are divided into six separate sections of language structural patterns, and each section into assignment units according to text divisions as shown in the first table below. The specific unit for each of the sections may be used as a daily assignment or combined after each division. Each section, e.g., the subjunctive, is given as a continuous whole so that it may also serve as a general review. This allows ample flexibility of method, speed, and type of exercise.

A brief synthesis of the basic principles governing the particular construction involved appears at the beginning of each section. The main emphasis for Act One is on **ser** and **estar**, pronouns, and the imperfect and preterite, absorbed later in the translation section for *El sueño* and Act Two. The pattern drills in the subjunctive may be begun with Unit 1 or at the end of Act One before starting the second part of the play. A verb index for intensive pattern drills in the subjunctive precedes the section on the subjunctive. These pattern drills are graded in difficulty from assignment unit 1 through 8.

The texts of the plays have been divided into the following assignment units:

Aventura en lo gris

The exercise sections correspond to the following assignment units:

The three sections of questions and topics for literary analysis cover the complete text.

I: SER *AND* ESTAR

Ser. 1. Use always with a predicate noun or pronoun (*es* **Juan;** *es* **él**); 2. possession (*es* **de Juan**); 3. origin (*es* **de Madrid**); 4. material (*es* **de oro**); 5. time of day (*son* **las dos**); 6. with true passive voice (**esta carta** *fue* **escrita por Juan**); 7. with adjectives denoting inherent qualities of a person or thing or as contrast with others (**María** *es* **buena e inteligente; María** *es* **pálida—comparada con su hermana**).
    Estar. 1. Use always to indicate location or place (**Madrid** *está* **en España**); 2. progressive tenses (*estaba* **hablando con él**); 3. resultant condition (**esta carta** *está* **muy mal escrita**); 4. with adjectives denoting characteristics not essential to the person or thing, or in contrasting a condition compared to itself (**María** *está* **enferma;** *está* **cansada;** *está* **muy pálida hoy**).

Unit 1

Give the proper form of **ser** *and* **estar,** *according to usage (in the present tense or the infinitive, as required).*

    EXAMPLE: Isabel — cansada; ella — joven
               Isabel *está* cansada; ella *es* joven
Dice que — mejor así
— dormido
— tan tuyo como mío
— a tiempo
— imprudente
— despejado
— aún lejos
el miedo — libre
— despierto
— una lástima

el sueño — hermoso
¿Quién — el encargado?
el manantial — muy cerca
éste — el dormitorio de mujeres
su cara me — familiar
— un secreto a voces
no — usted justo
todos — derrotados
él — desfallecido
la frontera — a quince quilómetros
yo — débil
— fuera si me necesitan
no — necesario
las últimas horas pueden — las más peligrosas
él no sabe quienes —
eso es lo que me — preguntando
lo malo — que no — aquí
esto — una torpeza
— muy cambiado
esta región — muy húmeda
tu previsión — admirable
Ana — muy nerviosa
yo ya no — nada
saldré porque — mi deber
el gran hombre — monógamo
los compañeros — a veces torpes
ésa — la causa de todo
ya no — yo joven

Unit 2

Give the proper forms of **ser** *and* **estar** *as in Unit 1.*

Carlos — un joven de unos veinte años
todos los hombres no — iguales
él lo — aguantando todo muy bien
el agua — buena

ya — muy tarde
yo — un hombre como los demás
tú — distinto a todos
ahora ella — pasándolo mal
lo que me hace falta — otra cosa
— ustedes en su casa
nosotros — dentro del plazo
— usted asustando a la niña
ella — sólo una buena amiga
no sabe de quien — su hijo
yo — en las líneas
— lo menos que usted debe hacer
su conducta — admirable
ustedes — lo más sano del país
— que nuestro amigo peca de pacifista
— ya historias viejas
este señor — el profesor Silvano
ya — un muerto
— usted loco
usted — trastornado por la debilidad
la política — un arte difícil
yo — un hombre de dudas
usted — un iluso
— ellos quienes nos arrasan
ellos — brutales
las noches aún — frías
el niño — muy pequeño
— para esa pobre criatura
él — el único
él — demasiado puro
sería demasiado hermoso para — cierto

Unit 3

Translate the following sentences into idiomatic Spanish using
ser *and* **estar**, *according to usage.*

1. Are you one of us?
2. That's a different matter.
3. We are no longer alone.
4. You are probably a leader.
5. I am not young.
6. Were you perhaps a collaborator?
7. It isn't possible.
8. This is the most important moment of my life.
9. Then she is your wife.
10. You are among friends.
11. This is Mr. Albín.
12. This is everyone's problem.
13. How is your child, Isabel?
14. The train is detained.
15. Are they the last ones?
16. The child is inside.
17. The water is boiling.
18. They are still far away.
19. The car is large.
20. My bag is in the car.
21. This must be the inn.
22. You are very kind.
23. It is a pity.
24. It's not so serious.
25. The border (**frontera**) is near.
26. It is dark.
27. It is still too hot.
28. You can be sure of it.
29. He is not here now.
30. That one is ours.
31. What are you saying?
32. I'm not an important person.
33. We are all very nervous.
34. This is very true.
35. Dreaming (**el soñar**) is for women.
36. He has a sick mind (**mente**).
37. They are all like angels without wings (**alas**).
38. Perhaps (**quizá**) both things are true.

39. It is not true.
40. We would see ourselves as we are.

Unit 4

Translate as in the previous unit.

1. This is ready.
2. Is the bread fresh?
3. She is a victim of the enemy.
4. This is the only diamond (**diamante**) I have.
5. I assure you that it is good.
6. We are all starved (**muertos de hambre**).
7. She is very weak.
8. This can is free (not taken).
9. The enemy is still far away.
10. Are they asleep?
11. My head isn't very strong.
12. It is incredible.
13. I know that you are Goldmann.
14. You can't be too sure.
15. It would be absurd.
16. Are you certain?
17. Before being exiled (**desterrados**).
18. Here we are only men.
19. I am not an assassin.
20. You are very kind.
21. I'm a woman like all the others.
22. He is the one who is generous.
23. You are insulting me!
24. I am superior to him.
25. You know how harsh (**duro**) he is.
26. It could very well be.
27. You don't know what he is like!
28. You are stronger than he is.
29. Your kindness is only vanity (**vanidad**).

30. It is I, the professor.
31. I am your friend.
32. To give a half (**la mitad**) is to give nothing.
33. I only want to know how it tastes.
34. Is it very good?
35. You are doing it for your son.

II: PRONOUNS

Subject pronouns	Objects of prepositions (para, a, de, etc.)	Reflexive pronouns	Indirect objects	Direct objects
yo	mí	me	me	me
tú	ti	te	te	te
usted él ella	usted él ella	se	le (se)	lo (le) la
nosotros	nosotros	nos	nos	nos
vosotros	vosotros	os	os	os
ustedes ellos ellas	ustedes ellos ellas	se	les (se)	los las

Reflexives, direct, and indirect object pronouns precede conjugated forms (*se los* da; *se los* ha dado, *se los* daría). They follow the infinitive and present participle or precede the main verb (**después de ver***los;* **quiere ver***los* or *los* **quiere ver; está mirándo***los* or *los* **está mirando**). They must follow affirmative commands (**dé***selos,* but **no** *se los* **dé**). Indirect object pronouns **le** and **les** change to **se** before direct objects **lo, la, los,** and **las** (él *se las* da).

Unit 1

Determine the type of pronoun emphasized in bold face. Memorize the example, then replace the emphasized form(s) with the Spanish equivalent of the forms in parentheses. Use redundant (prepositional forms) when needed for clarity or emphasis. With reflexive pronouns, the emphasized verb must change for agreement.

> EXAMPLE: Ella **me** lo da *(to you 2s., to you 3pl., to us)*
> Ella **te** lo da; ella **se** lo da a **Vds.**; ella **nos** lo da

1. El no puede servírme**la** *(to her, to them m., to us)*
2. **Nos** prohibe hablar de Carlos *(you 3s., her; them f.)*
3. Su cara **me** ha parecido familiar *(to you 2s., to them m., to him)*
4. A **mí** también **me** gusta eso *(we, she, they f.)*
5. El **nos** ha visto alguna vez *(her, him, you 3pl. f.)*
6. Se limitaron a expulsar**me** *(him, them f., you 3pl. f.)*
7. Sin dejar de mirar**te** *(her, him, you 2pl.)*
8. No tardará en demostrár**noslo** *(to them m., to her, to you 3pl.)*
9. El partido **me** lo ha reprochado *(us, you 3s., them f.)*
10. Eso es lo que **me estoy** preguntando *(we, they m., you 2s.)*
11. La excusa **me** la sé de memoria *(she, you 2pl., you 3pl.)*
12. **Nos** lo **comemos** todo *(I, she, you 2pl.)*
13. **Tú vas** a marchate *(he, you 3s., we)*
14. Esto no tiene importancia para **mí** *(him, her, them f.)*
15. El ha hablado siempre de **Vd.** *(you 2s., me, them m.)*

Unit 2

Substitute as in Unit 1

1. A **mí** ya no **me** queda nada † *(they f., we, you 3pl., you 2s.)*
2. **Ella se acerca** a Isabel *(I, we, you 2pl., you 3s.)*
3. A **mí me** hace mucha falta ‡ *(he, you 2s, you 2 pl., they m.)*

---

* The following abbreviations indicate the various forms of *you:* 2s. (second person singular) **tú;** 3s. (third person singular) **usted;** 2pl. (second person plural) **vosotros;** 3pl. (third person plural) **ustedes.** Gender is indicated by *m.* masculine, *f.* feminine.

† Note that in English the "subject pronoun" is used in this type of construction (I have left; I need; I clench)

‡ See previous footnote.

4. Carlos se vuelve al **oirme** (*her, him, them* f., *you 2pl.*)
5. Este niño **nos** cansa mucho (*you 2s., you 2pl., them* m., *you 3s.* f.)
6. Discúlpe**me** (*him, us, them* f., *her*)
7. El no quiere dár**melo** (*to you 3s., to her, to you 2pl., to us*)
8. **Recojo** el papel y **me** lo **guardo** (*she, we; you 3pl., they* f.)
9. No se hablaba de **mí** (*us; you 2s., you 2pl., you 3s.*)
10. A **mí** se **me** crispan las manos * (*he, we, you 3pl., they* m.)
11. Ella **te** conoce a **ti** (*us, you 2pl., them* f., *me*)
12. **Estoy** pasán**dome** la mano por la frente (*we, they* m., *you 2pl., she*)
13. Déja**me** hablar (*her, them* m., *us; him*)
14. Démelos a **mí** (*to him, to us, to them* f., *to her*)
15. No **me** los devuelva Vd. a **mí** (*to her, to them* m., *to us, to him*)

Unit 3

Replace the emphasized nouns with the appropriate pronouns. Change the emphasized pronouns also when necessary (as in example).

EXAMPLE: Carlos **le** dio **el vaso.**
Carlos **se lo** dio.

1. Va a estrechar**le la mano.**
2. Usted ha sabido mantener **la calma** frente a **ese bribón.**
3. ¿Puedo preguntar**le algo?**
4. Me sé **su cara** de memoria.
5. Se quita **las gafas.**
6. Tampoco recuerda **mi voz.**
7. He conservado **mi pistola.**
8. Vamos a cruzar **la frontera.**
9. Vuelve a ponerse **las gafas.**
10. Carlos acompaña **a Isabel.**

* See previous footnote.

11. Le daremos **agua al niño.**
12. Se quita **una bota.**
13. Eche usted **el azúcar** en el vaso.
14. Se saca del pantalón **un cartucho.**
15. Echa en **el vaso dos terrones.**
16. Iba a venir con **un amigo.**
17. Podría traerme alguien **mi maleta.**
18. Está en **el coche.**
19. Debo presentar**le** a **mi amigo.**
20. Carlos volvió con **Isabel.**
21. Se acerca **al niño.**
22. Le da un golpecito en **el hombro.**
23. **Le** pone **la mano** en el hombro.
24. Isabel levantó **la cabeza.**
25. No quiere desanimar **a la joven.**

Unit 4

Replace the emphasized nouns with appropriate pronouns as in Unit 3.

1. Dé**le** la leche a su crío.
2. El campesino avanza mirando **a los hombres.**
3. Disculpe **a Isabel.**
4. Dé usted **la maleta a Carlos.**
5. ¿No tendría usted un bote de leche para **mi hijo?**
6. Crispando **los puños,** va hacia **el campesino.**
7. Meneando **el líquido** con cuidado...
8. A poco vuelve sin **la vela.**
9. Ella arrebata **el pan al campesino.**
10. Empieza a comerse **el pan.**
11. ¡Suelte usted **el saco!**
12. **Le** tiende **un bote.**
13. Está terminando de dar**le el vaso al niño.**
14. Se dirige a **Silvano.**
15. Alejandro se acerca a **Ana.**

16. Sácame **un buen bocadillo.**
17. **Le** da **la llave.**
18. ¿No podríamos dar **el pan a la pequeña?**
19. Silvano se guarda **el reloj.**
20. Aunque **les** corten **el pelo...**
21. Mate usted **a ese hombre.**
22. Empieza a cerrar **las maderas.**
23. Deje usted **el bocadillo** en la mesa.
24. No se lleve usted **su saco.**
25. No pronuncie usted **su nombre.**
26. Usted no debiera temer **al enemigo.**
27. Guárdese usted **sus consejos.**
28. Después de mirar **el pedazo de pan...**
29. Ella me ha dado ya **de lo suyo.**
30. Estoy quitándole a usted **el pan.**

III: THE IMPERFECT AND PRETERITE

The *preterite tense* is used for past actions which are completed, for limited actions or states of being stating "how long" (not merely "when"), or for two or more completed consecutive actions (**Ana *entró* en el dormitorio; Ana *durmió* varias horas; Ana *entró*, se *dirigió* a Silvano y le *dio* el pan**).

The *imperfect tense* is used for past actions which are unlimited or continuous, for unlimited states of being, for two or more actions or states of being which are simultaneous in their relationship, and for customary or repeated actions (**Isabel *dormía* en el dormitorio; No *había* camas; El campesino *comía* y a la vez *miraba* a los otros que *estaban* muertos de hambre; Siempre que la *miraba*, *pensaba* en su terrible tragedia**).

Combined preterite and imperfect state "what happened" (in the preterite) while something else was taking place (in the imperfect) (**Ana entró en el dormitorio y *vio* que Isabel *dormía*; Isabel *estaba durmiendo* cuando Ana *salió***).

Unit 1

Memorize the example, then change the emphasized verbs to the preterite or imperfect, according to usage.

EXAMPLE: El **dice** que **son** los invasores
El **dijo** que **eran** los invasores

1. Se **restriega** los ojos, se **alisa** los cabellos, y **vuelve** a mirar la pareja.
2. **Cierra** los ojos cansado, pero cuando los **abre,** ya **es** dueño de sí mismo y **mira** su reloj.
3. Luego **va** a la puerta y se **asoma** al interior.
4. El país **es** pobre y no **puede** atender a todo.
5. Los sectores del país que **simpatizan** conmigo no **pueden** quejarse.
6. Yo **sé** que **es** usted un derrotista.
7. Ana **va** a coger las maletas pero Silvano se **adelanta** y **coge** la mayor.
8. **Va** a entrar pero se **detiene** de nuevo.
9. Él **dice** que ya no le **queda** comida.
10. Él **calienta** el agua y la **bebe** para entonar el cuerpo.
11. Alejandro **dice** que no **sabe** quienes **somos.**
12. **Hay** que organizar muchas cosas desde fuera y **sé** yo quien **tiene** que hacerlo.
13. **Dice** que los compañeros **son** a veces torpes y no **suelen** tener vigor.
14. Se **acerca** al dormitorio y **pone** la mano en el pomo.
15. Alejandro se **levanta,** se **acerca** a ella, y la **toma** de los hombros.

Unit 2

For the infinitive in parentheses, substitute the proper forms of the imperfect or preterite, according to the relationship and usage required.

EXAMPLE: Carlos (estar) allí cuando (dárselo) Ana a Alejandro
         Carlos estaba allí cuando se lo dio Ana a Alejandro

1. Carlos (decirle) que (ser) un hombre como los demás.
2. Nosotros (ir) a decir que tú (estar) enfermo y que (necesitar) un buen sanatorio.
3. El (levantarse) y (empezar) a hablar.
4. Isabel (acercarse) a la puerta, (abrirla) y (asomar) con timidez.
5. Cuando (entrar) Alejandro, ella (dar) un grito.
6. Silvano (aproximarse) a ella y ella (dar) un grito.
7. Carlos (saber) que el niño (ser) de un soldado invasor que (ocupar) el pueblo de Isabel.
8. Ellos (saber) que Valderol (estar) cuatro meses en poder del enemigo.
9. Cuando (reconquistar) la ciudad yo (ir) a verla una vez y (encontrarla) medio enloquecida.
10. Ellos (decir) lo mismo el siglo pasado, cuando nosotros (invadirlos).
11. Carlos (decirle) que su conducta (ser) admirable.
12. Al oir su nombre, a Carlos (crispársele) las manos.
13. El no (saber) si (hacer) bien o mal.
14. Carlos había luchado porque no (poder) vivir sin un jefe.
15. Carlos (saber) que Goldmann (ser) demasiado noble para abandonar el partido.

Unit 3

For the infinitive in parentheses substitute the imperfect or preterite, according to usage as in Unit 2.

1. Cuando Alejandro (quitarse) las gafas, Carlos (estremecerse) y (mirar) el cartel.
2. Carlos (decirle) que él (conservar) su pistola y que su vida y su pistola (estar) a sus órdenes.
3. Alejandro (volver) a ponerse las gafas y Carlos (acercarse) a él.

4. El campesino (coger) el morral y (ir) a dejarlo cerca de la ventana donde (recostarse).

5. (Abrirse) la puerta y (entrar) el campesino que (vestir) un destrozado uniforme.

6. Él (decir) que el servicio interior (estar) interrumpido y que sólo (quedar) una locomotora inservible.

7. El jefe (decir) que ya no (aguantar) más y que si no (venir)(= venían) las nuevas unidades que (esperar), (largarse) él también.

8. Al oirla, Silvano (detenerse) con la tetera en el aire.

9. Ella (creer) que la estación (estar) cerca y que (poder) tomar el tren.

10. Él (acercarse) a Isabel y (darle) un golpecito en el hombro.

11. Él (decir) que (haber) que encender las velas.

12. Cuando Isabel (desplomarse) sobre la mesa, Carlos (correr) a su lado y (tomarla) por los brazos.

13. Isabel (rechazarlo) y Carlos (apartarse).

14. Ellos nunca (saber) si lo que (ver) (ser) real o no.

15. Silvano (decir) que (haber) un sueño que (repetirse) con frecuencia: Silvano (encontrarse) en un campo verde de agua tranquila donde (pasar) seres bellos que (sonreir).

Unit 4

For the English in parentheses substitute the proper Spanish forms of the imperfect or preterite, according to usage.

EXAMPLE: Carlos (*didn't want*) dejarla porque ella (*was*) miedo.
        Carlos no quería dejarla porque ella tenía miedo.

1. Isabel (*got up*) y, riendo, (*went over*) a cogerlo cuando (*entered*) el campesino.

2. Ante la ansiedad general, el campesino (*took out*) un gran pan y (*he began*) a comer.

3. Carlos (*told him*) que aunque todos (*were hungry*), él sólo (*asked him for*) algo para el niño.

4. El campesino (*took*) la joya, (*looked at it*), y (*put it away*).

5. Luego (*he cut*) un pedazo de pan y (*offered it*) a Carlos.
6. Georgina (*said*) que él (*was*) una bestia.
7. Ella (*asked him*) si (*there was*) algún bote libre.
8. Silvano (*took out*) su reloj y (*began*) a darle cuerda.
9. Al aparecer Ana en la puerta (*he looked at her*) y luego (*continued*) dando cuerda a su reloj.
10. Silvano (*told*) a Alejandro que ellos todavía (*didn't know*) quién de los dos (*was*) más útil para el país.
11. Silvano (*wanted*) morir pero Alejandro (*was not going*) a darle ese gusto porque él (*wasn't*) un asesino.
12. Silvano (*said*) que (*he knew*) quiénes (*they were*) desde el principio.
13. Ana (*entered*) y (*closed*) la puerta.
14. Ana (*remained*) allí unos momentos.
15. (*He got up*) y (*drank*) un poco de agua.

IV: IDIOMS AND SPECIAL CONSTRUCTIONS

Memorize the example given, then make up a sentence with the emphasized word or phrase, keeping the same construction as in the model. Use this procedure in the following exercises for Units 1 through 8.

EXAMPLE: **¿Habrá** alguien más?
         ¿Habrá un buen lugar para comer?

Unit 1

1. **¿Será** el encargado?
2. **Vuelve a** zarandearlo.
3. El último tren lo formaron **hace cuatro días.**
4. El sargento **no tardará en** volver.

5. **Hace dos días** que consumo mi última reserva.
6. Es catedrático **desde hace diez años.**
7. **Se aprovechó de** su prestigio.
8. **¿Será verdad** eso de la leña?
9. **Hay que** tener cuidado.
10. No **tengo ganas de** hacerlo.

Unit 2

1. Le **volveremos a** dar agua caliente.
2. Ya **no** me **queda nada.**
3. **Hace** dos noches estabas despierta.
4. Me **hace falta** otra cosa.
5. Me **toca a** mí pedirle perdón.
6. No le **haga caso.**
7. **Debimos** rendirnos **hace** seis meses.
8. **Hice bien en** verlo.
9. Debe **servir para** algo.
10. Tiene usted **más** suerte **que** yo.

Unit 3

1. No es prudente **darse a conocer.**
2. El servicio está interrumpido **desde hace** una hora.
3. Isabel **se echa a** llorar.
4. No hay que **fiarse de** ellos.
5. **Hace mucho que** no tomo nada.
6. Me **quedé sin** gasolina.
7. Se han marchado **no sólo** los peces gordos **sino** los chicos.
8. **La culpa es** mía.
9. Silvano no **está en sus cabales.**
10. Su voz les **hace volver** la cabeza.

Unit 4

1. El pan **tiene muy buena cara.**
2. No la **pierde de vista.**
3. **Se atreve a** hacerlo.
4. No le **ha gustado** esa broma.
5. ¿A quién le **toca** ahora?
6. No **debe de** estar muy seguro.
7. Ella ama la vida **tanto como** yo.
8. **Acabamos de** tener una charla.
9. Ya sabe **lo** duro **que** es él.
10. Lo acepto todo **por** ella.

Unit 5

1. La invitación **viene a ser** la misma.
2. No **sabe hacer** soñar.
3. **Ya no** te oigo.
4. **Déjate de** melindres.
5. No **tengo ganas de** comer.
6. Tus ojos me **hacen daño.**
7. ¿Qué le **sucede** a ella?
8. Estamos **muertos de hambre.**
9. Debo **darme prisa.**
10. **Haga** usted callar al niño.

Unit 6

1. No le **tengo miedo.**
2. **Se aprovechan de** nuestra hambre.
3. No **nos hemos atrevido a** dar un paso.
4. **Él está seguro de** que ella está enferma.

5. No **es capaz de** matarla.
6. **A pesar de** todo él es inocente.
7. Isabel **habrá pasado** la noche durmiendo.
8. Yo no puedo dar algo **por** nada.
9. Esto significa mucho **para** ellos.
10. **He pensado** mucho **en** lo que usted me ha dicho.

Unit 7

1. Ana **volvió a** dormirse.
2. Silvano **fue desterrado por** su país.
3. Ella **sigue** preguntando (*use present participle in idiom*) por su niño.
4. Nunca **ha dejado de** soñar.
5. **Se acaba** matando (*use present participle*) por cualquier cosa.
6. Ella **está harta de** usted.
7. **Te has reído de** todos.
8. **Estuvo a punto de** despertarnos.
9. No **se** puede ni **se** debe soñar.
10. El ya **no** vale **nada.**

Unit 8

1. Hay que hacerlo **como sea.**
2. **Al pasar** por allí.
3. Ya no **se le** puede avisar.
4. No **hay** otro **remedio.**
5. **El que quiera,** que me siga.
6. No **se había dado cuenta de** ello.
7. No sabes **lo que** es vencer.
8. No sé cómo **se llama** el niño.
9. El niño no **es culpable de** nada.
10. **Se cogen de** las manos.

SUBJUNCTIVE VERB INDEX

Verb forms for pattern drills in the subjunctive

REGULAR VERBS

hablar	hable *despacio*	hablara
comer	coma *bien*	comiera
vivir	viva *en España*	viviera

IRREGULAR VERBS

andar	ande *con él*	anduviera
caber	quepa *aquí*	cupiera
caer	*le* caiga *mal*	cayera
dar	*se lo* dé	diera
decir	*se lo* diga	dijera
estar	esté *cansado*	estuviera
haber	*no* haya *nada*	hubiera
hacer	*no lo* haga	hiciera
ir	*se* vaya *con él*	fuera
oir *	*nos* oiga	oyera
poder	pueda *venir*	pudiera
poner	*se lo* ponga	pusiera
querer	quiera *hacerlo*	quisiera
saber	*no lo* sepa	supiera
salir	salga *de aquí*	saliera
ser	sea *inteligente*	fuera
tener	tenga *hambre*	tuviera
traer	*me la* traiga	trajera
valer	valga *la pena*	valiera
venir	venga *aquí*	viniera
ver	*la* vea	viera

* According to the latest ruling on accents (1952) of the Spanish Royal Academy, no accent is required on infinitive endings such as **oir**, **reir**, **sonreir**, and **huir**, or on monosyllabic preterites such as **di**, **dio**, **vi**, **vio**, **fui**, **fue**, **rio**.

RADICAL CHANGING VERBS

contar (ue)	*me lo* cuente	contara
dormir (ue, u)	duerma *a gusto*	durmiera
oler (hue)	huela *muy bien*	oliera
pedir (i, i)	*se lo* pida	pidiera
pensar (ie)	*lo* piense *bien*	pensara
perder (ie)	*lo* pierda *todo*	perdiera
reir * (i, i)	*se* ría *de ella*	riera
repetir (i, i)	*lo* repita	repitiera
sentir (ie, i)	*se* sienta *mal*	sintiera
volver (ue)	vuelva *pronto*	volviera

ORTHOGRAPHIC CHANGING VERBS

averiguar (gu-gü)	*lo* averigüe	averiguara
buscar (c-qu)	*lo* busque	buscara
escoger (g-j)	*los* escoja	escogiera
conocer (c-zc)	*no los* conozca	conociera
convencer (c-z)	*la* convenza	convenciera
dirigir (g-j)	*se* dirija *a él*	dirigiera
distinguir (gu-g)	*se* distinga	distinguiera
lanzar (z-c)	lance *un grito*	lanzara
llegar (g-gu)	llegue *a tiempo*	llegara
producir (c-zc)	*no* produzca *nada*	produjera

RADICAL AND ORTHOGRAPHIC CHANGING VERBS

empezar (ie) (z-c)	empiece *a hablar*	empezara
negar (ie) (g-gu)	*se lo* niegue	negara
seguir (i, i) (gu-g)	siga *haciéndolo*	siguiera
jugar (ue) (g-gu)	juegue muy bien	jugara

VERBS WITH STEMS ENDING IN VOWELS

enviar	*se la* envíe	enviara
huir †	huya *de aquí*	huyera
leer	*se la* lea	leyera

* See previous footnote.
† See previous footnote.

V: THE SUBJUNCTIVE

The *subjunctive* is used in *noun clauses* when the main verb expresses doubt, desire, command, etc. and when there is (usually) a change of subject (**No creo que ellos** *vengan*); in *adjective clauses* when the antecedent described is indefinite or negative (**No hay nadie que** *quiera* **hacerlo**); in *adverbial clauses* when the action of the verb is incomplete (**cuando** *llegue* **se lo diré**). In *if and result clauses,* use only the imperfect or pluperfect subjunctive tenses in the "if" clause when the result clause is in the conditional. **Como si** always takes the imperfect or pluperfect subjunctive (**Habla como si** *fuera* **español**).

Memorize the given pattern or model. Then substitute for the subjunctive phrase in bold face verb phrases from the Verb Index using the same tense and subject pronoun as in the model, making certain that the verbs drilled make sense with the main clause. In the If and Result clauses, substitute the phrase printed in bold face with the proper tense of other verbs from the list. Use this procedure in the following exercises for Units 1 through 7.

EXAMPLE: Siento mucho que usted **no pueda venir**
Siento mucho que usted **no me lo dé;** ... **no me lo diga;** ... **esté cansado,** etc.

Unit 1

THE PRESENT SUBJUNCTIVE

1. Quizá **nos veamos alguna vez.**
2. No debes hablar de eso hasta que **pasemos la frontera.**
3. ¿Confía usted en que **haya tren?**

4. Te he dicho que **moderes tus nervios.**
5. Es posible que **nos lo quiten.**
6. Mientras **no salgamos de aquí** estamos en peligro.
7. Cualquier granuja que **me entregue al enemigo** será recompensado.
8. No quieren que **tú te vayas.**
9. Cuando **tenga hambre,** trabajará mejor.
10. Vamos a comer algo antes de que **vuelva ese hombre.**

Unit 2

THE PRESENT PERFECT SUBJUNCTIVE

1. No parece que **haya habido nadie aquí.**
2. Prefiero que **me haya visto.**
3. Temo que **no haya salido el tren.**
4. Será mejor que **lo hayan sabido.**
5. Cuando **haya dejado a Isabel,** cruzará la frontera.
6. Ella espera que Carlos **no la haya reconocido.**
7. Aunque ella **haya dicho que sí,** no lo creo.
8. Usted ha luchado demasiado para que ellos **la hayan traicionado.**
9. ¿Será posible que él **lo haya hecho?**
10. Ella no creerá jamás que él **le haya mentido.**

Unit 3

THE IMPERFECT SUBJUNCTIVE

1. Me gustaría que usted **hablara con ella.**
2. Silvano sentía mucho que Ana **no lo creyera.**
3. No era preciso que **se lo explicara todo.**
4. Se alegraría de que **lo hiciera en seguida.**
5. Sería una lástima que ella **abandonara al niño.**
6. A ella no le importaría no comer con tal de que **le dieran algo al niño.**

7. Quizá **cupiésemos todos en el coche.**
8. Preguntó si no había alguien que **tuviera unos huevos.**
9. No quedaba nadie que **pudiera ayudarlos.**
10. Eso no se lo perdonaría el enemigo si **lo supiera.**
11. Si **pudiera evitarlo,** no soñaría nunca.
12. Él sólo se comió el pan como si **los otros no tuvieran hambre.**

Unit 4

THE PLUPERFECT SUBJUNCTIVE

1. Carlos dudaba que **Ana se hubiera reído de él.**
2. Me habrían fusilado si **me hubiera quedado.**
3. Ella salió sin que **los otros la hubieran visto.**
4. Si **le hubiera dado un pedazo de pan,** se lo habría pagado bien.
5. Ella no creía que Goldmann **hubiera sido generoso con ninguno.**
6. Se alegró de que los otros **no hubieran vuelto.**
7. Era muy probable que **lo hubiera matado allí mismo.**
8. Si **no se lo hubiera dicho,** no se habría quedado tranquilo.
9. Ella nunca creyó que ellos **lo hubieran intentado.**
10. Isabel temblaba de miedo como si **hubiera entrado un soldado enemigo.**
11. Esperaba que nadie **lo hubiera visto entrar.**
12. No conocía a nadie que **hubiera logrado pasar la frontera.**

Unit 5

THE INDICATIVE AND SUBJUNCTIVE CONTRASTED

EXAMPLE: Él sabe que ella **está en casa.** Espera que ella **esté en casa.**

Él sabe que ella **lo repite.** Él espera que ella **lo repita.**

Él sabe que ella **se siente mal.** Él espera que ella **(no) se sienta mal.**

1. Quiero **saberlo.** Quiero que **usted lo sepa.**
2. Creo que ella **es más joven que tú.** No creo que ella **sea más joven que tú.**
3. Dígale que **tiene que comer.** Dígale que **coma en seguida.**
4. Le dije que **lo haría.** Le dije que **lo hiciera.**
5. Aunque **es fuerte** no podrá hacerlo. Aunque **sea fuerte** no podrá hacerlo.
6. Quizá **vendrá mañana.** Quizá **venga mañana.**
7. Sé que hay alguien que **podrá ayudarla.** Sé que no hay nadie que **pueda ayudarla.**
8. Usted esperaba **llegar a tiempo.** Esperaba que él **llegara a tiempo.**
9. Era verdad que **había visto a Goldmann.** No era posible que **hubiera visto a Goldmann.**
10. Si bajas **te daré mis sueños.** Si bajaras **te daría mis sueños.**
11. Cuando ella **entró** le ofreció el pan. Él me dijo que cuando ella **entrara** le ofrecería el pan.
12. Mientras **comía** el campesino, los otros lo miraban. Sabía que mientras él **comiera,** los otros lo mirarían.
13. Era necesario **salir del albergue.** Era necesario que todos **salieran del albergue.**
14. Si **lo hizo** fue por compasión. Si **lo hiciera** sería por compasión.
15. Hay una persona aquí que **es capaz de sacrificarse.** No hay ninguna persona aquí que **sea capaz de sacrificarse.**

Unit 6

DRILL IN ALL SUBJUNCTIVES

1. Será mejor que ustedes **se marchen en seguida.**
2. Dígales que **salgan de una vez.**
3. Le da igual mientras **no le toquen su saco.**

4. Preferiría que **no me lo dijera.**
5. No quisiera que **me mataran.**
6. Lo acepto todo antes de que **me maten.**
7. Esperen ustedes hasta que **les llegue su oportunidad.**
8. Era necesario comer mientras **lo hubiera.**
9. Aunque **confesara,** no podríamos hacer nada.
10. Quien **la haya matado** no confesará.
11. Quien **la hubiera matado** no confesaría.
12. No averiguaré nada aún a riesgo de que **me tome por asesino.**
13. No había inconveniente en que **se fuera con los demás.**
14. ¿Será posible que **no haya sido él?**
15. Ustedes hablan como si ese hombre **estuviera para algo.**
16. La han matado como si **fuera una res del matadero.**
17. Quedaban veinte minutos para que **volviera el sargento.**
18. Por muchos enemigos que **haya matado,** no es capaz de hacer eso.
19. Él no podría convencerla que **saliera de su dormitorio.**
20. Carlos sí la habría convencido que **saliera.**
21. Aunque él **lo negara,** podría ser el asesino.
22. Si **no hubiera tren,** todos tendrían que quedarse allí.
23. Si no fuéramos tan egoístas, ella **no habría muerto.**
24. ¿Qué haría usted si **no hubiera vuelto el sargento?**
25. No era la clase de hombre que **hubiera sido capaz de sacrificarse.**

Unit 7

SEQUENCE OF TENSES IN THE SUBJUNCTIVE

1. Dice que esperará hasta que **la vea volver.**
   Dijo que la esperaría hasta que **la viera volver.**
2. Nunca he insinuado que usted **haya matado a Isabel.**
   Nunca había insinuado que usted **hubiera matado a Isabel.**
3. Discúlpeme que **le haga una pregunta.**
   Me disculpó que **le hiciera una pregunta.**

4. Aunque **sea desagradable** tendré que hacerlo.
    Aunque **fuera desagradable** tendría que hacerlo.
5. Es increíble que **confunda la realidad de ese modo.**
    Sería increíble que **confundiera la realidad de ese modo.**
6. Él siente mucho que ella **haya sufrido tanto.**
    Él sentía mucho que ella **hubiera sufrido tanto.**
7. Será inútil que **se lo diga.**
    Sería inútil que **se lo dijera.**
8. No será posible que **lo haga.**
    No sería posible que **lo hiciera.**
9. Es difícil que **la hayan entendido.**
    Era difícil que **la hubieran entendido.**
10. Se alegrará de que **maten al tirano.**
    Se alegraría de que **mataran al tirano.**
11. Dígaselo a ella antes de que **vuelva el otro.**
    Se lo dijo a ella antes de que **volviera el otro.**
12. Le ha dado el pan para que **se alimente.**
    Le había dado el pan para que **se alimentara.**

Unit 8

EXERCISE IN THE SUBJUNCTIVE

Make up simple sentences in the subjunctive using the following expressions.

EXAMPLE: **No creo...**
      No creo que el venga.

1. Es posible...
2. Sería necesario...
3. Era probable...
4. No importaría...
5. Ha sido mejor...
6. Dudamos...
7. Esperaban...
8. Quisiera...
9. Preferiría...

10. Me gustaría...
11. Dígale...
12. Le dije...
13. Supongo...
14. Me alegré de...
15. Sentirían mucho...
16. Quizá...
17. Cuando...
18. Hasta que...
19. Mientras...
20. Antes de que...
21. Aunque...
22. Para que...
23. Sin que...
24. Como si...
25. No conozco a nadie...
26. ¿Hay alguien...?
27. Si estuviera...
28. Si lo quisiera...
29. Si lo hubiera visto...
30. Si lo hubiera sabido...

VI: TRANSLATION EXERCISES

Translate the following sentences into Spanish. The principles involved are those drilled in sections I through V.

Unit 5

SER, ESTAR, AND PRONOUNS

1. He is a man of action.
2. Give me some bread too.

3. Ana, dressed in a nurse's (**enfermera**) uniform, comes out of the tunnel and turns to (**dirigirse a**) Silvano.
4. Tell me that you are listening to me.
5. She is quiet (**tranquila**) now.
6. I must tell her something at once.
7. Carlos retreats (**retroceder**) on seeing them.
8. Leave her and dream (**soñar**) with me.
9. She is younger than you.
10. Don't kill her.
11. Silvano is looking at them.
12. The peasant raises (**levantar**) his head and sees her.
13. Are you talking to me?
14. He picks up (**recoger**) the sack in which nothing remains (**quedar**).
15. We are at war (**guerra**).
16. He is not taking them away (**quitar**) from me.
17. You are not Goldmann.
18. The bread is for me.
19. You are nothing but a deserter.
20. He raises his arms.

Unit 6

PAST TENSES

1. The windows were closed.
2. Was she outside?
3. She was not ill, she was dead.
4. The peasant began to eat.
5. I wasn't going to give you anything.
6. He had three children and they were all killed in the war.
7. One couldn't do anything.
8. It was seven thirty.
9. It was impossible to find out (**saber**) what was happening (**pasar**).
10. He said that it was best to forget that someone had killed (**matar**) her.

11. We had all done it with our selfishness (**egoísmo**) and our stupidity (**torpeza**).
12. There was a moment when he caressed (**acariciar**) her neck (**cuello**), then looked at his hands.
13. He thought that he knew it all.
14. It was necessary to forget about it.
15. He had no reason to kill her.
16. He could have made her come out.
17. I knew that he had done it.
18. She probably thought that he was an assassin.
19. This meant (**querer decir**) nothing to you.
20. He tried (**tratar de**) not to think about it.

Unit 7

THE PRETERITE AND IMPERFECT ONLY

1. You heard (**oír**) us and saw us.
2. He went back (**volver a**) to sleep without knowing how she felt (**sentirse**).
3. He waited (**esperar**) until he saw her.
4. Why didn't she understand (**comprender**) that he loved (**querer**) her?
5. He knew what he had to do.
6. He opened the door, entered, and awakened (**despertar**) her.
7. He was too weak (**débil**) to kill her.
8. She said that my eyes (**ojos**) were killing her.
9. You didn't remember (**recordar**) anything.
10. He refused (**no querer**) to give his name.
11. She told the professor about it last night (**anoche**).
12. She knew that you were ill.
13. She was killed by a man without scruples.
14. I know that you did it.
15. He always considered women as objects (**objetos**).
16. He could reason (**razonar**) better than you.
17. It could have been another person.

18. He took it out and showed (**mostrar**) it to us.
19. He couldn't eat it after the crime.
20. If he couldn't forget it, it was because he knew that he was going to die (**morir**).

Unit 8

THE SUBJUNCTIVE

The following pairs contrast either in mood (indicative or subjunctive) or in sequence (present or past subjunctives). Translate the sentences keeping these differences in mind.

1. I hope that there will be one for him. I hoped that there would be one for him.
2. I don't want to stay. I don't want you to stay.
3. It is certain that they will come. It is possible that they may come.
4. I told her to take the child. I told her that the soldier would take the child.
5. I'm afraid that he killed her. I was afraid that he killed her.
6. I believed that she was dead. I didn't believe that she was dead.
7. When you see her, give it to her. When he saw her he gave it to her.
8. He was afraid that she would do it. He was afraid to do it.
9. He stayed until she awakened. He will stay until she awakens.
10. I don't know anyone who will take care of the child. I know a soldier who will take care of the child.
11. If I ask them they will do it. If I asked them they would do it.
12. When she awakens (**despertar**) I shall give her the bread. I told her that when she awakened I would give her the bread.

Part Two: Literary Exercises

I. Questions for conversation and interpretation of content based on Assignment Units.
II. General questions for literary discussion or compositions in Spanish.
III. Topics for essays in Spanish or in English.

I. CONVERSATION AND INTERPRETATION

"AVENTURA EN LO GRIS"

Unit 1

1. ¿Qué significado o simbolismo puede haber en el contraste entre el ambiente gris del escenario y el cartel de fondo bermellón?
2. ¿Cómo demuestra Alejandro desde el principio su carácter déspota y egoísta?
3. Cuando Silvano dice que le gusta dormir porque el sueño es una compensación, ¿qué indica esto de su carácter?
4. ¿Por qué es una grave acusación el llamar a Silvano "derrotista"?
5. ¿Cómo defiende y define Silvano su actitud de "derrotista"?
6. ¿Qué quiere decir Silvano con las palabras: "Estos no son tiempos de explicar historia..., sino de hacerla"?
7. ¿Por qué dice Silvano que el conocimiento de tantos siglos agitados le han vuelto indolente? ¿Es esta una característica del hombre intelectual, según Silvano?

8. ¿Por qué escoge Alejandro la palabra "traidorzuelo" en vez de "traidor" al referirse a Silvano?
9. ¿Qué clase de patriota es Alejandro?
10. ¿Qué indicación tenemos del carácter de Alejandro cuando éste se disculpa con Ana de sus aventuras con otras mujeres?

Unit 2

1. ¿Cómo es el cariño que Carlos siente por Isabel?
2. ¿Cómo se explica que Isabel tenga tanto miedo a los hombres?
3. Cuando Carlos acusa al enemigo de haber cometido atrocidades, Silvano contesta que los enemigos también "decían lo mismo el siglo pasado, cuando les invadimos nosotros..." ¿Qué razones puede tener Silvano para defender al enemigo?
4. ¿Qué clase de patriotismo demuestra Carlos en sus palabras y en sus acciones?
5. ¿Cómo interpretarían la palabra "pacifista" los siguientes personajes: Alejandro, Carlos, y Silvano?
6. ¿Qué razón puede tener Alejandro para evitar que Carlos mate a Silvano?
7. ¿Qué significan las palabras de Silvano: "Los pueblos necesitan a menudo de la mentira para seguir luchando"?
8. Analícese la relación política entre los tres países que figuran en el párrafo siguiente identificándolos como A (Surelia), B (los poderosos vecinos) y C (el país enemigo):

> Pero Goldmann no les ha mandado luchar por la patria, ni por las bellas palabras en que no cree. Él ha metido a Surelia en la guerra para contentar a nuestros poderosos y amenazadores vecinos...A esos que ahora nos reciben en sus campos de concentración. A esos era a quienes estorbaba la floreciente industria de nuestros enemigos, y les invadimos para quitársela. De poco nos ha servido...Son ellos, al fin, quienes nos arrasan. Y con bastante brutalidad, por cierto. (p. 50)

Unit 3

1. ¿Qué razones egoístas podría tener Alejandro al descubrirle a Carlos que él era Goldmann?
2. ¿Qué importancia tiene el niño de Isabel para el desarrollo del drama?
3. Contrasten el carácter de Georgina y Ana en estas primeras escenas.
4. ¿Cómo reacciona Isabel hacia Alejandro y por qué?
5. ¿Qué semejanzas hay en el carácter de Georgina y Alejandro?
6. Expliquen y contrasten el significado que tiene el sueño (o el soñar) para Alejandro y Silvano:

   ALEJANDRO— . . . Los sueños deforman la vida. Y a la vida hay que mirarla cara a cara. Soñar es faena de mujeres...o de contemplativos. (p. 64)

   SILVANO— . . . ¿Es que quizá no debiéramos todos aprender a soñar?... Aprender a soñar sería aprender a vivir. Todos soñamos con nuestros inconfesables apetitos y soltamos durante la noche a la fiera que nos posee. Pero si aprendiésemos . . . (p. 65)

7. ¿Qué relación hay entre la vida prosaica y los ideales que forjamos al "soñar," según Silvano?: ". . . ¿soñamos mal porque nos portamos mal durante el día, o procedemos mal en la vida porque no sabemos soñar bien?"
8. Interprétense las palabras de Silvano como posible solución de la falta de comunicación entre los hombres:

   ¿Y si las personas que se tratan entre sí empezaran a soñar con frecuencia un mismo sueño?... Los sueños serían entonces como una prolongación de la vida, pero más desnuda, más impresionante: soñaríamos lo mismo, y el choque de nuestros egoísmos los haría irrealizables. Nos veríamos tal como somos por dentro y quizá al despertar no podríamos seguir fingiendo. Tendríamos que mejorar a fuerza... Porque en el sueño es donde tocamos nuestro fondo más verdadero. ¡En el sueño, y no en la vida! (pp. 65–66)

Unit 4

1. Analícese la base egoísta del Campesino y de Georgina cuando comen delante de los demás sin compartir lo que tienen.
2. Explíquese la hipocresía de Georgina y Alejandro al indignarse con el Campesino.
3. Explíquese la relación política entre Goldmann y Silvano antes de conocerse en el albergue.
4. Coméntense las palabras de Silvano:

> Porque antes éramos el profesor y el dictador: dos personajes en la farsa del país. Y todavía no sabemos quién le fue más útil y quién más pernicioso; ya le he reconocido antes que yo dudo, y ahora le diré que esa duda no me dejará vivir tranquilo. (pp. 75–76)

5. ¿Qué cambio hay en la actitud de Ana hacia Silvano al final del primer acto?
6. ¿Cómo demuestra Ana que sus sentimientos son más parecidos a los de Silvano que a los de su amante, Alejandro?

Unit 5

1. ¿Qué aspectos del decorado pueden considerarse simbólicos en "El sueño"?
2. ¿Por qué es importante para la obra que todos tengan el mismo sueño?
3. ¿Cómo emplea el autor su talento de artista y su conocimiento de música para crear la atmósfera del sueño?
4. ¿Qué interpretación se le puede dar al sueño de Carlos? ¿Por qué está vestido de rojo?
5. ¿Por qué trata Carlos de convencer a Isabel que él es el padre del niño de Isabel?

6. ¿Qué representa Georgina para Carlos en el sueño?
7. ¿Por qué le aconseja Georgina a Carlos que mate a Isabel?
8. ¿Cómo demuestra el Campesino su verdadero fondo en su sueño?
9. ¿Por qué no aparece Alejandro en "El sueño"?
10. ¿Por qué trata de hacer el Sargento el papel de Goldmann en su sueño? ¿Qué nos dice esto del fondo verdadero del Sargento?
11. Explíquese el cambio de sentimientos de Ana hacia Alejandro y Silvano en "El sueño."
12. Explíquese el simbolismo en los esfuerzos angustiosos de Ana y Silvano por alcanzarse las manos durante "El sueño." ¿Cuándo y cómo logran darse las manos?
13. Coméntese el significado de las palabras de Silvano: "El pan debiera ser la paz.... Y se convierte en guerra. Esa es la historia." (pp. 92–93)
14. ¿Qué simbolismo hay en la repartición del pan? ¿Quién da el pan? ¿Quiénes lo rehusan y por qué?
15. ¿Por qué saben los soldados invasores que será fácil exterminar a los demás?
16. ¿Cómo y por qué mata Carlos a Isabel en su sueño?

Unit 6

1. ¿Qué recursos emplea el autor para enlazar el principio del acto segundo con el final del sueño?
2. ¿Por qué insiste Silvano que Isabel fue asesinada? ¿Qué pruebas ofrece?
3. ¿Cómo reaccionan el Sargento, el Campesino y Carlos al saber que Isabel ha sido asesinada?
4. ¿Por qué dice Georgina que el Campesino es el asesino de Isabel? ¿Cómo se relaciona la acusación de Georgina con su sueño?
5. Coméntese el fatalismo del campesino:

Yo no lloro. ¿Para qué? Tres hijos tuve. Dos cayeron en el frente, y el chiquitín, con la madre, en los bombardeos. ¿Y qué

se puede hacer? ¡Nada! Apretar los dientes ¡y comer mientras
lo haya! (p. 104)

6. ¿Por qué dice Silvano: "Todos la hemos matado. Con
    nuestro egoísmo, con nuestra torpeza"?
7. ¿Por qué se miró Carlos las manos después de haber acari-
    ciado el cuello de Isabel?
8. ¿Qué método decide emplear Silvano para descubrir el
    asesino? ¿Es un método de acuerdo con su carácter?
9. ¿Por qué ataca Ana a Silvano, acusándole del asesinato
    de Isabel?
10. ¿Qué razones da Silvano para descartar al Sargento y al
    Campesino como posibles autores del crimen?

Unit 7

1. ¿Por qué se elimina Silvano a sí mismo como asesino?
2. ¿Qué razones puede tener Carlos para insistir que él ha
    sido el asesino de Isabel? Explíquese su confusión.
3. ¿Qué método de interrogación emplea Silvano para con-
    vencer a Carlos que no pudo ser el culpable?
4. ¿Por qué le parece increíble a Alejandro que Carlos con-
    funda la realidad con el sueño a tal grado que se crea
    culpable de un crimen sólo por haberlo soñado?
5. ¿Por qué concluye Silvano que el asesino de Isabel tenía
    que ser "un hombre...de acción, que nunca sueña...y que
    obra durante el sueño de los demás"?
6. Según Silvano, Carlos no siempre logra distinguir la reali-
    dad del sueño. ¿Cómo explica esto la fe ciega de Carlos
    en la ideología política de Goldmann?
7. ¿Qué actitud tiene Goldmann hacia la vida de los demás?
    ¿Qué analogía hay aquí con el tirano y el pueblo?
8. Coméntense las palabras de Ana dirigidas a Goldmann:
    "Te has reído de todo y lo has manchado todo...en nom-
    bre de la eficacia."
9. ¿En qué momento se libra Ana de la influencia de Gold-
    mann?
10. Según Silvano, ¿qué lección le ha dado Goldmann?

11. ¿Por qué es inevitable que Carlos mate a Goldmann?
12. ¿Por qué cree Silvano que "nuestros sueños reconciliados" constituyen la única esperanza del hombre?

Unit 8

1. Coméntese la actitud de los diferentes personajes hacia el niño cuando Silvano les ruega que lo salven.
2. ¿Por qué decide quedarse Silvano?
3. ¿Qué razones tiene Ana para insistir en quedarse también?
4. ¿Qué significa el cambio de "usted" a "tú" entre Ana y Silvano?
5. ¿Por qué no acepta Silvano la solución que le sugiere Ana como último recurso para salvarse?
6. ¿Cómo sabemos que Ana y Silvano han logrado "reconciliar sus sueños"?
7. ¿A qué se refiere Silvano cuando dice que él no sabe luchar pero que "hay otras maneras de vencer"?
8. ¿Qué representa el niño para Ana y Silvano?
9. ¿Qué ironía hay en la falsa acusación del Sargento enemigo contra Ana y Silvano?
10. ¿Qué motivos aparentemente generosos puede tener el Tercer Soldado cuando ofrece llevarse al niño?
11. Explíquese el simbolismo cuando Silvano y Ana se estrechan fuertemente las manos antes de morir.
12. Coméntese el significado de las últimas palabras del drama:

ANA.—...¿Es así? ¿Es esto vencer?
SILVANO.—¡Sí! ¡Esto es vencer!

"LAS PALABRAS EN LA ARENA"

Unit 9

1. ¿Cómo nos damos cuenta desde el principio que La Fenicia es una mujer socarrona, curiosa y avarienta?

2. ¿Por qué demuestra tan poco respeto la esclava a su ama?
3. ¿Cómo presenta el autor el conflicto dramático?
4. ¿Qué papel hace La Fenicia en la intriga entre su ama y el centurión?
5. Explíquese la reacción de los siguientes personajes hacia las palabras de Jesús: Eliú el escriba; Gadí el saduceo; Matatías el fariseo; Joazar el sacerdote.
6. ¿Por qué dice Asaf que el Rabí (Jesús) no carece de humor?

Unit 10

1. ¿Qué ironía hay en la actitud dura e inflexible de Asaf hacia la adúltera que protegía Jesús el Galileo?
2. ¿Por qué rechaza Asaf el perdón como concepto peligroso?
3. Contrástese la ética de Asaf con la de Jesús.
4. ¿Qué efecto dramático tiene el que Asaf se niegue a decir lo que Jesús escribió de él sobre la arena?
5. Coméntese el valor dramático que tiene la acusación injusta de Asaf contra La Fenicia.
6. ¿Por qué insiste la Fenicia, al volver con Joazar el sacerdote, que tanto ella como su ama eran inocentes?

II. LITERARY DISCUSSION OR COMPOSITION

"AVENTURA EN LO GRIS"

1. Analícese la relación estética entre el decorado del escenario, minuciosamente descrito por el autor, y el título de la obra. ¿Qué importancia da Buero Vallejo al montaje de una pieza?

2. ¿Es más o menos trascendental la obra por haber escogido el autor un país imaginario en vez de algún país determinado con situación concreta?

3. Explíquese cómo representan Alejandro y Silvano el conflicto entre el hombre agresivo de acción y el idealista pensador pasivo.

4. Contrástese el patriotismo de Carlos con el de Alejandro. ¿Qué ha querido demostrar el autor con este contraste?

5. ¿Qué representan Alejandro (Goldmann), Silvano y Carlos como tipos políticos en cualquier país?

6. Silvano dice: "Yo soy un hombre de dudas, no de seguridades." Coméntese esta frase como expresión política del autor.

7. Coméntese lo siguiente: Los tiranos como Goldmann, según Silvano, logran tiranizar al país porque hay insensatos como Carlos (el pueblo) que prefieren luchar a pensar.

8. Silvano dice: "¿Es que quizá no debiéramos aprender a soñar?" ¿Cómo contestaría esta pregunta Buero Vallejo? ¿Cómo la contestaría usted?

9. Si una de las tragedias principales en nuestra sociedad es la falta de comunicación, ¿qué ofrece el autor como solución o por lo menos como esperanza para el futuro?

10. Contrástese el egoísmo y la generosidad en Alejandro y Silvano como dos características del hombre moderno.

11. ¿Cuáles de los personajes en *Aventura en lo gris* representan la hipocresía en el hombre? ¿Qué importancia tiene este concepto para la filosofía humanista de Buero Vallejo?

12. ¿Qué papel desempeña Ana en el desarrollo del duelo dramático e ideológico entre Alejandro y Silvano?

13. ¿Qué papel desempeña "el hambre" en el conflicto dramático?

14. Explíquese cómo sirve "El sueño" para aclarar el conflicto intelectual y sentimental de Ana en cuanto a Alejandro y Silvano.

15. Si Isabel es inocente víctima de la guerra, ¿quiénes son responsables de su muerte? ¿Por qué la mata Carlos en su

sueño? ¿Por qué también pregunta Silvano: "¿Soy yo quien te ha matado?"

16. Coméntese la posible analogía entre la desilusión de Carlos con Goldmann, jefe de su partido, y la de cualquier pueblo luchador con el tirano.

17. Escójase y coméntese la explicación más acertada o auténtica: a) El descubrimiento del verdadero asesino se hace empleando técnica de novela policíaca con su elemento de sorpresa. b) El verdadero asesino se descubre como resultado lógico del desarrollo dramático.

18. ¿Qué recursos dramáticos emplea el autor para acelerar la acción hasta el desenlace final del acto segundo?

19. ¿Qué diferencia de estructura hay entre el acto primero y el acto segundo?

20. Silvano dice que ha aprendido una gran lección:

> No se puede soñar; no se debe soñar dejando las manos libres a quienes no lo hacen. Aunque, al final, sea el soñador quien desenmascare al hombre de acción. (p. 121)

Interprétense las palabras de Silvano como moral implícita de la obra.

21. Coméntense los aspectos pesimistas u optimistas expresados por Silvano (o el autor):

> Es difícil entenderse. Ni de día, ni en sueños. ¿Será verdad que esta noche...no ha sido como las demás? Sería prodigioso. Pero de nada serviría preguntaros.... No lo creeríais; no lo entenderíais. Y además, todos lo habréis olvidado. Si yo no lo olvido es porque...me voy a morir.... Si al menos la emigración sirviese para aprender a hacerlo... Porque de poco servirá actuar en comisiones, y gobiernillos, y congresos, si nuestros sueños reconciliados no nos conducen... ¿Me oís? ¡Qué vais a oirme..., sí vosotros sois...la Historia! (p. 125)

22. Coméntese la salvación del niño como esperanza para el futuro de la sociedad.

23. ¿Qué importancia tiene el libre albedrío del hombre en *Aventura en lo gris?*

24. ¿Cómo representa Silvano la transición de una verdad parcial, aunque moral, a una verdad más completa?

25. ¿Qué relación hay entre el sueño (verdad soñada) y la realidad concreta (verdad vivida) como dos aspectos de la realidad completa del hombre? ¿Cómo desarrolla este tema el autor en *Aventura en lo gris?*

"LAS PALABRAS EN LA ARENA"

1. Contrástese la nueva moral cristiana de perdón implícita en las palabras de Jesús—"El que esté limpio de pecado que tire la primera piedra"—con el falso concepto de venganza que representa Asaf en esta tragedia.
2. Explíquese la relación estética entre el episodio Evangélico sobre la adúltera y el mismo de la obra bueriana.
3. ¿Qué relación hay entre el episodio imaginario sobre Asaf y el Evangélico?
4. Jesús le profetiza a Asaf su sino homicida. ¿Cómo se puede reconciliar esta aparente predestinación con el concepto cristiano del libre albedrío?
5. Analícese el valor estético de la técnica dramática que emplea el autor al presentarnos *fuera de escena* los dos episodios más dramáticos de la obra: el de la adúltera del Evangelio al principio del drama, y el del asesinato al final. ¿Tendrían más o menos fuerza dramática estos episodios presentados en escena?

III. TOPICS FOR ESSAYS

1. La realidad como combinación de verdad vivida y verdad soñada.
2. El humanismo trágico de Antonio Buero Vallejo.
3. Falta de comunicación y comprensión como base de tragedia humana.
4. El hombre de acción y el intelectual soñador.
5. La esperanza en la obra trágica de Buero Vallejo.

6. Fin ético en la obra bueriana.
7. Estética dramática de Buero Vallejo.
8. Dos niveles de conflicto dramático en la obra bueriana: el dramático de la realidad concreta, y el simbólico-filosófico.
9. El protagonista agónico en la obra bueriana.
10. Egoísmo y bondad en la ética bueriana.

DESCRIPTION OF TAPES

The three tapes which accompany this text are based solely on *Las palabras en la arena*. Both the dramatic reading and the drills—aimed specifically at comprehension, practice in pronunciation, and intonation—constitute a supplement to the exercises in this text. All constructions in the taped drills are taken directly from the one-act play. For best results, the drills should be started immediately after the first half of the play has been studied, then repeated at intervals throughout the term. The taped reading of the play may be introduced at any time and repeated as often as desired.

Tape one contains a dramatic reading of *Las palabras en la arena*. Since the primary aim of this tape is comprehension, it may be used either in the classroom or in the language laboratory as an introduction to the play, as a basis for literary discussion and criticism, as an aid to a student performance of separate scenes or of the entire play, or as a testing device. An effective testing technique is that of playing a specific scene and requiring either an oral or a written summary in the student's own words, or answers to specific oral questions based on the given scene. The reading is recorded by native speakers with professional dramatic training.

Tapes two and three correspond to the first and second parts of *Las palabras en la arena*. The drills in these tapes will prove most effective in the language laboratory, although they may also be used as classroom drills. They contain short sentences, questions, and answers, with pauses in which the student may repeat the statement or answer the question. Ample opportunity is provided for testing the student's version against that of the speaker, especially if the student is able to record his answer and play back the full recording for comparison. The recordings have been prepared by male and female native speakers. The speech tempo used in the drills is geared to normal, native speech patterns. The speakers employ the Castilian pronunciation without regional peculiarities. Tapes two and three should be repeated until the student is able to match—or nearly match—the native speakers'

speed, pronunciation, and intonation. The four types of drills used—
two for each tape—consist of alternating groups of ten statements and
ten questions with male and female voices in each group. This should
provide variety without sacrificing efficiency. Tape three requires
greater speed and initiative on the part of the student. An example of
each of the four drills is given under *Directions for the Student*. Although the format or drill sequence is easily mastered, the student
should familiarize himself with the examples given below—possibly
through preliminary class drills—so that he may achieve maximum
concentration on the linguistic content.

DIRECTIONS FOR THE STUDENT

1. Study the constructions in *Las palabras en la arena* before drilling with Tapes two and three.

2. Before drilling with the tapes, familiarize yourself with
the examples of the drills which are given below. Practice the
example until you are thoroughly familiar with the procedure.
Each drill in the tapes will be used with ten sentences before
the change to the alternate drill. In order to recall the format
easily before each drill session, identify the two types of drill
required for that particular tape with the help of the examples
below.

3. While drilling, listen carefully to the sentence (**frase**)
or question (**pregunta**) given by the speaker (male or female
voice). Depending on the type of drill used, the statement may
be repeated or the answer given before you are required to
respond.

4. The pause provided for your response is preceded by the
words "repeat" or "answer." These words are eliminated after
the first two drills of each group.

5. Strive to imitate and eventually match the speaker's
speed, pronunciation, and intonation.

6. In most of the drills, you merely imitate by repeating
the given statement or answer. In tape three you are required
to give an answer, based on a previous statement, before listening to the correct answer. The question is repeated so that you
may check your answer.

7. To improve your comprehension, pronunciation, intonation, and speed, drill frequently with the same tapes throughout the term. A valuable procedure is to record your answers occasionally for a critical comparison and evaluation of your progress.

8. Tape one is a dramatic reading of *Las palabras en la arena*. To improve your comprehension, follow the dramatic reading with your text, then listen to the reading without the text. Tapes two and three are drills; tape two is based on the first half of the play, tape three on the second.

EXAMPLES OF DRILLS IN TAPE TWO

1. **Frases.**

   Voice: Un cercado muy bajo corre a lo largo de la escena.

   Voice: Un cercado muy bajo corre a lo largo de la escena.

   Student: (Repeat)

   Voice: Un cercado muy bajo corre a lo largo de la escena.

   Student: (Repeat)

2. **Preguntas.**

   Voice: ¿Es pobre la casa para nuestros ojos de hoy?

   Voice: Sí, la casa es pobre para nuestros ojos de hoy.

   Voice: ¿Es pobre la casa para nuestros ojos de hoy?

   Student: (Answer)

   Voice: ¿Es pobre la casa para nuestros ojos de hoy?

   Student: (Answer)

EXAMPLES OF DRILLS IN TAPE THREE

1. **Frases.**

   Voice: Todos dicen que se ha equivocado con vosotros.

   Student: (Repeat)

   Voice: Todos dicen que se ha equivocado con vosotros.

Student: (Repeat)
Voice: Todos dicen que se ha equivocado con vosotros.
2. **Preguntas.**
 Voice: Se va por la derecha murmurando entre dientes.
 Voice: ¿Cómo se va por la derecha?
 Student: (Answer)
 Voice: Se va murmurando entre dientes.
 Voice: ¿Cómo se va por la derecha?
 Student: (Answer)

VOCABULARY

The following are omitted from the vocabulary unless special meanings are involved: identical cognates, e.g., **probable,** and near cognates in form but identical in meaning, e.g., **novela, posible, concreto, auténtico, esencia, solución, unidad, analogía, típico, estructura, vigoroso,** etc.; articles, personal pronouns, demonstrative and possessive adjectives and pronouns, and numbers; conjugated verb forms; present and past participles if no special meaning is involved (the infinitive is given); adverbs ending in **-mente** (the corresponding adjective appears except for cognates and near cognates), and superlatives ending in **-ísimo;** proper names needing no explanation and names of characters in the plays.

Radical vowel changes are given in parentheses after the infinitive, e.g., **sentir (ie).** The gender of nouns is not indicated for masculine nouns ending in **-o,** for feminine nouns ending in **-a, -ión, -ad, -tud, -umbre,** and for nouns with an inherent gender, e.g., **padre.** Abbreviations: *adj.* adjective; *coll.* colloquial; *f.* feminine; *inf.* infinitive; *m.* masculine; *n.* noun; *p.p.* past participle; *pl.* plural; *pres. part.* present participle; *pron.* pronoun.

a to; at, on, in; by
abalanzarse to rush at; to lunge
abalorio glass bead
abandonar to leave; to give up
abarca coarse leather sandal
abatir to break down; —**se** to be disheartened
abertura opening, exit
abierto open, frank; **muy** — wide open
abnegación self-denial
abofetear to slap one's face
abominación curses; a plague upon
abrazar to embrace, hug
abrillantar to brighten
abrir to open; —**se** to be opened
abrochar to fasten; to button

absolver (ue) to absolve
absorbente absorbing
absorto absorbed, lost in thought
abstraído absent-minded; absent-mindedly
absurdo absurd, nonsensical; *n.* absurdity
abúlico lacking will power, apathetic
abundancia prosperity, plenty
abyecto dejected
acabar to finish, end; — **de** + *inf.* to have just; ¡**acaba!** go ahead!
acariciar to fondle, caress
acaso perhaps
acceder to be willing; to consent

aceptar to accept; to admit

acercar to bring near; —**se a** to come near, approach

acero steel

acertado right; smart, clever; fitting

acertar (ie) to guess correctly; to be right; to succeed in; **no —** to be unable, incapable of

aclarar to clear up, explain

acomodarse to make oneself comfortable; to settle down

acompañar to accompany

aconsejar to advise

acontecer *m.* event, happening; — **nacional** national affairs

acordarse (ue) (de) to remember

acosado pursued, harassed

acostarse (ue) to go to bed, lie down

acostumbrado in the habit of, used to

actitud attitude, position; appearance; posture

acto act; action; **en el —** at once

actriz *f.* actress

actual present; contemporary

actuar to act; to serve (on committees)

acuerdo agreement; **de —** agreed, I agree; **de — con** in accordance with

acusado prominent; unmistakable; **acusada nariz aguileña** prominent hawk-nose

acusar to accuse

adelantarse to move forward, step forward

adelante forward, ahead; ¡—! go on! forward!; **más —** later

ademán *m.* gesture, manner, look

además besides, moreover

adepto follower; **los adeptos** the initiated

adiós good-bye, farewell

adivinación guessing, prophesy

adivinar to guess; **bien te adivinó** (he) guessed correctly about you

adminículo support, prop, aid

admitir to accept

adolescente young, adolescent; *n. m. or f.* a young boy (girl)

adoptar to adopt, assume, take on

adorar to adore

adormilado drowsy; **medio —** half asleep

adúltera adulteress

adulterio adultery

advertencia warning

advertir (ie) to notice, observe; to warn

afable pleasant, agreeable

afecto affection

afeitarse to shave

aferrar to grasp, seize

afición fondness

aficionado (a) fond (of); *n.* amateur

afirmar to affirm; to agree; **— con la cabeza** to nod (in agreement)

aflojar to loosen, weaken; to relax; **—se** to weaken, become slack

afrontar to face

agacharse to stoop over, crouch down

agarrar to grasp, seize

agitación excitement

agitado troubled, excited

agitador *m.* agitator, trouble-maker

agitar to move, stir; **—se** to get excited

agonía anguish

agónico struggling

agosto August

agotado worn out, exhausted

agradecido grateful, thankful

agrio sour, harsh, bitter

agua water

aguantar to endure, stand; to hold out; to wait; to bear up

aguardar to await, wait for

agudo sharp, piercing

aguileño aquiline, eagle-like

ahí there; — **atrás** back there; — **dentro** inside there; — **mismo** right there
ahogar to smother, choke, stifle
ahora now; — **mismo** right now, just now
ahorrar to save; to store up
airado annoyed, angry
aire *m.* air; appearance, manner
ajeno another's
al =**a** + **el** to the; — + *inf.* on, upon
ala wing
alargar to stretch out, extend; to strain
alba dawn
albedrío: libre — free will
albergue *m.* lodging, shelter, inn; — **de paso** hostel
alborotado in disorder, disheveled
alborozado excited, elated
alcanzar to reach, attain; to overtake; — **a ver** to witness; —**se** to find (each other)
alegrarse (de) to be glad (of)
alegre happy, cheerful, merry
alegría joy, pleasure
alejarse to move away, move off, withdraw
aletargado drowsy, lethargic; *n.* lethargic person
aletargarse to become drowsy
alféizar *m.* embrasure, recess (of a door or window)
alga seaweed
algo something; somewhat, a little; — **así** something like that
alguien someone; — **más** someone else
alguno (algún) some person, anyone, some, any
aliado adjoining
alimaña destructive animal
alimentar to feed, nourish
alisar to smooth
alistarse to enlist

aliviar to relieve, mitigate; to exonerate
alma soul
alpargata sandal
alrededor (de) about, around; **a (su)** — around (him, her)
alterar to disturb, upset; —**se** to become upset
alto high; tall; **en** — high, on high; **la parte alta** the top
altura height; level
alucinación hallucination
alumno student, pupil
alzar to raise, hoist
allá there; over there; — **lejos** far off; way over there
allí there
ama mistress
amable kind, nice, obliging
amado loved; beloved; — **mío** my darling
amante *m. or f.* lover; mistress
amar to love
amargo bitter
amarillento yellowish
ámbar amber; golden colored; **cabellera de** — golden tresses
ambiente *m.* environment
ambos both
amedrentado frightened
amenazador menacing, threatening
amenazante threatening
ametrallar to shoot down
amigo friend
amilanarse to become discouraged; **no hay que** — one shouldn't become discouraged
amistad friendship; — **infantil** childhood friendship
amo master
amoldarse (a) to adjust (to)
amor *m.* love; — **propio** pride
amortiguarse to fade, grow dim
amparar to protect
ampliar to broaden
amplio wide, large, ample, broad

analizar to analyze
anatema anathema, excommunication
anatomía anatomy, body
anciano old; *n.* old man;
—s old people
andar to walk; to go, move; to be;
— **con** to be concerned with;
¡anda! go on! come now!
andrajoso ragged
angosto narrow
ángulo angle; corner
anguloso bony; angular
angustia anguish
angustiado anguished, deeply distressed
angustioso anguished, distressing
anhelante eager; longingly
anhelar to long for, desire
anhelo eagerness; longing, desire;
con — eagerly
anillo ring
animarse (a) to have the courage
(to); to be willing (to)
ánimo courage, spirit; encouragement
aniquilar to annihilate
anoche last night
anochecer *m.* nightfall
anonadado crushed; overwhelmed;
dejected
anormal abnormal; *n. m. or f.* (a)
psychotic (man or woman)
ansia eagerness; anxiety; **con** —
eagerly
ansiedad anxiety; worry; **con** —
anxiously
ante before; in the face of; in the
presence of
anterior preceding; previous; **el**
siglo — the previous century;
n. m. preceding one
antes before; formerly; first; —
aún even before, still earlier;
— **de** before; — **(de) que**
before; rather than

antiguo old, ancient; former; **mi**
— **nombre** my former name
antojarse to take a fancy to; to
take a notion
añadir to add
año year
apagado extinguished, turned off;
out (light or fire)
apagar to extinguish, quench (fire);
to put out (light or fire)
apañarse to manage, get along, adjust; to make the best of; —**las**
to make the best of it
aparecer to appear, show up
aparencial apparent, manifest
aparente evident, apparent
aparición appearance; apparition
apariencia appearance
apartarse (de) to depart, withdraw
(from)
apearse to alight (from a horse or
carriage)
apedrear to stone, throw stones at
apellido surname
apenas hardly, scarcely
apetito desire, hunger, appetite
apiñarse to crowd together
aplastar to crush
apología justification
aposentar to lodge; —**se** to take
a lodging
apoyado leaning
apoyar to favor, to support; —**se**
to rest, lean on
apremiar to press, urge; to compel
aprender to learn
aprensión alarm, dread; suspicion
apresurarse to hasten, hurry
apretado crowded together
apretar (ie) to tighten, squeeze; to
press against; — **los dientes**
to set one's jaw
aprisa quickly; in a hurry
aprovechado improved; *n.* opportunist
aprovechar to profit by; to make

use of; **—se de** to take advantage of
aproximarse to approach, come
near
apuesto elegant, genteel, distinguished
apuntar to aim (a firearm)
apurarse to worry
apuro difficulty; predicament;
poner en un — to vex, tease,
perplex; to put on the spot
aquí here; **por —** around here;
— tiene here is; **— y allá**
here and there
arar to plow
árbol *m.* tree; **árboles frutales**
fruit trees
arder to burn; to be very hot
ardiente burning, very hot
arena sand, dust
arenga address, speech
arenoso sandy, dusty
arista sharp edge; ridge; salient
angle
arma weapon; **—s** armor
armonía harmony
arrancado pulled out
arrancar to tear down; to pull out
arrasar to demolish, destroy
arrastrar to drag
arrebatado impetuous, bold
arrebatar to snatch
arrebato frenzy, rage; sudden
vehemence
arreglar to arrange; to settle; **—se**
to get ready; to dress; **arre-
glárselas** to manage; to get
along
arreo dress, garb; ornament; **—s
militares** military garb, trap-
pings
arriba up, above; **ahí —** up
there; **hacia —** upward
arriesgar to risk; **—se** to take a
chance
arrinconar to push into a corner

arrodillarse to kneel down
arrogante haughty, proud, arrogant
arrojar to throw; to fling; **—se**
to rush at (into)
arruga wrinkle; line of the face
arrugado wrinkled; lined
arte *m. or f.* art, skill, ability; cunning
artero crafty, astute; fraudulent
artista *m. or f.* artist
asa handle
asalto attack, assault
asco disgust, loathing
ascua burning coal, ember; **en
—s** very uneasy, extremely
embarrassed; on pins and
needles
asegurar to assure
asentir (ie) to agree; to approve;
to nod
asesinar to murder
asesino murderer
así so, thus, like that, that way
asiento seat
asilo asylum; **— de ciegos** home
for the blind
asimismo likewise, also
asomar(se) to show, appear; to
look out (in); to peer through
asombrado astonished
asombrar to astonish; **—se** to be
astonished
asombro astonishment
asombroso astonishing
aspaviento exaggerated disapproval,
horror, consternation; shocked
protest
aspirar to aspire
asqueroso disgusting, filthy
astuto clever, cunning
asustado frightened
asustar to frighten; **—se** to be
frightened
ataque *m.* attack, nervous attack
atar to tie
atención attention, consideration,

interest; **en — a** considering
atender (ie) to heed, pay attention; to attend to; to take care of; to take into account
atenerse (a) to abide (by); to adhere (to); to count (on)
atentado offense, violation, crime
ateo atheist
aterrado terrified
aterrorizado terrified, very frightened
atesorar to save up, store up
atisbar to watch, spy; to catch a glimpse of
atisbo glimpse
atormentar to torture
atraer to attract; to draw down
atrapar to catch
atrás back; **ahí — ** back there; **hacia — ** to the back; **quedarse — ** to be outdone; to be left behind
atreverse (a) to dare
atrevido bold, daring
atribuir to attribute; to impute
atrio covered porch; portico
atronador deafening
atropellar to trample upon; to knock down; to insult, abuse
atroz terrible, atrocious
atuendo outfit, garb; ambitious display
aumentar to increase
aun (aún) even; still, yet
aunque although, even though
ausencia absence
ausente absent; absent-mindedly
austero severe, stern, strict
auto-odio self-hatred
autor *m.* author
autorizar to authorize
avanzar to go forward, come forward, advance
avariento miserly; greedy
aventura adventure
avergonzado embarrassed, ashamed

averiguar to investigate; to find out
ávido eager; greedy
avión *m.* airplane
avisar to warn; to notify, inform
aviso order, announcement; warning
avivar to enliven; to hurry; ¡**aviva!** hurry up!
ayer yesterday
ayudante *m. or f.* aide
ayudar to help, aid
azadilla small hoe; spade
azotado whipped, flogged
azotar to whip, flog
azúcar *m. or f.* sugar
azucarado sugared, sweetened
azul blue

bailar to dance
baile *m.* dance
bailecillo little dance
bajar to descend; to get down, come down; to lower; to let drop; — **la vista (los ojos)** to look down; to lower one's eyes
bajo under, beneath; low; short; **la parte baja** the bottom
banquillo stool, little bench
baño bath
barba beard; chin
barbarie *f.* savagery, brutality
barra rod, bar, crossbar
barrer to sweep, sweep away; to mow down; — **a tiros** to shoot down
basar (en) to base (on)
base *f.* basis; foundation
bastante enough, sufficient; quite, rather
bastar to be enough; to suffice; ¡**basta ya!** that will do! stop it!
beber to drink; — **en** to drink from
belleza beauty
bello beautiful

benévolo kind, gentle
bermellón bright red
besar to kiss
bestia beast, brute
bestial brutal, vicious, bestial
bichito little bug
bicho bug, insect
bidón *m.* large can
bien well; all right; está — it's all
  right; más — rather, somewhat; *n. m.* welfare; —es property, possessions
bienhechor *m.* benefactor
bigote *m.* mustache
billete *m.* ticket
blanco white
blancura whiteness
blando soft
boca mouth; — abajo face down
bocadillo sandwich; snack; tidbit;
  morsel of food
bocadito little bite
bocado bite, mouthful, morsel
bochornoso embarrassing
bolsa bag, purse
bolsillo pocket
bomba bomb
bondad kindness, goodness
bondadoso kind, good
bordado embroidered
borde *m.* edge
bordear to go along the edge
borracho drunken, drunk
borrar to blot out, erase
bostezo yawn
bota boot; —s de elástico boots
  with elastic insets
bote *m.* small jar; can; —s de
  conservas jars or cans of food
botella bottle
brazo arm
breve brief, short
bribón *m.* scoundrel
brillante brilliant, shining, bright;
  n. m. diamond
brillar to shine

brindar to offer
broma joke, jest
bronco hoarse; harsh
bruces: de — face downward
brusco brusque, abrupt
brusquedad abruptness, roughness;
  con — roughly, abruptly
bueno (buen) good; all right
bueriano of (pertaining to) Buero
bulto package, bundle; bulk; lump
bullicioso noisy
burla jest; mockery
burlarse (de) to make fun (of),
  laugh (at); to scoff
burlón mockingly
busca search; en — de in search of
buscar to look for, seek; to search;
  —se to seek one another

cabal entire, complete; no estar en
  sus — not to be in one's right
  mind
caballero gentleman; — andante
  knight-errant
cabellera head of hair, locks
cabello hair
caber to be contained in, fit; to
  have room; to be entitled to;
  to fall to one's share
cabecita little head
cabeza head
cabizbajo dejected, downcast, de-
  pressed
cabo end; al fin y al — finally, in
  the end
cachear to strike the face
cada each, every; — cual each,
  everyone
cadáver *m.* corpse
cadavérico ghastly, pale, like a
  corpse
cadena chain
caer to fall; — de rodillas to fall
  to one's knees; dejarse — to
  drop down; to fall

cajón *m.* drawer
calcinado pulverized by heat
calcinar to pulverize by heat
calcular to figure, calculate; to imagine
caldereta small kettle
calentar (ie) to heat
calidad quality
caliente hot
calma calmness, tranquility; ¡—! be quiet!; **mantener la —** to remain calm, composed
calmarse to be pacified, calm down
calmoso calm; soothing
calor *m.* heat; **hacer —** to be hot
calumniar to slander
calzar to wear (put on) shoes
callar to be silent, keep still, hush; **hacer — a (alguien)** to make (someone) keep quiet; **— la boca** *coll.* to shut up; **—se** to keep still
calle *f.* street
callejuela alley; narrow street; lane
cama bed
camarilla group of influential advisers
cambiado changed
cambiar to change; to exchange
cambio change; exchange; **a — de** in exchange for; **en —** on the other hand
caminante walking; traveling; *n. m.* traveler
caminar to walk; to travel
camino road, path, way; **de —** on the way to; **—s secundarios** byways, dirt roads
camisa shirt
camisón *m.* nightgown
campaña campaign
campesino farmer, peasant
campo country; field; camp; **—s de concentración** concentration camps

canalla *m.* scoundrel; *f.* rabble, mob
cananea from Canaan *the Land of Promise of the Israelites; a region corresponding vaguely to modern Palestine*
cándido white; innocent
candil *m.* lamp
cansado tired
cansar to tire, make tired; **—se** to become tired
cansino worn out; wearily
cantar to sing; to cry (victory)
cantimplora canteen
caña reed, stick
capa cape
capaz fit, capable
capitular to give in, surrender, capitulate
capítulo chapter
captar to receive; to catch
cara face; **— a —** face to face; **tener buena —** to look good
caracol *m.* snail
caray-caramba *coll.* gosh! gee!; **¡— con!** I'll be darned!
carcajada burst of laughter, loud laughter
cárcel *f.* prison, jail
carecer (de) to lack, be lacking
cargador *m.* chamber of gun
cargar(se) to carry; to throw on one's back
caricia caress
caridad charity; kindness; **por —** for mercy's sake
cariño affection, love
carmín crimson
carne *f.* flesh; meat
caro expensive; dear
carrera flight; career
carretera highway, road
carta letter; **— de identidad** identity card; **—s** playing cards

cartel *m.* poster; — **tipográfico** printed poster

cartera wallet; brief case; — **del coche** glove compartment

cartucho cone-shaped paper bag; cartridge

casa house, home; **en** — at home

casado married

casarse (con) to marry, get married

casco helmet

casi almost, nearly

caso case; matter; **hacer** — to pay attention

casta race, breed; kind

castigar to punish

castigo punishment

castillo castle; — **de naipes** house (castle) of cards (something easily destroyed)

casto chaste, pure

catedrático university professor; — **por oposición** full professor *appointed by competitive examination*

causa cause; reason; **a** — **de** because of

cauteloso suspicious; cautious; cautiously

cayendo falling

cazadora hunting jacket

cazo dipper

cebo bait; lure

ceder to yield

cegar (ie) to blind, make blind; —**se** to be blinded; to go blind

ceguera blindness

celebrar to celebrate

celo ardor, zeal; —**s** jealousy **de** —**s** from (because of) jealousy

celosía Venetian blind; lattice of a window

celoso jealous

cena supper; dinner

cenital vertical

censura censorship

centurión *m.* centurion *captain of one hundred men in the Roman army*

cepillo brush; **pelo cortado en** — very short haircut

cerca near; — **de** about; near

cercado surrounded; besieged; enclosed; *n.* fenced-in garden; enclosure; fence, low wall

cercano near, near-by; approaching

cerdo pig, swine

cerebro brain

cerilla wax match

cerrado closed, shut

cerrar (ie) to close, shut

cerrojo latch, bolt, lock

cesar to stop

cetrino sallow; melancholy, gloomy

ciego blind; *n.* blind man

cierto certain; sure; true; a certain; **lo** — the fact, the truth; **por** — of course, to be sure; **ser** — to be true

cierzo cold north wind

cifrar to place, base

cigarrillo cigarette

cima top, summit

cintura waist

circundar to surround

citado mentioned, quoted

ciudad city

claridad light, clarity

claro clear; light (color); ¡—! of course!, naturally!; — **está** it is evident; ¡— **que sí!** of course!

clase *f.* class; kind

clasificar to classify

clave *f.* key

clavo nail

cobarde cowardly; timid; *n. m.* coward

cobardón *m.* coward; **unos cobardones** a cowardly lot

cocido boiled, cooked

coche *m.* car
cochino pig
código code of law
codo elbow
cofia headdress; nurse's cap
coger to pick up; to take; to grasp,
seize; to catch; to gather
cólera anger, wrath
colérico irritable; angry
colgado hung; hanging
colgar (ue) to hang, hang up;
to sling (over one's shoulder)
colocar to place, put
combate *m.* struggle
combatiente *m.* fighter, combatant
combativo fighting
combinar to combine
comediógrafo writer of comedies
comentar to discuss, make remarks
about
comenzar (ie) to begin
comer to eat; **algo de —** something to eat
cometer to make; to commit
cómico comic; **lo —** comedy
comida food; meal
comisión delegation; committee;
toda una — quite a delegation
como as, like, in the same way as;
since; **— que** in fact; **¿cómo?**
what?, what did you say?
cómodo comfortable; convenient
compadecer to pity, feel sorry
for
compañero companion; partner;
colleague
compañía company
compartir to share
compatriota *m. or f.* compatriot,
fellow countryman
complacido pleased
complejo complex
completas evening prayers
completo complete; **por —**
completely

comprar to buy, purchase
comprender to understand; to
realize
comprensión understanding;
empathy
comprensivo understanding
comprobante *m.* proof; certificate
of proof
comprobar (ue) to verify, confirm;
to prove; to check
comprometido involved, committed; **dramaturgo —** a
dramatist committed to transcendental (ethical, philosoph-
ical, or political) as opposed
to purely aesthetic or practical
problems or aims
compungido remorseful
con with
concebir (i) to conceive; to imagine; to understand
conceder to grant; to admit
concedido: el — the one granted
concentrarse to concentrate;
to gather
concepción concept
concierto concert
conciliador conciliatory; appeasing;
appeasingly
concluir to conclude, finish; to
infer
concluyente conclusive
concurso competition, contest;
a — in competition
condecorado decorated (with
medals)
condenado cursed; *n.* condemned
man
condenar to condemn
condición state; position
conducir to guide, lead
conectar to connect, to relate
confesar (ie) to confess, to admit
confianza confidence, trust
confiar (en) to hope; to trust;
to be certain

confidencial confidential, confidentially

confundir to confuse; to mistake for; —**se con** to blend with

confuso perplexed, confused; jumbled

conjunto total, whole, entirety; ensemble

conmover (ue) to touch, move emotionally

conmovido touched, deeply moved

conocer to know, be acquainted with; **dar(se) a** — to make known; to reveal (oneself)

conocimiento knowledge, acquaintance

conque so then; and so

consciente intelligent; conscientious; conscious

consecuencia: en — consequently

conseguir (i) to get, obtain; to attain; to succeed

consejo advice; council; cabinet

conserva preserved food

conservar to keep, to preserve

considerar to consider; to look at; to believe

consigna password, countersign; motto

consistir (en) to consist (of), be made (of)

consolar (ue) to comfort, console

constar to be clear, evident; **hacer** — to make clear

constituir to constitute

consuelo consolation, comfort; pity

consultar to consult; to question; — **con la mirada** to look at questioningly

consumir to eat up, consume

contagiado infected

contaminar to contaminate; to soil

contar (ue) to count

contemplar to look at, to observe

contemplativo thoughtful; *n.* thinker, dreamer

contemporáneo contemporary

contener (ie) to contain; to restrain, check

contenido *n.* contents

contentar to satisfy, please; to appease

contento pleased, satisfied

contestación answer

contestar to answer

continuar to continue, go on; to follow

contorno surrounding country; environs; region

contra against

contraído drawn, contorted

contrariado vexed; disappointed

contrario contrary; **al** — on the contrary; **de (por) lo** — otherwise

contrastar to contrast

contratar to hire; to place under contract

convencer to convince; —**se** to be convinced

conveniencia advantage; convenience

conveniente suitable, proper; advantageous; **lo más** — the wisest (thing to do)

convenir (ie) to suit; to be desirable, wise; to be good for

convertido changed, turned into

convertir (ie) to convert, change, transform; —**se en** to become· to turn into

convicción: sin — unconvinced· unconvincing

convincente convincingly

convivir to co-exist; to live with

coqueta *f.* flirt; flirtatious

coral *m.* coral

corazón *m.* heart

cordial: verdad — truth of the heart

correr to run; to draw (bolt); to slide (lock)

corresponder to correspond; to befit; — **(a alguien)** to suit (someone)

corriente ordinary; **hombre —** average man

corruptor *m.* seducer

cortar to cut, cut off

cosa thing; affair; matter; **eso es otra —** that's different; **así las —s** in this state of affairs

costa cost, expense; **a — de** at the expense of

costar (ue) to cost; to be difficult; **— caro** to cost dearly

costumbre *f.* habit, custom

crear to create; to cause to happen; **—se** to determine; to create for oneself

crecer to grow; to increase

creciente growing; increasing

creencia belief

creer to believe; to think; **¡ya lo creo!** yes indeed! indeed I will!

criatura child, baby; creature

crimen *m.* crime

crío baby, child

crispado clenched; tense

crispar to clench (fists); to twitch; to contract

Cristianismo Christianity

crítica criticism; **la —** the critics *collective appraisal or censorship*

crueldad cruelty

cruzar to cross; to pass through

cuadrarse to stand at attention; to salute (military)

cuadro picture; scene (of a play)

cuajado covered with; filled

cualquier(a) any, anyone, anybody; **un cualquiera** a nobody

cuando when, since; **¿cuándo?** when?

cuanto as much as, whatever; **— antes** as soon as possible, at once; **en —** as soon as; **en — a** regarding; as for; **por —** inasmuch as; **¿cuánto?** how much? **—s** as many as

cuartel *m.* quarter; mercy; **no dar —** to show no mercy

cubrir(se) to cover; to cover up

cucharilla teaspoon

cuello neck, throat; collar

cuenta account, bill; bead; **darse — (de)** to realize, notice, understand; **por su —** on their own accord

cuento story; **— de hadas** fairy tale

cuerda string; cord; **dar — al reloj** to wind the watch (clock)

cuero leather

cuerpo body; **Cuerpo de Sanidad** Medical Corps

cuervo crow, raven; bird of prey, vulture

cuesta slope, hill; **a —s** on one's back

cuestión question; controversy; argument; problem

cuidado care; **¡—!** be careful!; watch out!; **con —** carefully; **tener —** to be careful

cuidar to take care of, care for; **—se** to take care of oneself; to be careful; **—se de** to take care, see to it

culpa fault, blame; guilt; **es (mía) la —** (I) am to blame; **por mi —** through my fault, on my account; **tener la —** to be to blame

culpable guilty, to blame; **ser —** to be to blame, guilty; *n. m.* culprit

cultivar to cultivate; to grow a crop

cumplir to fulfill; to prove; **— ... años** to reach the age of . . .

curarse to get well, recover from an illness

curioso strange; inquisitive
custodiar to take care of; to watch over; to be in charge of
cuyo whose

chaleco vest, waistcoat
charla chat; conversation
chica girl
chico little, small; *n.* boy
chicuela youngster, little girl
chicuelo youngster, little boy
chiquitín baby; the youngest
¡chist! hush! quiet!
choque *m.* collision, crash; shock; clash, conflict
chorrear to drip; to pour out

danzar to dance
daño harm, injury, hurt; **hacer —** to harm, injure
dar to give; **— a** to open into; to face; **— las buenas noches** to say good evening (night); **— las gracias** to thank, say thank you; **— por + *adj.*** to give up (as), consider (as); **— rabia** to make (one) angry; **— un paso** to take a step; **—(se) a conocer** to make (oneself) known; **—se cuenta (de)** to realize, understand; **da igual** it's all the same
dato fact; **—s** data
de of, from; because of; by
debajo under, underneath; **— de** under
deber to have to, must, should, ought to; to owe; **— de + *inf.*** must be, probably is; **se debió de (llevar)** (he) must have (taken); *n. m.* duty
débil weak
debilidad weakness

debilitar to weaken; **—se** to grow weak
decente respectable
decidirse to make up one's mind
decir to say, tell; **querer —** to mean, signify; **— tonterías** to talk nonsense
declamación speech, discourse; **clase de Declamación** Speech class
declamar to recite, declaim
declinar to decline, refuse
decorado scenery
dedicado dedicated
dedo finger
deducir to deduce; to reason
defender (ie) to defend
defensor *m.* defender, protector
definitiva: en — in fact; decisively
deformado distorted
deformar to distort
degustar to enjoy, savor
dejar to leave; to leave alone; to allow; **— de** to stop; to fail to; **— en la calle** to dismiss; to abandon, forsake; **— paso** to make way; **sin — de** still, without ceasing (to); **—se de** to stop; to forget about; **¡déjele hablar!** let him speak!
del = de + el of the
delante before, in front; **— de** in front of
delectación pleasure, delight
demás other; **los —** the others; the rest
demasiado too much, excessively; **—s** too many
demostración proof
demostrar (ue) to show; to prove
demudado changed expression (or color of face); showing signs of agitation
denario Roman silver coin
denegar (ie) to deny, refuse, reject; to shake one's head in denial

dentro inside, within; **ahí —** inside there; **— de** within; **por —** on the inside

denunciar to denounce, accuse; to proclaim

deparar to furnish, offer, supply

depender to depend

deportivo sport

depositar to place; to deposit

derecha right hand, right side; **a la —** on (to, at) the right

derecho right; straight; straight ahead

derivarse (de) to derive (from), come (from)

derribar to knock down; to overthrow

derrotar to defeat

derrotista defeatist

derrumbarse to collapse

desafiar to defy; to challenge

desagradable unpleasant, disagreeable

desalado anxious; swift

desamparado forsaken, abandoned

desanimar to discourage

desaparecer to disappear

desarrollar to develop

desarrollo development

desatarse (en) to give way to; to burst into (tears)

desayunar(se) to breakfast, eat breakfast

desparrar to talk nonsense; to ramble

descansar to rest; to feel relief; to lean (on); **— en** to rely on

descarnado emaciated, fleshless

descaro impudence, audacity, boldness; **con —** impudently

descartar to discard, put aside; to dismiss; **—se** to excuse oneself; to refuse to do what is required

descender (ie) to descend, come down

descenso descent

descolgar (ue) to take down; **—se** to take off

descompuesto upset

desconcertado confused, bewildered

desconocido unknown

desconocimiento denial of recognition; lack of recognition; ignorance

descorrer to draw; to slide back

descubrir to disclose, reveal; to discover

descuidado unaware, off guard; careless

descuido carelessness; oversight

desde from; since; **— ahora** from now on; **— dentro** from the inside; **— fuera** from the outside; **— luego** of course, to be sure

desdichado unfortunate; miserable; **esa desdichada** that wretched girl

desdoblamiento: — de la personalidad unfolding (revealing) of personality traits

desear to desire, wish, want

desembocar to surge down (into)

desempeñar to play a role

desencantado disappointed

desenfado ease, freedom; calmness

desenlace *m.* denouement or solution (of a tragedy)

desenmascarar to unmask, uncover, reveal

deseo desire, wish

desesperación: con — despairingly, hopelessly

desfallecer to faint; to grow weak

desfallecido faint, weak, exhausted

desgana distaste, dislike; **a —** unwillingly

deshonrado disgraced

desinteresado disinterested

deslenguado slanderer

deslucido dull; tarnished

desmayado faint, weak

desmayo swoon, fainting spell; dismay

desmelenado disheveled

desnudo bare, unclothed, naked

despacio slow; slowly

despavorido terrified; aghast

despectivo scornful, contemptuous

despedir (i) to dismiss, send away; **— de un empellón** to push away

despejado clear; bright; smart; wide awake

despejar to clear; **—se** to clear one's head

desperezarse to stretch oneself

despertar(se) (ie) to awake

despierto awake, alert

desplazarse to move over; to change one's place; to displace

desplomarse to collapse

despojarse (de) to take off, strip

déspota *m.* tyrant, despot

despreciable contemptible, despicable; worthless

despreciado scorned, despised

despreciar to scorn, hold in contempt

desprecio scorn, contempt; **con —** scornfully

desprenderse to break away, break loose

después then, later; after, afterwards; **— de** after

desquiciado unhinged; out of one's mind

desquite *m.* retaliation; recovery of a loss, compensation

destartalado disorderly; scantily and poorly furnished

destellar to glitter, sparkle; to gleam; to flash

destello gleam; flash

destino destiny, fate

destreza skill

destrozado worn out; tattered

destrozar to destroy, ruin

destruir to destroy

desunido dispersed; in disagreement; divided, without unity

devalido helpless; destitute

desvariar to be delirious; to rave, talk excitedly; to talk nonsense

desvencijado rickety

desviar to turn aside; **— la mirada** to look away

detener (ie) to detain, stop; **—se** to be detained; to stop

detenido detained, stopped

deteriorado damaged; shabby

determinar to determine; to distinguish

devolver (ue) to give back, return

devorar to devour

día *m.* day; **buenos —s** good morning; **todos los —s** every day

diario daily

dibujado sketched, drawn; outlined

dibujar to sketch, draw; **—se** to be revealed; to appear

dicción: enfática — emphatic way of speaking

dicha happiness

dictadura dictatorship

diente *m.* tooth

diestro right; **a — y siniestro** right and left

diferir (ie) to differ, be different

difícil difficult, hard

diluirse to be diluted

dinero money

Dios God; **gracias a —** thank heaven; **¡—mío!** good heavens!; **¡por —!** for heaven's sake!, for God's sake!; **por — santo** for God's sake; **por tus dioses** in the name of your gods

Dinamarca Denmark

dirigente *m.* director, manager; executive; leader

dirigir to direct, manage; — **una mirada** to cast a glance; —**se a** to go toward; to address, speak to
disciplina order, obedience
disco disk
discreto discreet, prudent
disculpa excuse
disculpar to excuse, forgive; —**se** to excuse oneself
discurrir to think out, reason; to contrive, scheme
disfrazar to disguise
disgustado annoyed, displeased
disgusto displeasure, annoyance
disimular to cover up, conceal (one's feelings); to feign
disimulo pretense; slyness; secrecy; concealment; **con** — surreptitiously, on the sly
disparar to shoot, fire
disparate *m.* blunder; foolish act; nonsense
dispensar to forgive, excuse; **dispense** I'm sorry; pardon me
disponerse (a) to get ready to
dispuesto ready, prepared
distar to be far from
distinguir to distinguish
distinto: — **a todos** different from all the rest
distraer to distract; to draw the attention away from
divertido amused; amusing
divertirse (ie) to enjoy oneself, have a good time
divisar to catch a glimpse of; to see indistinctly
doble double, twofold
documentación (*also* **documentos**) identification papers
doler (ue) to hurt; to grieve
dolido hurt, sad, sorrowful
dolor *m.* grief, pain
dolorido pained, grieved, afflicted

doloroso painful
dominante domineering
dominar to control
doncella maid; lady's maid
donde where; ¿**por dónde?** which way?
doña title of respect used only before a woman's Christian name
dorado golden, gilt
dormido asleep, sleeping; *n.* sleeping man
dormir (ue) to sleep; —**se** to fall asleep
dormitar to doze
dormitorio sleeping quarters
dosis *f.* dose; quantity; **a grandes** — in great quantities
dote *m. or f.* dowry; gift; —**s de seducción** powers of seduction
dramaturgo dramatist
duda doubt
dudar to doubt, have doubts
dudoso doubtful; unreliable
duelo duel
dueño master; owner; — **de sí** self-possessed, self-controlled
dulce sweet; gentle, kind
durante during; for
duro hard; difficult; **lo más** — the hardest (most difficult) part

¡**ea!** hey there! come, come!
eco echo
economía economy, saving, thrift
echar to throw, throw away; to put in; to pour; — **en cara** to blame; to reproach; — **en falta** to miss; — **la barra** to bolt (door); — **mano** to seize, grab, catch; —**se** to lie down; —**se a** to begin to; to burst out (crying)
edad age; — **incierta** indefinite age
edificar to build, build up

educar to educate; to train

efecto effect, result; **en —** true, exactly; that's right; as a matter of fact

eficacia efficiency; effectiveness

eficaz efficient; effective

egoísmo selfishness

egoísta selfish; *n. m.* selfish person; egotist

¿eh? huh?; isn't it?

ejecución: peletón de — firing squad

ejemplo example; **por —** for example

ejercicio exercise

ejército army

elegir (i) to choose, elect

elevado high, lofty

elevar to raise, lift

eliminar to do away with, get rid of, discard

eludir to avoid, dodge

embajada errand; request

embarazoso embarrassing; awkward

embargo: sin — nevertheless, however

emblema *m.* insignia

embrutecido stupefied

embustero liar

emerger to appear, come forth; to stand out

emigración: en la — in exile

emitir to let out; to utter

emocionante moving; exciting

emparejado paired-off

empellón *m.* push; **de un —** with a push

empeorar to grow worse

emplear to employ, use

empezar (ie) to begin

emprender to undertake; to begin

empresario manager (of an artist or group of artists)

empujar to push, shove

en in, into; at; on, upon

enardecer to excite; to kindle with enthusiasm; **—se** to become excited; to become enthusiastic

encalado whitewashed

encaminarse a (hacia) to go toward; to walk to

encantar to charm, delight

encararse to confront, face

encarcelar to imprison, jail

encargado in charge; *n.* manager, caretaker

encargarse (de) to take charge (of)

encarnado red

encender (ie) to light, set on fire

encendido inflamed; fiery; bright; **— bermellón** bright red

encerrar (ie) to close; to enclose, shut in

encima above, over, on top of; **por — de** over and above

encoger: —se de hombros to shrug one's shoulders

encogido timid

encontrar (ue) to find, encounter; to meet; **—se** to be; to find each other; **—se con** to meet, run into

enderezarse to straighten up; to sit (stand) erect

endurecerse to grow hard, stiffen

enemigo enemy

enérgico forceful; vigorous; strong

enero January

enfadarse to become angry

enfermar to sicken, become ill

enfermera nurse

enfermo ill, sick; *n.* sick man, invalid

enflaquecido thin, emaciated

enfrentarse (con) to face, confront

enfundar to put into a holster

engañar to deceive

engarfiado claw-like (*from* **garfa** claw)

engarzado linked

engendrar to beget, produce; to cause

englobar to include, enclose

engreído conceited, vain, haughty; *n.* haughty person

enjalbegado painted; whitewashed

enjugarse to dry oneself; to wipe off

enlazar to tie, connect

enloquecer to go mad, go out of one's mind

enloquecido maddened, crazed, out of one's mind

enmascarar to mask; to give the appearance of a mask

enmudecer to grow silent; to be silent

ennoblecer to make noble

enrojecer(se) to redden, grow red

enronquecer(se) to become hoarse

ensayo essay

enseñar to teach; to show, point out

enseres *m. pl.* utensils; implements

ensombrecerse to grow somber, become gloomy; to darken; to become clouded

entender (ie) to understand; — **de** to know about; —**se mal** to misunderstand

entendido ¿—? is that clear?

enterarse (de) to find out, learn, know about

entero entire, whole

entonación intonation

entonar to strengthen (the body); to stimulate

entonces then, at that time; well then; **por** — at that time

entornado half-open; half-closed, ajar

entornar to half-open

entrar to enter, go in; — **en** to go into

entre between, among

entregar to hand over

entretanto meanwhile

entrever to catch a glimpse of; to see vaguely

entrevista interview; — **de prensa** newspaper interview

entusiasmado excited, full of enthusiasm

envejecido aged, grown old

envenenar to poison

enviar to send

envidia envy

envío remittance; message

envolver (ue) to wrap; to envelop

época time

equivocarse to be mistaken

erguido erect; proud

erguirse (ie = ye) to straighten up; **se yergue** (he) stiffens

erigir to erect, build, raise

error *m.* mistake; failing; sin

escalera stairway, staircase

escalofrío shudder; chill

escaparse to escape

escatológico eschatological *pertaining to the doctrine of final things such as death or immortality*

escena stage; scene

escénico theatrical

escenografía staging, stage setting, stagecraft

esclavitud slavery

esclavo slave

escoba broom

escoger to choose

escolta escort; guard

esconderse to hide

escriba *m.* scribe

escribir to write

escritor *m.* writer

Escritura Scripture, Bible

escrúpulo scruple; doubt

escrupuloso scrupulous, particular, very careful

escuálido filthy; miserable, wretched

escuchar to listen (to); to hear

escuela school

ése that one; that fellow

esenio Essene *member of Jewish brotherhood*

esfera sphere

esfuerzo effort; **con** — with diffi-

culty, with a struggle; **hacer
—s** to try hard; to struggle
eso that; that's right; **— de** that
matter of, that business of; **por
—** that's why; therefore
espacio space
espalda back; shoulders; **por la —**
from behind, at the back; **de
—s** with (his) back to
espantado frightened, terrified
espanto fright, terror
espantoso frightful
espectador *m.* spectator
especular to speculate
esperanza hope
esperar to hope; to expect; to wait
-for
espermático sperm-shaped, pointed
espiar to watch closely; to spy on;
to look about cautiously
espigado tall and slender
esposa wife
esposo husband
espuerta basket with handles
esquelético emaciated, very thin
esquina corner
establecerse to establish oneself; to
become established
estación railroad station
estado state, condition
estallar to explode, burst; **— en
carcajadas** to burst out laugh-
ing; **estalla la guerra** war
breaks out
estar to be; to stay; to spend time;
— dispuesto a to be ready to;
no — para nada to be fit for
nothing
este *m.* east
éste the latter
estética aesthetics *pertaining to the
beautiful as distinguished from
the moral*
estilo style
estirado stretched out
estirar to stretch out, extend
estorbar to be in the way; to disturb; to hinder; to bother

estrangulado strangled, choked
estrangular to strangle, choke
estrechar to press, clasp; to embrace; **— con fuerza** to embrace tightly; **— la mano** to
clasp hands, shake hands
estrella star
estremecerse to tremble, shudder;
to give a start of surprise
estrenar to perform (for the first
time); **sin —** not staged, not
performed
estreno première (of a play)
estrépito noise, racket
estridente piercing
estropearse to break down, be
ruined
estructura: sin — formless
estudiar to study; **—se** to think
about, consider
estupefacto stunned, very much
surprised
estupor *m.* stupor; bewilderment
ética ethics
evacuar to evacuate; to leave; to
move out
evangélico evangelical; of the gospel
Evangelio: el — the gospel
evasivo evasive; aimless
evidente: de — falsedad obviously
false
evitar to avoid; to prevent
exaltado excited; upset
exaltarse to become excited
examinar to examine; to consider
exhalar to utter
existencial: *pertaining to existen-
tialism—a theory that stresses
man's anguished loneliness, con-
tingency, and desire for freedom*
éxito success
expansión diversion; emotional out-
let
explicación explanation
explicar to explain
explícito explicit, manifest

explotar to exploit
exponer to expose, explain; to lay before the public
expresionista: *pertaining to the theory or practice of expressing one's inner or subjective emotions through painting, poetry, or music*
expresivo expressive; significant
expulsado expelled; exiled
expulsar to expel; to exile
extático absorbed; ecstatic; as if in a trance
extendido held out, extended
exterior *n. m.* outside
exterminador *m.* exterminator; destroyer
extraer to extract, take out
extranjero foreign; *n.* foreigner; **en el —** abroad, in a foreign country
extrañado surprised
extrañar to surprise; **no es de —** it is not surprising
extraño strange; *n.* stranger
extremo last, utmost; *n.* extremity, end

fábula fable
fácil easy
facilidad: con — easily
faena task, job
falacia fallacy; deceitful argument
falda skirt
falsedad falsity, falseness, untruth
falso false, untrue
falta fault; lack, need; **hacer —** .to need, be needed; **por — de** for lack of
faltar to be lacking; to be missing; to be needed; to be left
fallar to fail; to default; **— la cabeza a alguien** to be confused
falleba window bar, shutter bolt
fallecer to die

fallo lapse, lack
fama fame; reputation; **mala — ílī** repute
familiar of the family
fantasía fancy, imagination, fantasy
farisaico Pharisaic, of the Pharisees
fariseo Pharisee
farsa comedy, farce
fascinante fascinating
fastidiado annoyed
fastidio annoyance, nuisance; **¡que —!** what a nuisance!
fatalidad fatality; fate, fatalism
fatalista: *pertaining to the doctrine that all events are determined by necessity or fate*
fatuo conceited; *n.* conceited fool
favor *m.* favor; **por —** please
fe *f.* faith
fealdad ugliness
febril feverish
fecha date
felicidad happiness
felicitación congratulation
felinamente cat-like
feliz happy
fenicio Phoenician
feo ugly
feroz ferocious; powerful
fiarse (de) to trust
ficticio fictitious
fiera beast, wild beast
fiesta holiday
figurarse to imagine; **no se figure nada** don't get any ideas
figurín *m.* costume
fijeza firmness; stability; **con —** fixedly; firmly
fijo fixed; firm
filacteria phylactery *square leather box worn by Jews during prayer*
filiación affiliation
filósofo philosopher
fin *m.* end; purpose, object; **a —de** in order that; **al —**

finally; **en —** in short; at all events

final *m.* end; **al —** finally, in the end

fingir to pretend, feign

firme firm, decisive

fisgar to pry; to spy

físico physical

fisonomía features; countenance, face

flaco thin

flor *f.* flower

floreciente flourishing

foco light, beam of light

folleto pamphlet

fondo background; back; backstage; bottom; depth; content, substance; **en el —** in reality, at heart; **verdadero —** true self (substance)

forcejeo struggle

forjar to fabricate; to imagine

forma shape, form; style; **sin —** shapeless; **de todas —s** in any event

formar to form, constitute; to make up a train; to get into line

fornido stout, strong, sturdy

foro back of stage

fortalecerse to be strengthened, to become strong

forzar to force; to rape

franco open, frank

frecuencia: con — frequently, often

frente *f.* forehead; **— a** in front of; facing

frente *m.* front; **al —** forward; at the head, in the front ranks

fresco fresh; cool

frialdad coldness; **con —** coldly

frío cold

frontera border, frontier

fronterizo frontier; **tren —** train that crosses the border

fructificar to flourish, be fruitful

fruición enjoyment, relish

frustrarse to fail; to be balked

frutal bearing fruit; *n. m.* fruit tree

fuego fire; **ofrecer —** to offer a light

fuente *f.* fountain; source

fuera out, outside; away; **— de** out of; **— de sí** beside oneself; **por —** on the outside

fuerte strong; loud

fuerza force; power; strength; **a la —** inevitably, necessarily; by force

fuga flight

fugaz fleeting, brief

fugitivo fugitive

fumar to smoke

funcionar to work, function

fundirse to fuse, be fused

furia fury; vengeance; folly

furioso furious

fusil *m.* gun; **— ametrallador** machine gun

fusilar to shoot

gacela gazelle

gafas spectacles

galileo Galilean

galón *m.* braid, military stripes; insignia

gallina hen, chicken; coward

gana desire, wish; **tener —s de** to feel like; to be anxious to

ganado cattle

ganar to win (over); to gain; to get; to reach

García Lorca, Federico (1898–1936) *Spanish poet and dramatist, killed during the Spanish Civil War of 1936–39*

gastado spent; worn

gastar to spend; to use

gemido moan

gemir (i) to moan

general: por lo — generally

género gender; type; genre (literary)

generoso generous

gente *f.* people

gentil genteel; elegant; pagan; *n. m.* gentile, pagan

gentío throng, crowd

gesticular to gesticulate

gesto face, expression; grimace; gesture; look; **hacer un —** to make a face; to grimace

glosa gloss, brief commentary

gobernante m. ruler (one who governs)

gobiernillo so-called government (contemptuous reference to a government in exile)

gobierno government

golpe m. blow; rap; **de —** suddenly

golpear to strike, hit

golpecito tap, pat

gollete *m.* neck of a bottle

gordo fat

gota drop

gozar to enjoy; to possess

gozo pleasure, joy

gozoso joyful

gracia grace; favor; **—s** thanks; **—s a** fortunately; **dar las —s** to thank

gracioso funny, amusing

grada step (of a staircase)

grado degree; **a tal —** to such an extent

granado choice, select; ripe

grande (gran) large, big; great; grand

grandeza greatness

granuja scoundrel, rascal

grave serious, grave; deep

gravedad seriousness; **con —** gravely, seriously

gris gray; **lo —** grayness

gritar to shout, cry out, scream

grito cry, shout; **pedirse a —s** to be urgently needed

grueso stout, fat

grupo group

Guadalajara city northeast of Madrid

guardar to put away; to keep; to take care of; **—se** to put away; to take care of oneself; to be on one's guard; **—se de** to be careful not to

guardarropa wardrobe; clothes

guerra war; **en —** at war

guerrera military jacket or blouse

guerrilla war of partisans; band of partisans

guerrillero guerrilla fighter

guiar to guide

gustar to like; to please; **no me gustan** I don't like them; **te gusto** you like me

gusto pleasure, liking; taste; **a (su) —** at will, as (you) please; **por (su) —** at (your) pleasure

haber to have (auxiliary); to be (impersonal); **— de + inf.** to be supposed to; must; **hay** there is, there are; **no hay por qué** there's no reason to; **hay que** it is necessary; **¿qué hay?** what's wrong? what's going on?

hábil clever; skillful

habitación room

hablado: lo — what was spoken, said

hablar to speak; to talk; **— solo** to talk to oneself

hacer to do; to make; **— bien (mal)** to do right (wrong); **— caso** to heed, pay attention; **— daño** to harm, hurt; **— falta** to be needed; **— frío** to be cold; **— justicia** to demand (bring

to) justice; —se to become;
hace, hacía *with expressions
of time* for; ago
hacia toward, to; about
hallar to find
hambre *f.* hunger; **tener —** to be
hungry; **medio muertos de —**
half-starved
hambriento hungry, starving; **— de**
greedy for
harto full, satiated; **estar — de** to
be fed up with
hasta even; until, up to, as far as;
— luego so long, see you later;
— que until
hastiado filled with loathing, dis-
gusted
hecho fact
helado icy, frozen
hender (ie) to penetrate; to split
hercúleo very strong; Herculean
heredar to inherit
hermana sister
hermano brother
hermoso beautiful
hermosura beauty
hervido boiled
hervir (ie) to boil
hez *f.* scum, dregs
hidromiel *m.* mead, hydromel
hielo ice
hierba grass; herb; weed; **malas
—s** weeds
hierro iron
higo fig
hija daughter, child; **— mía** my
dear
hijo son, child
hinchar(se) to swell; to stuff, gorge
(oneself)
hipócrita *m. or f.* hypocrite
historia history; story, tale; affair
historiador *m.* historian
hogar *m.* home; hearth
¡hola! hello!
holgazanear to be lazy

hombre man; **— de Dios** my good
man
hombro shoulder
homicida *m.* murderer
hondo deep; profound
hora hour; **a última —** at the last
moment; **a todas —s** all the
time, constantly
horizonte *m.* horizon
horror *m.* horror, fright; **¡qué —!**
how terrible!
horrorizado horrified
hortaliza vegetables; garden
products
hospicio asylum
hoy today
hueco niche; opening
huella trace, mark; footprint
huérfano orphan
huerto orchard; vegetable garden
hueso bone
huevo egg; **— cocido** cooked
(boiled) egg
huidiza shifty; furtive; **— mirada**
furtive look
huir to flee, run away
humanista humanistic *pertaining
to an attitude of thought or
action centered on human in-
terests or ideals*
humano: los —s human beings
humeante steaming
húmedo damp; **ojos —s** tearful
eyes
humildad humility; humbleness
humilde humble; **— falda** cheap
skirt
humillarse to humble oneself; to
bow humbly
humorismo humor, wit
hurtadillas: a — slyly, on the sly

Ibsen, Henrik Johan (1828–1906)
Norwegian poet and dramatist
ibseniano of (pertaining to) Ibsen

idealizar to idealize
identificar to identify
ignorar to be unaware of; not
    know; **no —** to be aware of
igual equal; alike, same, similar;
    dar — to make no difference:
    — que the same as
iluminar to light up, illuminate
ilusión: hacerse ilusiones to build
    up false hopes
iluso deluded, deceived; *n.* deluded
    fool; **¡—!** dreamer!
"ilustrados"=iluminados "enlight-
    ened" persons (of eighteenth-
    century Spain)
ilustre illustrious
imaginar(se) to imagine
imbécil *m.* fool
imitar to imitate
impedir (i) to prevent, hinder
ímpetu *m.* impulse; impetus;
    con — impetuously
impío impious, irreligious; profane
implacable inexorable, implacable
imponer to impose; **—se** to take a
    firm stand; to assert one's
    authority; to dominate
importar to matter; to be impor-
    tant; to concern; **no le importa**
    it's no concern of yours; **¡qué**
    importa ya! what's the differ-
    ence now!
importuno troublesome, annoying;
    ¡calla, —! hush, you pest!
imprenta print, impression
impresionado impressed; excited,
    moved
impresionante impressive
impureza immorality, unchasteness
impuro impure; foul; **impura** *n.*
    foul woman
inanición starvation, lack of nour-
    ishment
incapaz incapable, unable
incendiar to set afire; to brighten,
    illuminate

incierto uncertain, indefinite;
    untrue
inclinado bent over, leaning over
inclinar to bend; **—se** to bend
    over, stoop, lean over
incluído included; including
incluso even; actually
incógnito unknown; **de —** with
    name and rank unknown
incomprensión lack of understand-
    ing; lack of empathy
incomunicación lack of communica-
    tion; lack of empathy
inconfesable inadmissible; secret,
    hidden
inconfundible unmistakable
inconveniente *m.* objection;
    tener — to object
incorporarse to sit up, rise; **— a**
    to join
increíble unbelievable
incurrir to incur, fall into; to risk
    punishment
indeciso indefinite, vague
indefenso defenseless
indefinible indeterminate
indicar to indicate, point out; to
    suggest; to tell
indignante infuriating; disgraceful
indigno unworthy; low; con-
    temptible
indiscutible unquestionable
inesperado unexpected
infeliz unhappy; unfortunate; *n. m.*
    fool
infierno hell
influir to influence
infundio lie
ingeniero engineer
ingenioso ingenious, clever, imag-
    inative
ingenuo simple, unaffected; naive;
    n. fool
inicial first
iniciar to begin
injusto unjust

inmóvil motionless

inmovilizar to immobilize

inmundicia filth

inmundo filthy, unchaste; obscene

inocente: pobre — unfortunate child

inoportuno at the wrong time, inopportune

inquietante disturbing

inquietar to worry; **—se** to become uneasy

inquieto worried, uneasy

inquietud uneasiness, worry, anxiety

inquilino tenant, renter

inquisitivo inquisitive

insalvable hopeless (incapable of being saved)

insensato stupid; *n.* stupid fool

inservible useless; out of order; **locomotora —** broken-down engine

insinuante hinting, insinuating

insinuar to insinuate; to hint; to suggest; to imply

insolente insolent; *n. m.* insolent fellow

inspiración inspiration; drawing in of breath

instinto instinct

instruirse to study; to become learned

intacto intact, whole

íntegro complete, whole; disinterested, honest

intención motive, purpose, aim

intenso intense; deep; passionate

intentar to attempt, try

intento attempt

intentona attempt; intention

interés *m.* interest

interesante interesting

interesar to interest

interior internal; *n. m.* inside; **hacia el —** to the inside

interponer to put between; **—se** to interpose; to come between

interpretar to interpret; to understand; **— mal** to misunderstand

intervenir (ie) to intervene; to interrupt

interrogante *f.* question, interrogation; problem

interrumpir to interrupt

intimidad intimacy; intimate life

intimidado afraid, frightened

íntimo intimate

intriga intrigue, conspiracy

intrigado interested, intrigued

intrigante conspiring; *n. m.* conspirator

introducirse to introduce oneself; to be introduced

inundado flooded; submerged in

inútil useless

invasor *m.* invader

ir(se) to go; to go off; **— + *pres. part.*** to begin to, continue to; **¡vamos!** come on! well now! let's go!; **¡vaya!** well! what do you know!; **¡vaya un (chico)!** what a (boy)!

ira anger, ire; **con —** angrily; **santa —** righteous anger

iracundo angry

irisado iridescent; rainbow-hued

irrealizable unattainable

irritado annoyed

izquierda left hand; left side; **a la —** to (on, at) the left

izquierdo left

¡ja! ha!

jadeante panting, breathing heavily, out of breath

jadear to pant; to breathe heavily

jauría pack of hounds

jefe *m.* leader, head; **— de estación** stationmaster

Jehová Jehovah *Hebrew name for God*

joven young; *n. m. or f.* youth, young man (woman)

jovencita young girl
joya jewel; piece of jewelry
júbilo joy, glee
judicial legal
juego play; game
jugar (ue) to play (a game)
juicio judgment; sense, wisdom; opinion; **perder el —** to lose one's mind, go crazy
junto near; **— a** next to, close by; **— a (ellas)** along with (these); **—s** together
jurado jury
juramento vow, oath
jurar to swear, take an oath
justicia justice; **hacer —** to demand justice; to bring to justice
justificar to justify
justo just; correct, right; fair; precisely; **lo —** what is right, fair; the exact amount
juventud youth
juzgado judged
juzgar to judge; to render judgment; **a — por** judging by

laberinto labyrinth
labia eloquence, fluency
labio lip
ladino cunning, crafty, sly
lado side; **al —** near, at hand; next door; **al — de** next to; **de — **sideways; **por otro —** in another direction; **en todos —s** everywhere
ladrón *m.* thief, robber
lágrima tear
lamentar to regret
lanzar to fling, throw, hurl; to send forth; to launch
Laoconte Laocoön
lapidación stoning to death
lapidar to stone to death
largarse *coll.* to go off; to scram
largo long; **a lo — de** along, the length of; in the course of

lascivia lust
lástima pity; **es una —** it's a pity; **¡qué —!** what a pity!
lateral *m.* side
lavabo washstand; lavatory
leal loyal; sincere
lealtad loyalty
lección lesson
leche *f.* milk
lecho bed
leer to read
legionario Roman soldier of the legion
legítimo legitimate; legal
legumbre *f.* vegetable
lejano distant, far-off
lejos far, far away; **a lo —** in the distance, far-off; **— de** far from; **de —** from afar
lengua tongue; language
lento slow
leña firewood
letra letter of the alphabet; the written word
levantado raised
levantar to raise, lift; **—se** to get up; to arise
leve light; soft; slight; brief
ley *f.* law
librarse to free oneself
libre free
libro book
ligado tied together, bound
ligero light; swift; thin
limitado bounded; limited; separated
limitarse (a) to confine (limit) oneself (to); **me limitaré a (decirle)** I'll only (say to you)
limpio clean; free from
linchar to lynch
línea line; **en las —s** in the ranks
liquidar to settle an account; to kill
listo ready; quick; **ser —** to be clever

lívido livid; very pale
lo: — + *adj.* how; — **de** about;
that business, affair, matter;
— **malo es** the trouble is
loado praised; ¡**Dios sea —**! praise
God!
loba she-wolf; *coll.* lewd woman
loco mad, crazy; madman
locomotora locomotive, engine
locura madness; **una —** a mad act
lograr to gain, accomplish, achieve,
attain; — + *inf.* to succeed in
logrero usurer; profiteer
longaniza pork sausage
lotería lottery
lucir to show off; to display
lucubración nocturnal study
lucha struggle; **en —** struggling
luchar to fight; to struggle
luego soon, presently, at once;
later; then; **desde —** of course;
to be sure; **hasta —** so long;
I'll see you later
lugar *m.* place; **en — de** instead
of; **tener —** to take place
lujo luxury
lujuria lust, sensuality
lujurioso lecherous, lustful, lewd
luna moon; — **de miel** honey-
moon
luz *f.* light; **a todas luces** completely; from every aspect

llamar to call; to knock at a door;
—**se** to be named
llanto tears, weeping
llave *f.* key
llavecita small key
llegada arrival
llegar to arrive; to come; to reach;
— **a** + *inf.* to come to; to
succeed in
llenar to fill
lleno full, filled; **de —** fully
llevar to wear; to carry; to take;
— **a** to lead to; —**... años** to

have been doing something for
... years; —**se** to take away,
carry off
llorar to weep, cry
lloriquear to whimper, cry softly
lloroso tearful
lluvia rain

madera wood; —**s** wooden storm
shutters
madre mother
madrugada dawn
maestría mastery
magia magic
mago magician; seer; wise man
majestad majesty; dignity
mal badly; poorly; incorrectly;
menos — at least; *n. m.* evil;
harm
maldición curse
maldito cursed; damned
maleta suitcase, valise, traveling
bag
maletín small valise; overnight bag
malicia mischief; malice; shrewd-
ness; **con —** mischievously
malo (mal) bad; poor; **lo —** the
worst of it; the trouble
malogrado unsuccessful; **libertad
malograda** unfulfilled desire
for liberty
malvado wicked
mamar to nurse; to suckle
manantial *m.* spring of water
mancha blemish, stain
manchado soiled, stained, blem-
ished
manchar to stain, soil
mandar to order, command
mandíbula jaw
manera manner, means, way; **de
todas —s** at any rate
manga sleeve
manifestarse (ie) to manifest one
(it)self

mano *f.* hand
manso gentle, mild
mantener (ie) to keep, maintain; to support
mañana tomorrow; *n.* morning; **el — ** the future
maravilloso marvellous, wonderful
marcha march; trip; departure; **en — ** on (our) way
marchar to march; to go; **—se** to go away, leave
mareo dizziness, dizzy spells
marido husband
mas but; yet
más more, most; **— bien** rather, somewhat; **no — que** only
masa mass, form, shape; dough
máscara mask; **— y teatro puro** pure, intranscendental theater *the mask is a reference to the traditional dramatic art of pure make-believe, in which the actors wore masks on the stage*
mascullar to mutter, mumble, speak falteringly
masticar to chew
matadero slaughterhouse
matar to kill
matiz *m.* shade (of meaning); **matices freudianos** Freudian implications
matrimonio married couple
mayor larger; greater; largest; greatest
mecanógrafa typist
mecer to rock; to sway
mechero lamp burner; gas burner; lighter
medalla medal
media stocking
mediante by means of
medida measure
medio half, a half; *n.* middle; means, way, method; medium, surroundings, environment; **en — de** in the midst of

medusa jelly fish
mejor better, best; **a lo — ** more than likely, probably, quite possibly; **es — ** it is better
mejora improvement
mejorar to improve
melancólico sad; gloomy
melena locks, long hair
melindre *m.* affectation; prudishness
memoria memory; **de — ** by heart
mendigo beggar
mendrugo scrap of bread
menear to shake; to stir; **— la cabeza** to shake one's head
Menina infanta, princess; **Las Meninas** famous painting by Velázquez
menor less; least; slightest
menos less; least; except; **al — ** at least; **— mal** at least; **por lo — ** at least;
mensaje *m.* message
mente *f.* mind
mentir (ie) to lie, tell lies; to deceive
menudo small, tiny; **a — ** often
merced *f.* mercy; favor; **a — de** at the mercy of
merecer to deserve
merecido deserved
merodeo roving about; marauding
mes *m.* month
mesa table
Mesías Messiah *the expected king and deliverer of the Hebrews*
metafísica metaphysics *the division of philosophy dealing with the science of being*
meter to put in, get in; to plunge (a country into war); **—se** to get into; to go inside
método method
microcosmos *m.* microcosm, little world
**microscopio: al — ** with a microscope; minutely, in detail

miedo fear; **dar —** to frighten; **pasar (un) —** to be frightened; **tener —** to be afraid

miel *m.* honey

miembro limb; member

mientras while, meanwhile; as long as; **— que** while, during the time; whereas; **— tanto** in the meantime

mil one (a) thousand

milicia militia

miliciano soldier, militiaman

militar military; *n. m.* soldier

ministro cabinet member

minucia trifle, minor matter; detail

minucioso detailed; scrupulously exact

minúsculo very small, tiny

minuto minute

mirada look, glance; **bajar la —** to look down, lower one's eyes; **— circular** (a) glance around

mirar to look (at); to see; **—se entre sí** to look at one another

miserable: ¡—! you wretch!

misión mission; errand

mismo same; self; very; **eso —** exactly; **lo —** the same thing; **lo — que** the same (thing) as

mitad half

mito myth

mocito youngster, boy

moderar to restrain; **— los nervios** to calm oneself

modo means, manner, way; **de ese —** in that fashion; **de ningún —** by no means; not at all; **de — que** so that; **de todos —s** at any rate

Moisés Moses *the great Hebrew prophet who led the Israelites out of Egypt*

molestar to bother, annoy; **—se** to take the trouble, to bother (oneself)

molestia bother, trouble

molesto annoyed, bothered; uncomfortable

momento moment; **de —** for the moment; **por el —** momentarily, at the moment

moneda coin, money

monigote *m. coll.* clown, fool

monógamo monogamous *also, by extension,* one who is faithful to one mate

monotonía monotony

monserga *coll.* gabble, gibberish, nonsense

montaje *m.* stage setting

montaña mountain; **por la —** by way of the mountain

montar to set up (guard); to put together (train)

montaraz primitive, wild, rustic

monte *m.* mountain; forest

montículo mound

moral *f.* morale; spirit; morality; **— combativa** fighting spirit, will to fight

morder (ue) to bite, take a bite

moreno dark, brown, brunette

morir(se) (ue) to die

morral *m.* knapsack

mosca fly

mostrar (ue) to show, reveal; **—se** to appear, be seen

motivo reason; **graves —s** serious reasons

mover (ue) to move; **—se** to move about, stir

movilizado mobilized

movimiento movement

moza young woman; **— de mala fama** girl of ill repute

mozo boy, lad, young man; **buen —** good-looking young man

muchacha girl

muchacho boy

mucho much, a great deal; **—s** many

mudez *f.* muteness

mudo mute, silent

mueble *m.* piece of furniture; —s furniture; **por los** —s indicating the furniture

muerta *n.* dead woman

muerte *f.* death; **dar** — to kill

muerto dead; **medio** — **de hambre** half-starved; *n.* dead man

mujer woman; wife

mujerzuela loose woman; prostitute

mullir to soften

mula mule

mundo world

muñeca wrist; pulse

murmuración gossip; slander

murmurar to murmur; to whisper; to slander; to gossip; — **entre dientes** to mutter

muro wall

musitar to mutter, mumble; to whisper

muy very; very much

nacer to be born

nacimiento birth

nada nothing; not at all; **de** — you're welcome, don't mention it; — **menos** no less; — **mío** nothing belonging to me

nadie nobody; no one; **más que** — more than anyone

naipe *m.* playing card

naranja orange; **agua de** — orangeade

nariz *f.* nose; **reirse en sus narices** to laugh in one's face; to defy

naturaleza nature

navaja knife, clasp-knife; razor

necedad foolishness, stupidity

necesidad need

necesitar to need; — **de** to have need for

necio foolish

negación denial

negar (**ie**) to refuse; to deny;

negarse a + *inf.* to refuse to

negociante *m.* businessman; — = **empresario** business manager

negocio business; business deal

negro black

nene baby boy

nervio nerve

nervioso nervous

neutro neutral

ni nor, neither; not even; — **menos** even less; — **siquiera** not even; — **uno** not one; not a single

ninguno (**ningún**) none, not one, not any

niña girl, child

niño boy, child; — **de pechos** nursing baby

níquel *m.* nickel (metal)

nivel *m.* level

nivelar(se) to level; to equalize; to become equal

nivola = **novela** *Unamuno coined the term* **nivola** *to designate his own novels which, according to critics, did not conform to traditional standards*

noche *f.* night; evening; **a las tantas de la** — very late, at all hours; **esta** — tonight; **buenas** —s good evening, good night

nombrar to mention, name

nombre *m.* name

nona ninth; ninth hour

notar to notice; **se te nota** one can tell, it's obvious

noticia information; piece of news

novia fiancée; bride; sweetheart

novio fiancé; bridegroom; sweetheart

nube *f.* cloud

nublado clouded, cloudy

nublar(se) to cloud over, become cloudy

nuca nape of the neck; lowered head

nudillo knuckle

nuestro our; **de los —s** one of ours, on our side

nuevo new; **de —** again

nunca never

nutrido abundant, well nourished

o or; **—...—** either . . . or

obedecer to obey

obligar (a) to compel, force

obra work; product; **— maestra** masterpiece

obrar to act; to work

observador observant

observar to observe, watch, look at

obstante: no — nevertheless; notwithstanding

obstinarse (en) to persist (in); to be stubborn (about)

ocioso idle; fruitless

ocultar to hide

oculto hidden

ocurrido: lo — what happened; the event

ocurrir to happen, occur, take place

odiar to hate

odio hatred

odioso hateful, odious

oeste *m.* west

ofender to offend; to insult

oferta offer

oficio profession, trade

ofrecer to offer

oído hearing; ear; **dar —s a** to listen to, heed

oir to hear; to listen; **¡oiga!** say! listen here

ojeada quick glance; **— circular** a quick glance around

ojera(s) dark circle(s) under the eye(s)

ojo eye; **¡— conmigo!** watch out for me!

oler (ue = hue) to smell, sniff at; **— a** to smell of (like)

olor *m.* odor

olvidar(se) to forget

ontológico: *pertaining to the science of being or reality*

operativo operative; effective

oponerse (a) to oppose

oportuno timely

oposición opposition; competition; **catedrático por —** professor appointed through competitive examinations

opresor oppressive, overpowering

oprimir to press; to oppress

optimista optimistic

opuesto opposite

orden *f.* order, command; **a la —** as you wish; at your service; **a sus órdenes** at your service

ordenar to order, command; to put in order

oreja ear

organizar to organize, set up; **—se** to be organized

órgano organ

orgullo pride; **con —** proudly

oro gold

oscurecer to grow dark

oscuridad darkness

oscuro dark

ostentar to display, show; to show off

otear to examine

otoño autumn

otorgar to grant, bestow

otro other, another

pabellón *m.* external ear; **hacer — con la mano** to cup the hand behind the ear (to hear better)

paciencia patience

padecer (de) to suffer (from)

padre father

pagar to pay, pay for

página page

país *m.* nation, country
pájaro bird
palabra word
palabreo = **palabrería** wordiness, lengthy talk
palabrita little word; brief remark
palacio mansion; palace
palidez *f.* pallor
pálido pale
palma palm of the hand
palmada slap; **darse una —** to slap oneself
paloma dove
palpar to touch; to feel; **—se un bolsillo** to search one's pocket
pan *m.* bread; loaf of bread
pana corduroy, velveteen
panecillo roll (of bread)
pantalón *m.* trouser
pañuelo handkerchief
papel *m.* paper; document; role (in a play)
par *m.* pair, couple
para for; to; toward; in order to; so that; **— bien o — mal** regardless of the outcome; **— sí** to himself (herself)
parábola parable *a short, fictitious narrative from which a moral or spiritual truth is drawn through analogy*
paradoja paradox
parador *m.* inn; **— de turismo** government-sponsored inn for tourists
parar to stop; **venir a —** to end up; **—se** to stop; to come to a stop
pardo dark gray; brown; drab
parecer to appear, seem; **¿no les parece?** don't you think so?; **¿qué le parece?** what do you think of it?; **—se a** to resemble, look like; *n. m.* opinion
pared *f.* wall
pareja pair, couple

parisiense Parisian
párpado eyelid
párrafo paragraph
parte *f.* part; share; **a ninguna —** nowhere; **por otra —** on the other hand; *m.* dispatch, urgent message
partida contest, match; departure
partido party, faction
partir to split; to break (up); to cut off, slice; to leave, depart
pasado past; last; **lo —** what is past
pasajero fleeting, temporary
pasar to pass; to cross; to happen; to go in; to come in; to go by (through); to take (carry) something; to spend (time); to swallow (liquid or food); **— por** to go by way of, through; **—lo mal** to have a hard time; **—se un peine por el pelo** to run a comb through one's hair; **¿qué le pasa?** what's the matter? **se pasa** (I'm) getting over it
pasear to walk about, stroll
paseo walk, stroll
pasión passion; excitement; **con —** passionately
paso step; way; mountain pass; passage; **a un —** a step away; **albergue de —** hostel, wayside inn; **dejar —** to make way; to allow to pass
patraña lie, fiction
patria fatherland, native country
pavor *m.* fear, fright, terror; **dar —** to be frightening; to frighten
payaso clown
paz *f.* peace
pecado sin
pecador sinning; *n. m.* sinner
pecadora sinner
pecar to sin; **— de + *adj.*** to be excessively
pecho breast; chest; heart; bosom;

vest; **niño de —** nursing baby;
tomar a — to take to heart
pedacito tiny piece
pedazo piece
pedir (i) to ask, ask for, beg, request
pedrada stoning, throw of a stone;
matar a —s to stone to death
pegar to beat, strike
peine *m.* comb
peligroso dangerous
pelo hair
pelotón *m.* platoon, squad; **— de
ejecución** firing squad
pelucona *coll.* double doubloon
pena pain, sorrow, grief; **con —**
sorrowfully, regretfully; **es una
—** it's a shame
pender to hang
pendiente hanging; **— de** watching and listening attentively
penetración insight
penetrar to penetrate, pierce
penoso painful; sad
pensamiento thought
pensar (ie) to think, think over,
consider, reconsider; to intend;
— en to think of, about; **— en**
+ *inf.* to expect to; **— mal** to
think evil; to misjudge
penumbra shadow; darkness, gloom
peor worse; worst; **lo —** the worst
of it
pequeñín *m.* little one, baby
pequeño small, little; *n.* little one,
youngster
percibir to perceive, comprehend
perder (ie) to lose; to miss; to
waste (time); **— de vista** to lose
sight of; **— el juicio** to lose
one's mind; **—se** to be lost; to
disappear
perdido lost; **dar por —** to give
up as lost
perdón *m.* pardon; **¡—!** I beg
your pardon!

periódico newspaper
permanecer to remain, stay
permiso permission; **con —** pardon me; with your permission
pernicioso harmful
pero but
perplejo perplexed, puzzled
perra bitch
perrito puppy; lap dog
perro dog
perseguir (i) to pursue; to go after,
follow; to seek
personaje *m.* important person;
character
personificar to personify
pertenecer to belong
perverso perverse, wicked
pesadilla nightmare, ugly dream
pesar *m.* grief, sorrow; **a — de** in
spite of; **a su —** in spite of
(herself); **con —** sorrowfully
pesaroso repentant; sorry
pese a in spite of, despite
peso weight; **de —** weighty, serious, of consequence
petate *m.* mat (used for sleeping)
petrificado petrified, frozen
petulante insolent; *n. m.* insolent
fellow
pez *m.* fish; **peces gordos** "big
shots," important people
pie *m.* foot; **a —** on foot; **—s
desnudos** bare feet
piedad mercy; pity; **¡—!** have
mercy!; **por —** for mercy's
sake
piedra stone
piel *f.* skin, hide
pierna leg
pillar to catch, seize
pintar to paint
pintor *m.* painter
pintoresco picturesque; unusual
pintura painting
piojoso lousy, mean
piso floor; **— de tierra** dirt floor

pisotear to trample; to crush under foot
pistolera holster
pitillo cigarette
pitorro spout
placer *m.* pleasure
planta floor, story; sole (of foot); **casa de una sola —** single-story house
plantear to plan; to state (a problem)
plata silver
plateado silvery
plato plate
plaza public square
plazo term, time allotted
pliegue *m.* fold, crease
pobre poor, miserable; *n. m. or f.* poor man (woman)
pobrecito poor little thing
poco little, scanty; **a —** in a little while ; **— a —** gradually, slowly; **—s** few
poder (ue) to be able, can; **no — con** to be unable to cope with; **puede que** perhaps, maybe, it's possible; **pudo ser** (it) could have been; *n. m.* power, authority; **en — de** in possession of
poderoso powerful
poesía poetry
poeta *m.* poet
polémico controversial
policíaca: novela — detective novel
político politician; **— intrigante** conspiring politician
polvo dust, dirt
polvoriento dusty
pollo chicken
pomo pommel; doorknob
poner to put, place; to set down; to write; **— en escena** to stage, present; **— en libertad** to set free; **—se** to put on; **—se +** *adj.* to become, get; **—se a +** *inf.* to begin to

poquito a very little bit
por as; from; about; along; by; for; through; during; because of; in exchange for; on account of; by way of; for the sake of; **— dentro (fuera)** on the inside (outside); **— él** on his behalf; **— eso** therefore; that's why; **— (sincero) que sea** however (sincere) (he) may be; **¿— qué?** why? for what reason?
porque because
portarse to behave; **— mal** to misbehave
portillo small gate; aperture; pass
porvenir *m.* future
poseer to possess, own; to have
posterior last, final, later; *n. m.* rear
postguerra postwar
postura position
poyo stone bench
práctico practical
precio price
precipitado hasty
precipitarse to hurry; to rush in
preciso necessary; exact, precise; **es —** it is necessary
predicar to preach
preferir (ie) to prefer
pregunta question; **hacer una —** to ask a question
preguntar to ask, question; **preguntarse** to wonder, ask oneself
prejuicio prejudice
premiado one who is awarded a prize; **obra premiada** winning work (play)
premio prize
prenda article of clothing, garment; **las mismas —s** the same attire
prensa press; newspapers
preñado pregnant
preocuparse to worry, be concerned; **¡no se preocupe!** don't worry!

presencia presence; appearance
presentar to present; to offer; —se to appear; to be introduced
preservar to keep, preserve, save
Presidencia residence of the president
presión pressure
preso (de) seized (by), caught; imprisoned; *n. m.* prisoner
prestar to lend; to offer; —se to offer oneself (one's services)
prestigio prestige
prestigioso influential; well known; having prestige
presumir to be arrogant, overly confident; to boast
presuroso hasty; hastily
pretender to claim; to try; to seek; to want; to intend
prevaricador *m.* turncoat, renegade
prever to foresee
previsión foresight
previsor foresighted
primario principal
primero (primer) first; at first; **primer término** downstage, foreground; **a primera hora** very early; first thing in the morning
principio beginning; principle
prisa hurry, haste; **darse** — to hurry; **de** — quickly
prisión prison
privar to deprive
privilegio privilege; grant, concession
probar (ue) to taste; to try (out); to test
proceder to behave; — **mal** to misbehave
procedimiento procedure
procesal pertaining to a trial or lawsuit
proceso trial, lawsuit
proclamar to proclaim
procurar to endeavor, try
prodigar to lavish

prodigioso extraordinary; marvelous
producir (se) to produce; to be produced
profanar to profane, desecrate
proferir (ie) to utter, express
profeta *m.* prophet
profetizar to prophesy
profundo profound, deep; **dormir profundamente** to sleep soundly; **ojos** —s deep-set eyes
prohibir to forbid
prójimo fellow creature; **con el** — with one's fellow man
prometer to promise
pronto soon, quickly; early, too early; **de** — suddenly
pronunciar to utter, pronounce
propiciatorio expiatory; appeasing
propicio favorable
propiedad property
propio own; proper, suitable; — **de** suitable for
proporcionar to furnish, supply
propósito purpose; plan; **a** — by the way; on purpose
protagonista *m. or f.* protagonist
protector protective; *n. m.* protector, defender
proteger to protect
provecho advantage, profit
provisto (de) provided (with)
provocado aroused, stimulated
prudente prudent, wise, discreet; considerate
prueba proof; test, trial
psiquíatra *m.* psychiatrist
publicar to publish, print
pueblo people, nation; town, village
pueril boyish
puerta door
pues well, well then; all right
puesto post, place, station; — **de sanidad** first-aid station; field hospital

pugnar (por) to struggle (for)
pulgar *m.* thumb
puntapié *m.* kick; **abrir de un —** to kick open
puntilla: dar la — to kill; to finish off
punto point; dot; **a — de** nearly; about to, ready to; **— de vista** point of view; **en —** exactly, on the dot; **estar a —** to be just right
puñetazo punch, blow (with fist)
puño fist; **crispando los —** clenching (his) fists
pupila pupil of the eye; **—s** eyes
puro ethical; pure of heart and mind; sheer
puramente solely

que who; that; which; for; because; **¿qué?** what?; **¿y qué?** what of it?
quebrado broken
quebrar (ie) to break
quedar to remain; to be left; to have left; **—se** to stay, remain; **—se atrás** to be outdone; to be left behind
quedo gentle, quiet; softly; **en voz queda** softly, in a soft voice
quejarse (de) to complain (of)
quemar to burn; to burn out; **—se** to be burned
querer (ie) to wish, want, desire; to try; **— a** to love; to like; **— decir** to mean; **— mal** to dislike; **no quise molestarte** I didn't mean to trouble you
¡quia! huh!; no indeed!
quicio doorway, threshold
quien who, he who, the one who; **¿quién?** who?; **¿de quién?** whose?
quieto quiet, still; **¡—!** quiet! stop that! halt!
quinta fifth

quitar to take away, remove; **¡quite!** stop it!
quizá perhaps

rabí rabbi
rabia anger, rage; **dar —** to anger; **con —** angrily
rabiar to rage, be very angry
rabo tail; handle
ración portion; ration
raiz *f.* root
rapaza girl
rapto outburst
rasgo trait, characteristic
rasurado shaved
rata rat
rato space of time; a while; **largo — a** long while
ratonil rat-like
rayo ray; beam; flash of lightning; **como un —** like a flash
razón *f.* reason; motive; argument; **— de ser** reason for being (existing); **no tener —** to be wrong
razonamiento rational argument
razonar to argue; to reason
reaccionar to react, respond
real true, real; really
realista realistic; *n.* realist
realizar to bring into being or action
reaparecer to reappear
rebajar to discharge (from military service)
rebanada slice
rebatir to refute (an argument)
rebelarse to rebel
rebelde rebellious; *n. m.* rebel
rebeldía rebelliousness; defiance
recado errand; message
recalcar to emphasize
recatarse to be cautious, act carefully
recibir to receive

reciente recent

recio thick; coarse; robust

recoger to pick up; to take back; to gather

recogido secluded; withdrawn

recomendar (ie) to recommend; to advise

recompensado rewarded

reconciliado reconciled; shared (ideals)

reconocer to recognize; to admit

reconquistar to reconquer

recordar (ue) to remember, recall; no — mal to remember correctly

recostarse (ue) to lean on, against; to lie down

recurso recourse

rechazar to reject

rechinar to creak; to squeak

redacción revision

redactar to revise; to write

redención redemption

redondo round

reducir to reduce

referirse (ie) (a) to refer to; to mean

reflejar to reflect

reflejo reflection

reflexionar to think over; to reflect

refrescarse to take refreshment; to cool off

refresco cool drink, refreshment

refugiado refugee

regir (i) to govern; to be in control

registrar to register, record; to search

regocijo joy, bliss

rehuir to shun, avoid; to shrink (from)

rehusar to refuse, reject

reinado reign

reinar to reign; to prevail

reir (i) to laugh; hacer — to amuse, make (someone) laugh; —se de to laugh at, mock; —se

en sus narices to laugh in one's face; to defy

relacionar to relate; —se to be related

relampagueante flashing

relato narration

relieve: sin — unimportant; undistinguished

reloj m. watch, clock

reluciente shining, sparkling

remediar: no — nada to be futile

remedio solution; way out; help, remedy; no hay otro — there's no other solution

remordimiento remorse

remoto remote

remover (ue) to stir; to move about

rencor m. rancor, spite, grudge

rencoroso spiteful; resentful

reñir (i) to scold; to quarrel; — por to quarrel over

reojo: de — furtive; mirar de — to look at furtively

reparar (en) to notice

reparo hesitation, doubt; fear; sin — without hesitation

repartir to share; to distribute

reparto cast of characters

repeler to repel; to push (hold) back

repentino sudden; lo — the suddenness

repetir (i) to repeat

repleto full

reposado calm

representación performance

representar to represent; to amount to; to perform

reprimir to check, curb, repress, suppress

reprochar to reproach, blame; to criticize

repugnar to be repulsive; to disgust

requisado seized; requisitioned

requisar to seize; to commandeer

res m. animal; head of cattle

resbalar to slip

rescatar to ransom; to redeem

reserva reserve, supply; emergency ration

reservar to put aside; to keep, save; to hold out

residir to reside

resignarse (a) to resign oneself (to); **no —** to refuse to

resistir(se) to resist; to struggle

resolver(se) (ue) to decide; to resolve; to determine

resollante panting; out of breath

resonar (ue) to clatter; to be heard

respecto: — a regarding; in regard to

respeto respect

respirar to breathe

resplandeciente shining; joyous

respuesta answer

resto remainder, rest

restregarse (ie) to rub against

resucitar to resuscitate, bring (come) back to life

resultado result

resultar to turn out

resumir to summarize

retaguardia rear guard

retener (ie) to hold back; to stop; to detain

retirar(se) to withdraw; to retire

retrasarse to be late

retraso delay

retroceder to draw back; to retreat; **va retrocediendo** (he) keeps backing away

reunir to gather, bring together; **—se** to join, come together

revelar to reveal; **—se** to be revealed

revés m. reverse; back; wrong side; misfortune; **al —** backward

revolcarse (ue) to wallow; to roll on the ground; *coll.* to have sexual relations

revolver(se) (ue) to turn around

rezar to pray; to claim; to state

rezongar to grumble, mutter

rico rich; delicious

rictus m. grimace

riesgo risk; **a — de** at the risk of

rigidez f. rigidity

rincón m. corner

riña quarrel, dispute

risa laugh, laughter

risita mocking laugh

risotada loud laugh; guffaw

risueño smiling

ritmo rhythm

robar to steal

robo theft, robbery

robusto robust, strong, sturdy; **robustas espaldas** broad shoulders

rodear to surround

rodilla knee; **caer de —s** to fall on one's knees; to kneel

roer to gnaw

rogar (ue) to beg

rojizo reddish; ruddy

rojo red; blushing

romano Roman

romper to tear; to break; to break up; **— a (llorar)** to burst into (tears)

ronco husky, hoarse

rondar to haunt; to hover over

ropa clothing, clothes

ropón m. loose cloak

rosa rose

rostro face, countenance

rótulo sign, poster

rotundo clear, definite

rudo rough, harsh, rude

rugir to roar

ruido noise; **sin —** noiselessly

ruidoso noisy; noisily

ruinoso ruined; ruinous

rumbo course, direction

rumor m. rumor, report

saber to know, know how to, be able to; to find out, learn, discover; to taste; **— a** to taste of, taste like; **supe** I was aware; I found out

saborear to relish, taste with pleasure; to enjoy

sabotaje *m.* sabotage

sabroso tasty, savory; pleasant

sacar to take out, get out, bring out; **apenas saca nada** (he) hardly gets anything

sacerdote priest

saciarse to satisfy oneself completely

saco sack, bag

sacrificarse to sacrifice oneself

saduceo Saducean *member of Jewish sect*

sagaz wise, sagacious

salida exit, way out

salir to leave; to go out; to come out

salmodiar = **salmear** to chant; to sing (chant) psalms

saltar to jump; to leap

salto leap, jump; **de un —** with a leap; **— de cama** negligée, dressing gown

saltón protruding; **ojos saltones** goggle-eyes

salud *f.* health

salvador *m.* savior

salvar to save; to rescue; **—se** to escape; to be saved

salvo safe; except

sanatorio sanatorium, hospital

sandez *f.* foolishness; stupidity

sangre *f.* blood

Sanhedrín *m.* Sanhedrin *Jewish tribune or council*

sanidad health; sanitation; **puesto de —** first-aid station; field hospital

sano sound, healthy; **lo más —** the most healthy aspect

santo holy, saintly; **santa ira** righteous wrath

sargento sergeant

satisfacer to satisfy

satisfecho satisfied

secar(se) to dry

secas: a — just, only, merely, simply

seco dry; curt, abrupt; skinny, dried up

secretaria secretary; **— de confianza** confidential secretary

sector *m.* sector; section, part

sed *f.* thirst

sedentario sedentary *not given to physical activity*

seguida: en — at once, immediately

seguido followed; successive

seguir (i) to continue, go on; to follow; **¡siga usted!** go on!; **¿sigue durmiendo?** is he still asleep?

según as; according to

segundo second; **— término** upstage

seguridad security; safety; **—es** certainties

seguro sure; secure; safe; certain; **¡—!** of course! I'm sure of it.

sello seal, stamp; mark

semana week

semejante similar, like; such a

semejanza similarity

semejar to resemble; to seem like

semicerrado half-closed

sencillo simple; plain, natural

sendos each of two, either

senil senile

seno bosom

sensible sensitive

sensiblería pure sentimentality; foolishness

sentado seated, sitting

sentar (ie) to seat; **—se** to sit down; **¡a —se!** sit down!

sentencioso terse; sententious

sentido sense; feeling

sentimiento sense; feeling; concern

sentir (ie) to feel; to regret, be sorry; to sense, hear; **—se mal (bien)** to feel ill (well) seña signal; sign; hacer una — to signal

señal *f.* sign, mark; signal

señalar to point to, point out, indicate; — con el dedo to point to

señor man; gentleman; Mr.; sir; master; el Señor the Lord

señora lady; woman; madam; Mrs.; mistress

separarse to move away; to be removed; to withdraw; se separa la cazadora he opens his jacket

ser to be; — de to belong to; to become of; es que but; it's just that; *n. m.* being; existence

serio serious; por lo — seriously

serpiente *f.* serpent, snake

servicio: — interior domestic service

servil servile; slavish

servir (i) to serve; to be of use; — de to serve as; no — to be useless; para —le at your service; —se to help oneself

si if; whether

sí yes; certainly; indeed ¿—? oh, really?; — que certainly, indeed; yo — los tengo I certainly do have them

siempre always; para — forever

sien *f.* temple

sierva slave

sigiloso secretly; silently

siglo century

significado significance

significar to mean, signify

significativo significant

signo sign; symbol

siguiente following, next

silabear to pronounce in syllables

silbido whistle

silla chair

simbolizar to symbolize

simiente *f.* seed

simpatizar (con) to be in sympathy

(with); to have a liking (for)

simpleza foolishness, nonsense

sin without; — que without

sinagoga synagogue

singular unusual

siniestro left (side)

sino but, but rather; except; *n.* fate, destiny

sinsabor *m.* unpleasantness

síntesis *f.* synthesis

siquiera even; at least; ni — not even

sirena mermaid; siren

sisear to hiss

sitio place

situarse to place (settle) oneself

sobra: de — only too well

sobrar to exceed; to be more than enough, be left over

sobre over; above; on, upon

sobrecogido alarmed, startled; apprehensive

sobrenatural supernatural

sobreponerse to control oneself; to overcome

sobresaltar to startle; —se to be startled

sobresalto sudden start; alarm

sobrio sober, serious, austere; dispassionate; earnest

socarrón cunning, sly, crafty

socorro help

sofocante suffocating

sol *m.* sun; de — a — from dawn to dusk, all day long

solapa lapel

solapado sly, crafty, cunning

soldado soldier

soldarse (ue) to be welded together

soleado = asoleado sunny; suntanned

soledad solitude, loneliness

soler (ue) to be used to, be in the habit of; to be generally

solo single; alone; only

sólo only; — **que** except that
soltar (ue) to let go; to let loose;
   —**se** to free oneself, break loose
sollozar to sob
sollozo sob
sombra shadow; shade
sombrío gloomy; gloomily
someter to submit
sonar (ue) to sound; to be heard;
   to jingle; **hacer** — to jingle
sonido sound
sonreir(se) (i) to smile
sonriente smiling
sonrisa smile
soñador *m.* dreamer; idealist
soñar (ue) to dream; to imagine;
   a — let us dream; — **con** to
   dream about; — **mal (bien)** to
   have bad (good) dreams
soportar to endure, suffer, bear
sordera deafness
sordidez *f.* sordidness
sordo deaf; stifled, muffled, dull
sorprendido surprised
sorpresa surprise
sortija ring, finger-ring
sostener (ie) to hold; to support;
   —**se** to nourish oneself
suave soft; gentle
suavidad gentleness; softness;
   con — gently
subir to come up, go up; to rise
   (in status)
súbito sudden
subvencionado subsidized
suceder to happen; **¿qué le (les)
   sucede?** what's the matter with
   you (him, them)?
suciedad filth
sucio dirty, filthy
sudar to sweat, perspire
sudor *m.* sweat
suelo floor; earth, ground
suelto loose
sueño dream; sleep; **mal** — nightmare; **un buen** — a good

night's sleep; **¡felices** —**s!**
   pleasant dreams!
suerte *f.* luck, good luck; fate;
   buena — good luck; **tener** —
   to be lucky
sufrir to suffer, endure, bear; to
   undergo
sugerir (ie) to suggest
suicida *m. or f.* suicide
sujetar to hold fast; to fasten
sujeto held fast; restrained; *n.* fellow, individual
suma greatest; **de** — **importancia**
   of utmost importance
sumiso submissive, yielding
superficial: lo — superficiality
superior superior, greater, better;
   upper
suplicar to plead, beg
suponer to suppose, surmise
supuesto: por — of course
surcado lined; furrowed
surelés citizen of Surelia; from
   Surelia
Surelia *imaginary country in which
   action of* Aventura en lo gris
   takes place
surgir to appear
suscitar to excite, arouse, stir up
suspicacia suspicion
suspirar to sigh
suspiro sigh
sustento nourishment
susto fright, alarm
susurrar to whisper; to murmur
sutil subtle; fine, delicate

taburete *m.* stool; footstool
tal such, such a; — **como** just as;
   (el) — **profeta** (the) said
   prophet; — **vez** perhaps
taladrar to penetrate, pierce; to
   comprehend (a difficult point)
talmente *coll.* exactly, in the same
   manner

talle *m.* waist; **por el —** around (by) the waist

tallo stalk, stem

tamaño size

tambalearse to stagger

también also, too

tampoco neither; not . . . either; **ni...—** nor . . . either

tan so; as; such, such a; **—...como** as . . . as; **— solo** only; **— tuyo como mío** as much yours as mine

tantear to feel out; to grope

tanto so much; **— como** as much as; **—...como** both . . . and; **mientras —** meanwhile; **por lo —** therefore; **—s** so many

tapar to cover; **—se** to cover up; to be covered

tapete *m.* rug; cover (for table)

taponar to plug; to bottle up

tardar (en) to delay; to be long (in); to take a long time (in)

tarde late; *n. f.* afternoon

tartamudear to stammer, stutter

teatral theatrical

teatro theater; drama (as a genre)

técnica technique

técnico technical

tejedora spinner

telón *m.* curtain; **al caer el —** when the curtain falls

tema *m.* theme

temblar (ie) to tremble

temblor *m.* trembling; fear

tembloroso trembling

temer to fear, be afraid

temeroso fearful; timid; timidly

temor *m.* fear

templar to cool

templo temple; church

temprano early

tender (ie) to hold out; to extend; to hand; to stretch out

tendido outstretched; held out

tener (ie) to have, possess;

— buena cara to look well; **— cuidado** to be careful; **— ganas de** to feel like; to be anxious to; **— hambre** to be hungry; **— miedo** to be afraid; **no — razón** to be wrong; **— que** to have to; **— que ver con** to have to do with, to concern oneself with; **— suerte** to be lucky; **aquí tiene** here is

tentar (ie) to feel; to touch; to tempt

tercero (tercer) third

terminantemente emphatically; finally; absolutely; definitely

terminar to finish, end; **—se** to be finished, come to an end

término term; end; **primer —** downstage, foreground; **segundo —** upstage

ternura tenderness, affection

terraza terrace

terrón *m.* lump

tesis *f.* thesis

tesoro treasure

testigo witness

tetera teapot; teakettle

tiempo time; **a —** on time; **al — (que)** at the same time (as); **a un —** together, at the same time

tierno tender; soft; gentle

tierra earth; dirt; ground; land; world

timidez *f.* timidity

tiniebla darkness; **—s** utter darkness; gloom

tinta ink

tinte *m.* tinge, hue, tint

tintinear to tinkle; to jingle; **hacer —** to jingle

tipo type, kind, class; *coll.* fellow, character

tiranía tyranny

tiranizar to rule, tyrannize, oppress

tirano tyrant

tirar to throw; to throw away; to throw down; to shoot; — **de** to pull

tiro shot

titubeante hesitating; hesitatingly

titubear to hesitate; to stammer

titular *m.* titular; distinguished by a title

tocar to touch; to play (an instrument); —(le) a (alguien) to be (someone's) turn; to fall to (one's) lot

todavía still, yet; — **no** not yet

todo all, everything; **del** — completely; —**s** everybody

tolerar to tolerate

tomar to take; to eat; to drink; — **a pecho** to take to heart; ¡**toma!** here! take it!

tomo tome, volume

tono tone; hue; tune; voice

tontería foolishness, nonsense

tonto foolish, silly; *n.* silly man

torpe stupid, dull; clumsy; rude; foolish; ¡— **de mí!** how stupid I am! what a fool I am!

torpeza stupidity; clumsiness; *n.* stupid act

torre *f.* tower

tortuosidad deviousness, slyness; deceit

torturar to torture, torment

tosco rough, coarse

tostado tanned, sunburned

total complete, total; in short; to sum up

trabajar to work

trabajo work; difficulty; trouble; hardship

traer to bring; to carry; to wear; — **en brazos** to carry; ¡**traiga!** give it here!

tragar(se) to swallow

tragedia tragedy

trágico: lo — tragedy; the tragic element

trago swallow, gulp

traición treason

traicionar to betray

traidor *m.* traitor

traidorzuelo treacherous fellow; miserable traitor

traje *m.* suit; dress; outfit

tranquilizado calmed; reassured; relieved

tranquilizarse to become calm, calm down; to stop worrying

tranquilo calm; peaceful, at peace; **lo** — **que** how calm

transferir (ie) to transfer

transformarse to change; to be transformed

tras after; behind; on the other side

trascender (ie) to transcend, go beyond

traslado move

trasponerse to go into a trance

trastornado disturbed, upset; distraught; **estar** — to be out of one's mind; to be very upset

trastorno disorder; disturbance; trouble

tratar to treat; to deal with; — **de** to try to, attempt to; —**se** to become well acquainted; —**se de** to concern; to be a question of

través: a — **de** through

tremendo tremendous, great

trémulo trembling

tren *m.* train

tribuna tribune, court

triste sad; miserable, wretched; dismal

triunfar to triumph, to conquer

trocito tiny piece

tronchado bent; broken; cut off

tropel *m.* crowd, throng

tropezar (ie) to stumble; — **con** to run into, stumble upon; to find (meet) unexpectedly

trozo piece

tumbar to bring down; to fell;
— **de un tiro** to shoot down
túmulo tomb
tumulto uproar; mob
turbado upset, troubled; uncomfortable
turbar to perturb, trouble, disturb
turbio muddy (water); troubled; confused
turbulento disorderly, rowdy; *n.* troublesome person
turismo tourist travel; tourism; party of tourists

último last, final
umbral *m.* threshold
unánime unanimous
único only, sole, solitary; only one
unir to unite; to bring together; —**se** to come together; to be united; —**se a** to join
unívoco unanimous; having a single meaning
usar to use
útil useful
utópico idealistic; utopian

vacilante hesitating
vacilar to hesitate
vacío empty; *n.* void, empty space, vacuum
Valderol *fictitious town of Surelia*
valer to be worth; to be of use; **no** — **para nada** to be worthless; **así no vale** that won't do; **vale más** it is better (best)
valeroso brave, courageous; valuable
validez *f.* validity
valor *m.* value, worth; courage, valor
vano vain; **en** — in vain, to no avail
vaporoso very thin; diaphanous

variado varied
vario varied; —**s** several
vaso tumbler, drinking glass
vecindad neighborhood; **drama de** — play of local customs
vecino neighbor
vela candle
velazqueño of (pertaining to) Velàzquez
Velázquez, Diego Rodríguez de Silva y (1599–1660) *Spanish court painter during the reign of Philip IV*
velo veil
vencer to defeat; to conquer; to triumph; —**se** to master oneself
vencido defeated, conquered; vanquished
venda blindfold
vender to sell
venganza vengeance
venido: bien — welcome
venir (ie) to come; — **a parar** to end up; — **bien** to suit; to be convenient
ventana window
ventilación fresh air
ver to see; **tener que** — **con** to have to do with; **ya se ve** that's clear; it's obvious
verano summer
veras: de — really, truly, honestly
verbo verb; the spoken word
verdad truth; **de** — really, truly; in reality; as a matter of fact
verdadero true, truthful; real
verde green
verdoso greenish
verdugo executioner
vergüenza shame; embarrassment
vestido dressed; **mal** — poorly dressed; *n.* dress
vestir (i) to wear; to dress; —**se** to dress, get dressed
vez *f.* time, occasion; **a la** — at the

same time; **a su —** in one's turn; **cada — más** more and more; **de — en cuando** occasionally, now and then; **de una — ** at once, right now; **en — de** instead of; **la próxima —** the next time; **otra —** again; **rara — ** rarely, seldom; **tal —** perhaps; **una y otra —** again and again; **a veces** sometimes; **muchas veces** often

viaje *m.* trip, journey

víctima: — propiciatoria scapegoat

vida life; **con —** alive

viejo old

viento wind

vigilancia watch; guard; **montar una —** to set up a guard

vil vile, base, wretched

vincularse to unite; to base one (it)self on

vínculo tie, connection

violar to violate; to rape

violencia: con — excitedly

visible: bien — perfectly visible

vista sight; view; eyes; **la — baja** eyes lowered (downcast); **perder de —** to lose sight of; **quitar de la —** to get out of one's sight

vivificar to vivify, give life

vivir to live

vivo lively; alive; bright (in colors)

volante *m.* permit, certificate

volar (ue) to fly; **¡vuela!** get going! on the double!

volatilizar to evaporate; to dissipate

volcar to overturn, turn upside down

volumen *m.* volume; text

volver to turn; to convert; to return, come back; **— a +** *inf.* to . . . again; **—se** to turn around; to become

voz *f.* voice; **en — alta** aloud; **sin — ** in a whisper; **a voces** shouting, screaming

vuelo flight; **en un —** in a jiffy

vulgar ordinary, commonplace

ya already; now; soon; presently; later; finally; **¡—!** I see! **— no** no longer, no more; **— que** since; as; now that; **— sea** whether it be

yacer to lie; to lie down

zafio boor; oaf; vulgar clown

zalamero flattering; fawning

zarandear to shake

zumba joke, raillery, mockery; **con —** mockingly